D1106206

La dernière saison

TOME 1

Jeanne

Louise Tremblay-D'Essiambre

La dernière saison

TOME 1

Jeanne

Guy Saint-Jean
ÉDITEUR

Catalogage avant publication de Bibliothèque et Archives Canada
Tremblay-D'Essiambre, Louise, 1953-
La dernière saison
L'ouvrage complet comprendra 2 v.
Sommaire : t. 1. Jeanne.
ISBN-13 : 978-2-89455-224-7 (v.1)
ISBN-10 : 2-89455-224-6 (v.1)

I. Titre. II. Titre : Jeanne.

PS8589.R476D47 2006   C843'.54   C2006-941568-4
PS9589.R476D47 2006

Nous reconnaissons l'aide financière du gouvernement du Canada par l'entremise du Programme d'Aide au Développement de l'Industrie de l'Édition (PADIÉ) ainsi que celle de la SODEC pour nos activités d'édition. Nous remercions le Conseil des Arts du Canada de l'aide accordée à notre programme de publication.

Gouvernement du Québec — Programme de crédit d'impôt pour l'édition de livres — Gestion SODEC

© Guy Saint-Jean Éditeur Inc. 2006

Conception graphique : Christiane Séguin
Révision : Hélène Lavery
Page couverture : Toile peinte par Louise Tremblay-D'Essiambre, « Le dernier envol ».

Dépôt légal — Bibliothèque et Archives nationales du Québec,
Bibliothèque et Archives Canada, 2006
ISBN-13 : 978-2-89455-224-7
ISBN-10 : 2-89455-224-6

Distribution et diffusion
Amérique : Prologue
France : Volumen
Belgique : Vander Diffusion S.P.R.L.
Suisse : Transat S.A.

Guy Saint-Jean Éditeur inc.
3154, boul. Industriel, Laval (Québec) Canada. H7L 4P7. (450) 663-1777.
Courriel : saint-jean.editeur@qc.aira.com • Web : www.saint-jeanediteur.com

Guy Saint-Jean Éditeur France
48, rue des Ponts, 78290 Croissy-sur-Seine, France. (1) 39.76.99.43.
Courriel : gsj.editeur@free.fr

Imprimé et relié au Canada

À Nicole
qui a su si bien prendre la relève

« *Emmène-moi au bout du monde...*
Emmène-moi comme autrefois...
Pourquoi faut-il que dans la vie
Il y ait des jours où tout est fini
Pourquoi faut-il que dans ma vie
Ce soit toi qui me l'aies appris... »

CLAUDE LÉVEILLÉE

Note de l'auteur

Fin novembre 2005. Le Salon du livre de Montréal vient tout juste de se terminer. Vous avez été nombreux à venir me rencontrer et je vous le redis : c'est un immense plaisir, un grand privilège de vous parler. Mais c'est aussi un incroyable défi que vous me lancez à chacune de vos visites. Vous attendez le prochain livre avec impatience, vous me l'avez dit. Alors, inévitablement, revient cette hantise qui me poursuit d'un livre à l'autre.

Cet ouvrage en gestation, en préparation, saura-t-il être à la hauteur de vos attentes ? À chaque fois, j'ai des doutes.

Ce matin, je renoue avec l'écran de mon ordinateur. Pour l'instant, il est presque vide. Il se remplit lentement des mots que je vous adresse. Puis, je le sais, il se couvrira de l'histoire de Jeanne et Thomas, de plus en plus rapidement, de plus en plus fébrilement. Je sens votre présence derrière moi, chers lecteurs, et cela me donne de l'assurance. Merci d'être si nombreux à me lire et sachez que ma reconnaissance va bien au-delà de ces quelques mots, habillés malheureusement d'une certaine banalité.

Il y a de nombreux mois, déjà, que Jeanne et Thomas ont commencé à envahir ma vie. Il y a eu d'abord deux visages éthérés sans caractéristiques détaillées. Suivi de peu par quelques apparitions furtives où les traits prenaient forme, en même temps que leur destinée se précisait dans ma pensée. Aux regards qu'ils se lançaient, j'ai vite compris que ces nouveaux personnages étaient habités par des émotions qui m'interpelleraient à coup sûr. Cependant, je n'étais pas encore disponible. Par respect pour la famille Deblois, je leur ai donc demandé de se tenir dans l'ombre. Pour un temps, leur ai-je précisé. Ils ont gentiment accepté. Mais dès que j'ai eu posé le point final à mon dernier roman, ils sont revenus presque aussitôt. Je crois qu'ils n'étaient pas très loin et qu'ils m'attendaient. J'aurais tout de même voulu prendre quelques jours de repos. Cette fois-là, ils ont refusé. Ce qu'ils ont à vivre est trop lourd, trop important, trop beau aussi, malgré la détresse, pour le tenir sous le boisseau. Ils doivent parler et veulent le faire tout de suite, avant qu'il ne soit trop tard. C'est ce qu'ils ont laissé entendre, c'est ce que j'ai cru comprendre. Alors j'ai décidé de les écouter.

Je cheminerai donc à leurs côtés les prochains mois.

Ils ont tous les deux à peu près mon âge. Peut-être quelques années de plus. Ils pourraient être mes voisins et, si tel était le cas, je crois que nous pourrions devenir amis. À les voir, je dirais qu'ils font partie de ce que j'appellerais la classe moyenne aisée. Ils habitent un beau quartier depuis de nombreuses années déjà, de telle sorte que les arbres et les haies qu'ils ont plantés jadis ont eu le temps de croître en abondance. Aujourd'hui, le soleil peut, en toute liberté, dessiner des ombres en dentelle sur les pelouses bien taillées et c'est très joli. Même s'ils ont tempêté pendant des années contre les ponts qu'il leur fallait traverser pour se rendre au travail, maintenant ils apprécient de ne pas avoir cédé à la tentation de s'installer sur l'île. Le calme serein de la banlieue se prêtera mieux à leurs ambitions de retraite. Lui rêve de photographie, elle de jardinage. Cependant, si l'envie de se perdre dans l'anonymat de la grande ville se manifestait, ils pourront, très bientôt, s'y rendre en dehors des heures de pointe. Dans quelques mois, Jeanne prendra sa retraite et Thomas suivra, l'année prochaine.

Comme il le dit parfois en riant: à eux la liberté! Les enfants sont grands et autonomes ou presque. La maison est payée, les autos aussi. Ils ont su être suffisamment économes et vigilants pour se créer un fonds de placement intéressant. Ils peuvent donc envisager en toute quiétude quelques voyages exotiques qui viendront pimenter l'ordinaire d'une vie qu'ils projettent autrement plutôt calme et sans histoires. Plus d'horaire à suivre ou d'échéancier à respecter, pas de grand projet en perspective, alors pas de désagrément à l'horizon. Dans le fond, ce qu'ils souhaitent, c'est d'avoir la chance de profiter du temps qui pourra désormais s'écouler doucement à travers les rêves qu'ils auront enfin la possibilité de réaliser. Ils font partie de cette génération privilégiée que nous appelons les *baby boomers*. Mais n'allez surtout pas leur dire qu'ils ont été favorisés par la vie! Ils vous répondront probablement, sourcils froncés et irritation dans la voix, qu'ils ont travaillé ferme pour en arriver là. Et sans doute auraient-ils en partie raison. Ce n'est toujours pas leur faute si l'existence était plus facile à l'époque où ils étaient jeunes.

Voilà! Vous en savez, sur eux, à peu près autant que moi. Je crois que ces personnages seront faciles à apprivoiser.

Dans un sens, leur vie s'apparente à la mienne, nos générations se touchent. Il ne me reste plus qu'à être à l'écoute de ce qu'ils veulent me confier pour qu'à mon tour, je puisse vous le raconter.

Les opinions exprimées dans ce roman reflètent uniquement les points de vue de l'auteur qui, à certains égards, s'est permis quelques libertés relativement aux différents organismes dont il est question dans le livre. Toute ressemblance avec des gens œuvrant en leur sein serait purement fortuite.

Prologue

Québec, printemps 1968 - été 1969

« *Tu es venue, quand au parterre sonne le muguet,
venue avec le corps qu'il fallait, le silence qu'il fallait
dans tout ce bruit du monde.* »
NORMAND DE BELLEFEUILLE

Thomas Vaillancourt se souviendra toujours de l'instant
où ses pas ont croisé ceux de Marie-Jeanne Lévesque.
Ce n'est pas simplement une figure de style de l'exprimer
ainsi : il avait littéralement buté sur elle alors qu'il traversait le préau du collège où ils étudiaient. Il marchait à pas
rapide, le nez plongé dans ses notes, quand il l'a presque
renversée.

Il n'avait pas eu le choix de s'arrêter, contrarié, quelques
feuilles lui glissant des mains en planant jusqu'au sol de
granit. Il s'était aussitôt penché pour les ramasser.

Ce qu'il avait vu d'elle, à cette occasion, avait d'abord
été ses pieds, chaussés de sandales plates à lanières de cuir.
Quand il s'était relevé, son regard avait rencontré une longue
frange de cheveux auburn qui balayaient de petites lunettes
à la *John Lennon* qui elles-mêmes rehaussaient un nez droit
parsemé de taches de son. Le reste, tout le reste du corps
de la jeune fille dont il ignorait le nom était enveloppé dans
une informe robe noire à volants, en coton indien. La seule
idée qui avait alors traversé l'esprit de Thomas était que

13

cette fille faisait sans doute partie d'une commune; seuls des illuminés avaient l'audace de s'accoutrer de la sorte.

Absurde! Comme si les adeptes d'un retour à la terre avaient l'habitude de fréquenter les collèges privés!

Néanmoins, l'incohérence de cette réflexion n'avait pas eu le temps de se manifester que déjà Thomas enfouissait, au plus profond de sa mémoire, cette apparition incongrue. Il avait tout de même marmonné une vague excuse:

— Désolé. Je ne vous avais pas vue.

Pour aussitôt faire un pas de côté, avant de retourner à la lecture de ses formules mathématiques que l'incident avait reléguées au second plan. Dans quelques minutes, il y avait un examen important et Thomas, le méthodique, avait la frousse de ne pas être suffisamment préparé.

Il avait donc poursuivi son chemin sans se retourner.

Mais contrairement à ce que Thomas avait initialement supposé, sa mémoire n'avait pas enfoui l'image de la jeune fille aussi profondément que cela. L'examen terminé, il y avait repensé. Et deux fois plutôt qu'une!

Les mots *belle inconnue* lui étaient venus spontanément à l'esprit.

Il avait donc parcouru le long couloir sombre qui menait aux casiers, un sourire vague aux lèvres, avant de dessiner une moue un peu sceptique. Cette façon de se vêtir était pour le moins insolite. Il y était donc revenu, plus tard en après-midi, pour s'en moquer avec Isabelle, sa copine de toujours.

— Si tu l'avais vue Isa! Comment se fait-il qu'on ne l'ait pas remarquée auparavant? Pourtant, laisse-moi te dire qu'elle ne passe pas inaperçue. Une vraie *grano*.

En fait, s'il s'en était moqué avec Isabelle, c'était surtout parce que les deux jeunes filles semblaient aux antipodes et que Thomas, issu d'une famille plutôt conservatrice, ne savait trop qu'en penser. Isabelle, elle, ne sortait de la maison cossue de ses parents que maquillée et vêtue de jupes ultra-courtes ou de jeans griffés supermoulants du dernier cri. Ce qui était normal pour eux. Elle ne se déplaçait qu'au volant de sa petite *Mg* jaune moutarde, avait des tas d'amis, faisait du ski alpin au mont Ste-Anne en hiver et du ski nautique au chalet de ses parents en été. Et cela aussi faisait partie de la normalité du monde où ils évoluaient. Depuis quelques mois, Isabelle avait décidé de porter ses cheveux à la garçonne comme Twiggy, le jeune mannequin anglais qui faisait fureur dans les milieux de la mode. Et elle n'était pas la seule, loin de là ! Pourtant cette jeune anglaise n'avait d'élégance que sa fragilité famélique, son teint blafard et son regard aux abois. Malgré cela, toute une génération de jeunes adolescentes y voyait *L'Image*, celle à laquelle il fallait ressembler. Heureusement pour elle, Isabelle n'avait pas à se laisser mourir de faim pour avoir une taille de guêpe comme le faisaient certaines de ses amies. Non. Chez Isabelle, l'esthétique paraissait naturelle.

Du moins, c'était ce que Thomas avait toujours cru. Toutes les filles que Thomas côtoyait ressemblaient à Isabelle et semblaient tenir pour important de suivre la mode. Ce qui, de toute évidence, n'était pas la préoccupation première de l'inconnue de l'après-midi. Le temps d'en rire avec Isabelle, de se poser quelques questions quant à l'identité de cet oiseau de poulailler tombé par étourderie dans la cour de leur collège et ils s'étaient séparés pour la soirée. La voiture sport d'Isabelle venait d'arriver devant la demeure de Thomas, en banlieue de Québec.

Quant à Marie-Jeanne, qui détestait son prénom depuis toujours et menaçait de rosser quiconque l'emploierait depuis qu'il faisait référence à cette herbe nauséabonde que de plus en plus d'étudiants fumaient librement, elle n'avait gardé de l'incident qu'une vague impression, celle du désagréable moment où un jeune écervelé l'avait harponnée, alors qu'elle traversait paisiblement le préau pour se diriger vers la sortie. Ce malaise avait été conditionné par une douleur fulgurante au gros orteil du pied droit, heurté violemment par une chaussure au cuir épais. La marche qu'elle faisait tous les jours pour retourner chez elle en avait été rendue pénible et la jeune fille n'avait pas su apprécier la douceur de l'air de cette merveilleuse journée de mai où le printemps leur faisait enfin la grâce de sa présence.

Malgré cela, le lendemain, Marie-Jeanne avait déjà tout oublié ou presque. Son pied se portait à merveille, malgré le bleu qui ornait l'ongle de son orteil, et il faisait toujours aussi beau. Quelques jours plus tard, elle aurait été en peine de décrire celui qui l'avait si cavalièrement heurtée.

La période des examens battait déjà son plein et les études eurent préséance dans les pensées de Jeanne.

On était au mois de mai 1968. Le monde semblait en ébullition et les étudiants français s'apprêtaient à envahir les rues de Paris.

Cet été-là avait été relativement beau. La session d'examens terminée, Thomas s'était présenté au Holiday Inn près de chez lui pour reprendre l'emploi qu'il occupait depuis quelques années déjà, réservant ses moments libres pour rejoindre Isabelle et les copains. Quant à Marie-Jeanne, qui pourtant n'avait nul besoin d'occuper un emploi durant l'été, elle avait déménagé ses pénates à la campagne pour travailler comme apprentie chez un horticulteur maraîcher, avant de partir pour le Mexique avec son père faire le tour des ruines mayas. Il vivait solitaire depuis le décès prématuré de Béatrice, son épouse, morte d'un cancer cinq ans auparavant. Seule une domestique, plus cuisinière que femme de ménage, partageait leur quotidien, trois jours par semaine, et leur laissait un garde-manger bien rempli à chacun de ses passages. Pour combattre le silence de la maison, Marie-Jeanne avait un nombre incroyable d'amis avec qui elle passait de nombreuses heures chaque semaine, pour ne pas dire chaque jour, et elle faisait du bénévolat à l'hôpital près de chez elle.

Marie-Jeanne et Thomas ne s'étaient revus qu'à l'automne suivant, quelques semaines après la rentrée des classes. Thomas allait avoir vingt ans bientôt. Il était en Philo 2 et se préparait fébrilement à entrer en médecine. Quant à Marie-Jeanne, qui aurait dix-neuf ans le jour de Noël, elle commençait l'avant-dernière année du collégial en se demandant ce qu'elle faisait là, puisque le seul intérêt qu'elle avait dans la vie était l'horticulture. Comme elle le disait souvent avec humeur depuis le début de son secondaire, pas besoin d'un cours classique pour cultiver des fleurs. Malheureusement pour elle, son père ne voyait pas la situation du même œil, ses idées étaient bien arrêtées et il avait la tête dure. Marie-Jeanne, donc, n'avait eu d'autre alternative que de poursuivre des études qui l'ennuyaient prodigieusement.

Octobre était là. Les feuilles des érables rivalisaient en couleur avec le soleil. Le paysage se déclinait dans les tons de l'or le plus pur et Marie-Jeanne fulminait intérieurement de ne pouvoir en profiter. Un examen de physique était prévu le lendemain et elle n'avait pas le choix d'y consacrer tout son temps, ce qu'elle faisait de mauvaise grâce en ce mardi midi, cloîtrée contre son gré dans la bibliothèque, alors qu'elle aurait préféré utiliser cette heure de liberté pour se promener dans le parc qui avoisinait le collège.

Mordillant l'efface de son crayon, soupirant et se tortillant sur sa chaise comme une enfant qui en a assez, Marie-Jeanne ne pouvait toutefois pas résister à l'envie de s'évader régulièrement par la fenêtre de la bibliothèque où elle avait raflé tous les exercices disponibles traitant d'électricité, sujet de l'examen du lendemain. Il faisait vraiment très beau et comme le soleil n'était pas tenu de se soucier des bonnes intentions de la jeune fille, il se plaisait à réinventer la palette des couleurs en éclaboussant, de gouttes lumineuses, les vitraux qui garnissaient le haut des vitres en demi-lune. Sur la copie de Marie-Jeanne, les rouges côtoyaient les verts et les jaunes, rappel du boisé voisin qui cherchait à la séduire par tous les moyens mis à sa disposition. Marie-Jeanne avait soupiré bruyamment.

— Comment veux-tu que j'arrive à me concentrer quand il fait aussi beau ? avait-elle murmuré pour elle-même, en glissant un énième regard d'envie vers les vitres poussiéreuses.

— En essayant de ne pas trop regarder par la fenêtre, lui avait alors répondu une voix masculine sur le même ton étouffé qu'elle venait d'employer.

Marie-Jeanne avait tourné la tête. Assis à la même table qu'elle, en diagonale, à deux places sur sa gauche, un garçon lui souriait. Devant lui, un seul livre, un roman à en juger par la couverture. Marie-Jeanne avait froncé les sourcils. Ce visage ne lui était pas étranger, mais elle n'arrivait pas à se souvenir où et quand elle l'avait croisé. Néanmoins, elle avait répondu à son sourire avant d'ajouter, en chuchotant :

— Je suis incapable de résister à l'appel du beau temps. C'est plus fort que…

— Silence !

Le coup de semonce avait vibré dans la lumière ambrée de l'immense salle. Le frère responsable de la bibliothèque, spécimen caractéristique de l'ascétisme propre à la congrégation, penchait sa charpente osseuse et longiligne au-dessus du comptoir de prêts et les toisait d'un œil rigoriste. La bibliothèque était le fief où le frère Firmin pouvait user de la seule autorité qu'on lui reconnaissait et il en abusait avec une délectation ostentatoire. Le sourire véreux et malveillant qui accompagnait ses remontrances était aussi intolérable qu'une gifle non méritée. Marie-Jeanne et Thomas avaient baissé le front en même temps, sans se quitter des yeux, laissant les regards exprimer la moquerie qu'ils ressentaient à l'égard du frère Firmin. Aucun étudiant du collège ne le prenait vraiment au sérieux, les retenues ne venant habituellement qu'après la troisième sommation. Néanmoins, rompu depuis longtemps déjà au langage silencieux de l'endroit, Thomas avait montré la porte d'un geste de l'épaule, accompagné d'un haussement du sourcil droit. Marie-Jeanne avait aussitôt compris l'invitation et après un dernier regard désabusé sur les feuilles qui jonchaient la table devant elle, elle avait acquiescé d'un bref hochement de la tête. Tant pis pour l'examen, elle y verrait ce soir en se contentant des notes de cours. De toute façon, elle n'avait jamais ambitionné les meilleures places en sciences, se satisfaisant amplement de la note de passage. Rassemblant rapidement les cahiers d'exercices, elle s'était relevée pour les rapporter au comptoir de prêts et se retournant vivement, elle avait regagné la sortie. Sans le moindre remords, elle avait allègrement abandonné derrière elle le frère Firmin, la physique et la poussière dorée qui dansait dans les rayons obliques du soleil, soulevée par sa longue jupe qui balayait le sol.

L'instant d'après, Thomas ajustait sa démarche à celle de Marie-Jeanne qui avançait les yeux mi-clos le long d'un sentier du parc, le nez en l'air, humant la senteur piquante des feuilles mortes qui craquaient sous leurs pas. Les présentations avaient été faites au moment où ils passaient le seuil de l'immense porte de bois verni du collège. Marie-Jeanne avait eu un sourire malicieux.

— Il me semblait aussi que ton visage me disait quelque chose !

Thomas n'avait osé avouer que, lui, il n'avait jamais réussi à oublier le visage de celle qu'il avait heurtée au printemps précédent et à qui il avait souvent pensé durant l'été. Cependant, Marie-Jeanne n'avait pas remarqué l'embarras du regard qui s'était perdu dans la contemplation des feuilles mortes qui jonchaient le sol. Elle était un vrai moulin à paroles, ne connaissait aucune inhibition et elle se préparait à raconter sa vie. Elle n'avait donc pas porté trop d'attention au jeune homme qui l'accompagnait. Durant les quelques vingt minutes que dura leur promenade, elle avait tout dévoilé, drôlement, ouvertement, sachant mettre en valeur le détail qui disait tout. Elle avait parlé de son enfance dans les ambassades où son père avait été attaché commercial, de leur arrivée à Québec quand il était devenu conseiller du premier ministre, alors qu'elle était jeune adolescente et de leur quotidien un peu austère depuis le décès de sa mère. Puis, sans la moindre transition, elle avait avoué son aversion pour les études.

— S'il n'y avait que les heures de cours, ça pourrait toujours aller! Je ne déteste pas apprendre, je suis curieuse de tout. Là n'est pas le problème. C'est après, le soir, avec les montagnes de travaux à faire et les interminables notes à étudier. Ça, oui, c'est carrément de trop dans ma vie. J'ai mieux à faire que de me battre avec des formules d'électricité et des problèmes de mathématiques. Je déteste les sciences.

— Je peux peut-être t'aider? C'est ma force, les sciences. Quand on se donne la peine de comprendre leur logique, ça va tout seul.

— Tout seul? Ah oui? Alors, je te mets au défi. Si tu réussis à me faire aimer la physique, je t'en devrai une.

— Top là! avait lancé Thomas en lui tendant la main. Quand est-ce qu'on commence?

— Ce soir, avait répondu Marie-Jeanne du tac au tac en tapant sa main contre celle de Thomas. J'ai un examen à la dernière période, demain matin.

Ce fut à ce même moment que la cloche du collège leur avait cavalièrement rappelé le début des cours de l'après-midi. Ils avaient aussitôt rebroussé chemin. À contrecœur.

Marie-Jeanne aurait bien passé le reste de la journée à se promener avec Thomas pour mieux le connaître, elle qui avait parlé tout le temps et ne savait toujours rien de lui. Quant à Thomas, il aurait volontiers commencé tout de suite à enseigner la physique à Marie-Jeanne, tête contre tête, épaule contre épaule. La jeune fille dégageait un léger parfum de fleurs qui lui montait à la tête. Mais la cloche se faisait insistante...

Ce fut tout de même ainsi que, ce soir-là, Thomas s'était présenté à la porte de Marie-Jeanne qui lui avait laissé son adresse, écrite dans le creux de sa main.

— C'est pas nécessaire, avait protesté Thomas quand la jeune femme lui avait pris le poignet pour soulever sa main au moment où ils allaient rentrer dans le collège. J'ai une excellente mémoire. Pas besoin de...

— Je ne prends aucune chance, avait alors rétorqué Marie-Jeanne, refermant fermement ses doigts autour du bras de Thomas, tout en enfonçant délicatement la pointe de son stylo Bic dans sa paume. La mémoire est une faculté qui oublie et les papiers, c'est bien connu, on les perd toujours. S'il fallait que je coule mon examen, mon père m'arracherait les yeux. Voilà ! Tu as mon adresse. Je t'attends à sept heures. Ne sois pas en retard, je déteste attendre, c'est viscéral !

Sur ce, elle l'avait quitté sans même un au revoir.

Thomas avait été d'une ponctualité exemplaire. Sur le coup de sept heures, il remontait la rue qui menait à l'adresse indiquée.

Il s'était inventé un travail de recherche en philosophie pour expliquer à Isabelle qu'il ne pourrait l'appeler ce soir-là. Ensuite, il avait fait les frais d'un second rasage sans essayer de comprendre quelle mouche le piquait et il avait même poussé la bizarrerie jusqu'à chaparder quelques gouttes de lotion à son frère Michel. Envahi par une subite et irréversible superstition, lui qui se disait terre à terre, il avait fait bien attention de ne pas effacer complètement l'inscription que Marie-Jeanne avait laissée au creux de sa main.

Un peu plus tard, l'autobus qui le conduisait habituellement au collège l'avait débarqué quelques rues plus loin, au coin de l'avenue des Braves.

Il avait été surpris de découvrir le manoir qu'habitait celle qu'il avait au départ logée dans une commune. L'immense bâtisse de pierre exhalait une aisance hors du commun. Thomas avait levé un sourcil amusé. La demeure de Marie-Jeanne n'avait visiblement aucun lien avec les fripes baroques que la jeune femme privilégiait.

Intrigué par cette constatation, intimidé par l'opulence du quartier, Thomas avait remonté l'allée bordée d'hydrangeas rose foncé et grimpé le monumental escalier de pierre. Un carillon avait annoncé son arrivée, résonnant sourdement derrière l'imposante porte de chêne. Le sourire radieux de Marie-Jeanne avait réussi à effacer une partie de la sensation de malaise qui enveloppait Thomas et il était entré à sa suite dans une maison impressionnante, haute de plafond, aux fenêtres garnies de vitraux et aux planchers recouverts de moquettes épaisses et duveteuses comme des couettes.

— Viens, suis-moi. Je me suis installée dans la cuisine.

Thomas avait donc suivi Marie-Jeanne dans ce qui lui était apparu comme un dédale de couloirs et de portes, pour déboucher finalement sur une cuisine des plus modernes qui tranchait avec cette demeure aux allures médiévales. Sur une longue table de verre, très avant-gardiste, des cahiers, des crayons et une pile de notes.

Marie-Jeanne s'était révélé une étudiante intelligente et vive, Thomas un professeur talentueux et patient.

Les résultats avaient été à la hauteur des attentes de la jeune fille qui avait obtenu une note supérieure à la moyenne de la classe. D'un commun accord, ils avaient donc décidé de passer aux mathématiques, puis à la chimie et avaient convenu que Thomas se déplacerait les lundis et mercredis soirs afin d'aider Marie-Jeanne, sauf en cas de force majeure où il aurait lui-même quelques travaux urgents à rédiger ou examens à préparer.

Quelques semaines passèrent.

Novembre avait éteint le flamboiement d'octobre par ses pluies endémiques. Les ombres se déclinaient maintenant dans les tons de gris et les averses nombreuses avaient détrempé le tapis doré qui ressemblait maintenant à une fourrure brunâtre abandonnée par un propriétaire négligent. Rien de bien invitant pour susciter l'envie de ressortir de chez soi après le souper. Malgré cela, Thomas se faisait un devoir de prendre l'autobus tous les lundis et mercredis afin de rejoindre Marie-Jeanne et ses problèmes. Elle portait toujours ce même parfum de fleurs enivrant, ce qui était bien suffisant pour inciter quelqu'un à sortir sous la pluie. Par contre, Thomas n'avait toujours pas eu le courage de lui demander pourquoi elle s'entêtait à revêtir ces horribles robes de coton noir qui n'avaient comme agrément que la grande liberté laissée à l'imagination. Il n'avait jamais aperçu la moindre courbe du corps de Marie-Jeanne et pourtant il n'avait cessé de la désirer depuis ce premier soir où il était venu chez elle. Il ne comprenait pas parce qu'avec Isabelle, qui affichait sans vergogne les courbes et les attributs de son anatomie, il n'avait jamais ressenti grand-chose. L'intimité, entre eux, n'avait jamais dépassé les limites permises par leur éducation puritaine et face à Isabelle, jamais Thomas n'avait ressenti de désir comme celui que Marie-Jeanne faisait brûler en lui.

Ce soir-là, il tombait une pluie diluvienne. Thomas était arrivé trempé et sans lui laisser le temps de protester, Marie-Jeanne l'avait conduit dans une salle de bain et lui avait donné une robe de chambre bien chaude.

— Donne-moi tes vêtements, je vais les mettre dans la sécheuse, le temps de décortiquer les horribles problèmes que le prof nous a donnés comme devoir. Comme ça, tu n'attraperas pas ton coup de mort.

Était-ce le fait de se savoir presque nu sous le long vêtement qui avait perturbé la concentration de Thomas ? Peut-être bien. À moins que ce ne soit le parfum insistant de Marie-Jeanne. Ou les deux. Chose certaine, il n'était pas à son aise. C'est pourquoi, quand la main de Marie-Jeanne s'était posée sur la sienne par inadvertance, il avait sursauté violemment, puis rougi de sa réaction démesurée. Surprise de le sentir si frémissant, Marie-Jeanne n'avait pu résister. Elle avait fait courir ses doigts tout au long de son bras avant d'effleurer doucement sa joue.

Ce fut ainsi que, pour la première fois, ils s'étaient longuement observés dans les yeux.

Ce n'était pas nouveau pour Marie-Jeanne qu'un homme la dévisage avec cette insistance brûlante que seul le désir pouvait allumer. Elle était plutôt jolie fille et les tendances de l'époque étaient à la liberté. Mais c'était la première fois qu'elle voyait en même temps une immense tendresse dans le regard de celui qui l'examinait avec entêtement. Le cœur de Marie-Jeanne s'était emballé à l'idée que ce beau garçon au visage anguleux puisse ressentir autre chose qu'une gentille amitié à son égard. Elle s'était alors relevée, tout en saisissant la main de Thomas dans la sienne. Il lui fallait savoir.

— Viens.

Thomas n'avait rien dit, rien demandé, mais il s'était levé sans hésiter, sans la quitter des yeux. Marie-Jeanne l'avait donc conduit jusqu'à sa chambre.

Thomas n'était pas le premier homme qu'elle y menait. Entre copines, elles en riaient parfois, disant que ce qui était bon pour les gars ne pouvait être mauvais pour elles. C'était nouveau, cette liberté de pensée et de choix. C'était excitant, c'était tentant comme un fruit défendu et elles en profitaient.

Sur la table de nuit, une petite lampe était allumée, dessinant des ombres sur les murs. Les rideaux étaient déjà tirés et Thomas avait eu la désagréable sensation d'être projeté sur une scène où la pièce était déjà commencée. Pendant un court moment, il était resté immobile sur le seuil, détaillant le mobilier et ses émotions en même temps. Au bout de ce qui lui était apparu une éternité, il n'avait eu que ces mots :

— Ton père ?

— À Montréal. Parti pour trois jours.

Il était alors entré dans la pièce. Pourquoi lui, pourquoi ce soir, pourquoi ici alors que le lit était trop étroit pour deux ? Il n'aurait de réponse à ces questions que beaucoup plus tard. Thomas les fit taire par une autre question qui n'en était pas une. Pourquoi pas ? Il en rêvait depuis si longtemps.

D'une pression de la main, il avait rapproché Marie-Jeanne de lui et l'avait longuement embrassée. Puis, quand ils avaient été tout près du lit, il avait fermé la lumière. Il voulait découvrir son corps du bout des doigts et non en pleine lumière. Il aurait eu alors la sensation d'être avec une de ces femmes des revues cachées sous son matelas.

À la fébrilité impatiente de Thomas, à ses gestes maladroits et brusques, Marie-Jeanne avait compris que, pour lui, c'était la première fois. À ce désir qu'elle avait de lui s'était alors accouplé une émotion qu'elle ne reconnaissait pas, faite de douceur et d'excitation. Elle avait guidé ses caresses avec juste assez d'assurance pour qu'il comprenne sans être gêné.

Ils avaient fait l'amour deux fois et s'étaient endormis enlacés. Incapables de mettre en mots des émotions qui leur semblaient étrangères, ils étaient restés silencieux, tremblants jusqu'à ce que le sommeil les emporte.

Au réveil, la pluie avait cessé. Un soleil blafard de fin d'automne glissait son indiscrétion entre les tentures pour souligner le désordre des vêtements laissés sur le tapis.

Marie-Jeanne avait remonté le drap sur ses épaules avant de se retourner devant Thomas qui dormait encore, couché sur le dos, un bras replié sous sa tête. Elle se souviendrait toujours combien elle l'avait trouvé beau dans son sommeil. Ses cheveux bouclés qu'il portait mi-longs cachaient une partie de son visage. Ses traits anguleux et virils, comme sculptés par le ciseau à froid d'un grand maître, étaient ombragés par une barbe naissante, noire et drue. Elle avait attendu qu'il ouvre les yeux pour oser bouger. Thomas l'avait alors prise par un bras pour la retenir près de lui.

— Je t'aime, Marie-Jeanne.

Elle n'avait pas répondu tout de suite. Elle n'avait encore jamais dit à un homme qu'elle l'aimait. Elle avait soutenu son regard un long moment, puis elle s'était blottie contre sa poitrine.

— Jeanne, avait-elle enfin murmuré. J'aimerais que tu m'appelles Jeanne. Les gens de ma famille m'appellent tous Jeanne.

Puis, quelques instants plus tard, elle avait ajouté dans un murmure :

— Moi aussi je crois que je t'aime.

Ce matin-là, ils s'étaient fait porter pâles tous les deux.

Le lendemain soir, visiblement décidé mais mal à l'aise, Thomas signifiait à Isabelle que leur relation venait de prendre fin. Elle avait duré quatre ans. Quant à Jeanne, elle savait qu'il n'y aurait plus d'autres copains pour partager sa couche. Ce qu'elle avait vécu dans les bras de Thomas était unique.

Quelques mois plus tard, ils avisaient leurs familles qu'à l'été suivant, ils emménageraient ensemble à Montréal où Thomas avait été accepté en médecine à l'Université de Montréal. Pas question pour Jeanne de rester à Québec à faire le pied de grue en attendant que les années passent. Cette fois-ci, Armand Lévesque avait compris qu'il ne servirait à rien d'insister. Jamais il n'arriverait à faire changer sa fille d'avis. Il lui avait donc donné sa bénédiction et un chèque substantiel.

— C'est pour votre installation. Pour le reste par contre, il va falloir compter sur vos seules ressources. Ça n'a jamais tué personne de travailler et d'étudier en même temps. C'est comme ça que j'ai appris à vivre et c'est probablement la meilleure école.

Il y avait des trémolos dans cette voix d'homme habitué à cacher ses émotions. Jeanne s'était jetée dans les bras de son père, consciente que pour lui aussi l'existence prenait un tournant un peu brusque, à tout le moins précipité. Son accolade lui avait presque coupé le souffle. Puis, en détournant la tête, il avait avoué :

— Sais-tu ce qui me ferait plaisir, mon Jeannot ? Ce qui me sécuriserait ? Ce serait que vous vous mariiez.

Jeanne n'avait pas hésité.

— D'accord papa. Nous en avions parlé de toute façon.

Et ce fut ainsi qu'à l'été 1969, Marie-Jeanne Lévesque et Thomas Vaillancourt avaient uni leur destinée pour le meilleur et pour le pire. Par un splendide samedi du mois d'août, alors que les rosiers étaient à leur plus beau.

Jeanne n'avait pas encore vingt ans et Thomas était loin d'être médecin. Mais ils s'aimaient et rien d'autre n'avait d'importance. Le lendemain, ils étaient partis pour Montréal, laissant derrière eux famille et amis, se fiant à leur seul amour pour traverser le temps et la solitude d'une vie loin des attaches et des connaissances.

Et la vie les avala comme elle avale tout le monde, comme le dirait si bien Léveillée. Deux mois plus tard, Thomas passait le plus clair de ses journées le nez dans ses livres et Jeanne essayait de se trouver du travail en dépit des nausées qu'elle commençait à ressentir.

Pourtant, malgré des débuts difficiles, trente-cinq ans plus tard, ils sont toujours ensemble et toujours amoureux. Ils ont eu trois enfants. Olivier, né beaucoup trop tôt à leur goût, à peine onze mois après le mariage. Huit ans plus tard, il y avait eu les jumeaux, Sébastien et Mélanie. Olivier est médecin, comme Thomas. Par contre, Olivier pratique dans une clinique alors que son père a consacré sa vie à la recherche. Il est marié et père de deux garçons, Julien et Alexis. Sébastien, quant à lui, étudie en génie mécanique à Québec après avoir tâté du génie civil. Il habite chez son grand-père Lévesque qui, malgré son grand âge, est toujours très actif. Quant à Mélanie, peu portée aux longues études, un peu comme sa mère l'avait été avant elle, elle travaille dans un centre de la petite enfance. Elle a quitté la maison à tout juste vingt ans pour vivre avec son copain, Maxime. Tous les deux, ils veulent avoir une famille nombreuse, mais il semble bien que cela ne sera pas chose facile. Mélanie a déjà trois fausses couches à son actif. Néanmoins, elle a un moral d'acier et rien n'arrive à la démoraliser.

Et dans un an, Jeanne et Thomas seront tous les deux à la retraite. Enfin! L'année 2004 marquera le début d'une vie nouvelle. En attendant, Jeanne a déjà commencé à goûter à ce qu'elle appelle le repos du guerrier. Depuis quelques semaines, elle est enfin une *jeune* retraitée!

Chapitre 1

Montréal, octobre - novembre 2003

« Je t'aime pour toutes les femmes que je n'ai pas connues
Je t'aime pour tout le temps où je n'ai pas vécu. »
Je t'aime, de Philippe Gérard,
interprété par Yves Montand

L a voix grave de Cesaria Evora remplissait la maison de ses refrains sensuels, fascinants, envoûtants. Jeanne avait poussé la musique à son plus haut niveau et les échos débordaient jusqu'à sur la terrasse, avant de se perdre au fond du jardin.

Septembre avait commencé à colorer le paysage, octobre avait complété le tableau. Le fusain ailé rougissait de la tête aux pieds, magnifique, alors que l'érable, qui avait atteint des dimensions respectables, était plutôt porté vers les orangés et s'affirmait comme le gardien de la cour. Posée en trait d'union, une roseraie somptueuse, n'ayant pas encore perdu de sa luxuriance, ajoutait à la palette automnale une dégradation de pêche et de rose qui adoucissait agréablement la vivacité colorée de la saison.

Jeanne adorait l'automne. Chez elle ou au marché, dans la forêt ou sur le moindre sentier, ce foisonnement de coloris lui donnait une sensation d'abondance qui la comblait. Elle se sentait riche de toutes ces couleurs qui rivalisaient entre elles, riche de ce temps des moissons qui disait la table bien garnie.

Même si le disque qu'elle avait choisi avait indéniablement des connotations de soleil et d'été, mélange de fado et de musique exotique, Jeanne trouvait que la chaleur lascive qui enveloppait la voix de madame Evora se mariait merveilleusement bien aux tonalités de son jardin. Quand elle fermait les yeux, il lui semblait sentir les effluves des eucalyptus et des bougainvilliers, sans savoir vraiment si ces arbustes existaient au Cap-Vert d'où venait sa chanteuse fétiche.

L'air avait encore quelque douceur qui faisait penser à l'été et, les yeux mi-clos, Jeanne sirotait son troisième café du matin, plus avachie qu'assise sur une des chaises de rotin de la terrasse, toujours en pyjama. Le soleil caressait la peau de son visage, de ses bras et un oiseau impertinent se permit de faire concurrence à sa chanteuse préférée avec quelques trilles particulièrement aiguës.

Jeanne inspira profondément.

Jamais elle n'aurait pu imaginer qu'elle serait aussi heureuse d'être à la retraite. Pourtant, elle avait passé les derniers mois à anticiper le premier jour où elle n'aurait pas à se présenter au Jardin botanique. Elle y avait vécu des années merveilleuses, entourée de plantes, à esquisser des projets pour enjoliver les plates-bandes selon les thèmes et les expositions.

Quitter son travail avait été une décision difficile à prendre. Mais là comme ailleurs, les patrons devaient couper dans les dépenses. On avait décidé de réduire le personnel en commençant par offrir une retraite anticipée à ceux qui le voulaient bien. La prime de départ qu'on avait proposée à Jeanne avait finalement réussi à la convaincre.

Contre toute attente, elle pourrait enfin avoir une serre bien à elle, dans sa cour. Elle en avait tellement rêvé que cette perspective avait scellé le sort des années à venir. À la fin du mois d'août, Jeanne avait donc enveloppé ses outils de jardinage dans la grande bâche qu'elle étendait sur le sol quand elle travaillait la terre, elle avait versé quelques larmes au dîner que ses compagnons de travail avaient organisé pour elle puis, un peu plus tard, vers la fin de l'après-midi, après avoir étiré l'élastique du temps au maximum, elle avait emprunté le pont Champlain pour une dernière fois à l'heure de pointe.

Le lendemain matin, elle s'était permis un sourire moqueur à l'intention de Thomas qui avait dû partir dès l'aube pour arriver à temps au laboratoire. Dehors, il tombait des cordes. Les ponts devaient déjà être engorgés.

— Bonne journée, mon chéri, avait-elle lancé goguenarde en s'enroulant confortablement dans les draps. Je crois que je vais dormir encore un peu, il ne fait pas encore jour.

Thomas avait répliqué d'une grimace polissonne avant de refermer la porte doucement sur lui. Ce matin-là, Jeanne n'aurait changé de place avec personne. N'empêche qu'elle avait tout de même connu plusieurs instants nostalgiques quand elle repensait à son travail. Elle avait tellement bûché pour en arriver là! À commencer par mettre ses ambitions personnelles sur la glace, le temps de permettre à Thomas de terminer ses études. À cette époque, elle travaillait toujours à temps partiel. Le soir, parce qu'elle était allergique à l'idée de faire garder son fils. Trente-six métiers, trente-six misères! Caissière, commis, réceptionniste et enfin, après quatre ans de frustration, vendeuse chez un fleuriste. Tout comme les roses qu'elle mettait en bouquets, Jeanne s'était épanouie. Quelques années plus tard, quand Olivier était entré à l'école, il y avait eu une année bénie où elle avait pu combiner travail et études. Mais l'extase n'avait pas duré. Elle avait à peine eu le temps d'envoyer ses papiers pour l'admission de l'année suivante qu'elle comprenait qu'elle était enceinte une seconde fois. Non que ce fut une déception, Thomas et elle en parlaient régulièrement de ce deuxième enfant. Pour Olivier, pour répondre à la conception qu'ils se faisaient d'une vraie famille, ils se réjouissaient. Mais Jeanne n'aurait pas le choix de repousser les études encore une fois. Quand, de surcroît, ils avaient appris qu'elle attendait des jumeaux, Jeanne avait même cru que jamais elle ne pourrait arriver à exercer un métier. Pourtant, les revenus de Thomas, comme chercheur, suffisaient à peine à joindre les deux bouts.

Les années de pain noir semblaient ne jamais vouloir finir.

Ce fut à cette époque que le père de Jeanne décida d'intervenir. Sa fille et son gendre avaient fait plus que leurs preuves. Ils avaient du cœur au ventre et lui de l'argent à ne savoir qu'en faire. Il leur avait donc offert une maison. Celle qu'ils habitaient toujours, d'ailleurs. À partir de ce moment, les choses avaient semblé se placer d'elles-mêmes. Même s'il fallait tout faire en double, les jumeaux s'étaient avérés des bébés faciles, toujours souriants. Ils avaient à peine six mois lorsque Jeanne avait recommencé les études, ayant trouvé la perle rare pour s'occuper de sa petite famille quand elle s'absentait. Une vraie Mary Poppins! Deux ans plus tard, bardée à son tour d'un diplôme universitaire, Jeanne s'était trouvé un emploi à la ville de Montréal, avant d'être engagée au Jardin botanique où elle avait passé les quelques vingt dernières années de sa vie. Vingt merveilleuses années où elle avait réussi à faire cohabiter en harmonie son rôle de mère et celui d'horticultrice.

Et voilà que déjà, tout cela était derrière elle.

Une auto klaxonna dans la rue voisine et Jeanne ouvrit les yeux, un peu surprise de se voir là, assise paisiblement sur la terrasse. D'avoir repensé à ses années de jeunesse avait fait lever un petit vent de nostalgie, elle qui se réjouissait d'être retraitée quelques instants auparavant. Jeanne soupira. C'était bien elle, ça, de passer d'un extrême à l'autre sans transition. Un vrai yo-yo! Mais elle avait peut-être raison quand elle se disait que la vie avait passé vite, trop vite. Du moins, l'image qu'elle s'était toujours faite de la vie, celle des activités, des projets, des obligations. Cette vie-là était déjà derrière elle. Qu'allait-elle faire maintenant de tout ce temps libre?

«De tout ce temps inutile», pensa-t-elle involontairement.

Ils avaient eu beau en parler et en reparler, Thomas et elle, la retraite n'était quand même pas aussi facile à aborder qu'ils se l'étaient imaginé.

— Peut-être que je verrai les choses différemment le jour où Thomas restera ici, lui aussi, murmura-t-elle en s'étirant longuement.

Sur ce, elle éclata de rire. Assez, de ressasser les idées sombres! Il faisait trop beau. Se redressant vivement, elle se leva, attrapa sa tasse par l'anse et se dirigea vers la porte qui donnait sur la cuisine.

— Et dire que je me languissais d'être enfin libre, de réaliser les projets que je n'avais pas eu le temps de faire auparavant, sermonna-t-elle à voix haute. Maintenant, j'ai du temps tant que j'en veux, mais je ne sais pas quoi en faire. J'aurais dû dresser une liste !

Jeanne s'arrêta brusquement sur le seuil de la porte française qui était encore ouverte à ce temps-ci de l'année, tellement il faisait beau.

— Et si je commençais par cet abonnement au centre de conditionnement physique que je remets depuis trop longtemps déjà ?

Jeanne jeta un regard furtif sur sa taille qui s'était épaissie brusquement au début de la cinquantaine. Elle fit une petite grimace et claqua des doigts.

— Oui, excellente idée. Je prends une douche et je file au centre.

Toutefois, à peine avait-elle eu le temps de déposer sa tasse dans le lave-vaisselle que le téléphone sonnait. Jeanne sursauta, fronça les sourcils.

Et si c'était encore Sébastien venu quêter quelques graines pour subsister jusqu'à la semaine prochaine ?

Jeanne hésita le temps de deux sonneries. Sébastien était l'enjôleur, le séducteur de la famille. Elle savait qu'elle ne saurait lui résister bien longtemps. Malgré tout, la curiosité finit par l'emporter et elle décrocha, un pli d'impatience barrant son front. Heureusement, ce n'était pas Sébastien. Dès qu'elle entendit la voix à l'autre bout du fil, sa physionomie changea radicalement. De morose qu'il était, son vi-

sage afficha une visible satisfaction qui se traduisit rapidement par un large sourire s'étirant d'une oreille à l'autre.
Quelques instants plus tard, elle raccrochait vivement, subitement très pressée.

— *Yes*! lança-t-elle en se précipitant vers l'escalier.

En moins de temps qu'il n'en faut pour le dire, Jeanne était
déjà à l'étage des chambres et on entendait le crépitement de
l'eau qui heurtait la porte de verre de la cabine de douche.

L'entrepreneur dont elle avait retenu les services pour la
construction de la serre venait de l'appeler avec une semaine d'avance. Il était prêt à commencer les travaux, il
serait là dans l'heure pour prendre les mesures exactes et
délimiter l'emplacement.

Tout en s'habillant d'un jeans et d'une chemise, Jeanne
fit un rapide calcul mental. Avec un peu de chance, elle pourrait organiser un souper dans la serre pour célébrer les
cinquante-cinq ans de Thomas. Un beau buffet qui réuni-
rait famille et amis.

— *Yes*! lança-t-elle pour la seconde fois en quelques minutes à peine, avant de pousser un profond soupir.

Quand Jeanne se sentait bien, elle avait la fâcheuse manie
de lancer des *Yes* à tout propos. Elle en était consciente,
trouvait la chose un peu agaçante, mais n'avait jamais
réussi à se corriger.

— Tant pis, analysa-t-elle en redescendant vers la cuisine. C'est mieux ça que de dire des gros mots.

Elle traversa la cuisine en coup de vent, ressortit de la
maison et se précipita vers le cabanon. Elle voulait planter
les quatre piquets qui détermineraient les dimensions de la
serre avant l'arrivée de l'entrepreneur.

Et elle avait totalement oublié qu'elle avait projeté s'inscrire au centre de conditionnement physique de son quartier.

Quand Thomas revint du travail ce soir-là, il trouva Jeanne encore au jardin. Elle avait installé une chaise de parterre au beau milieu de l'endroit où se situerait la serre et, tout en sirotant une bière, elle analysait la vue et l'orientation du soleil qui commençait à baisser en cette fin d'après-midi d'octobre. À voir les piquets maintenant reliés d'un ruban de plastique jaune, il était évident que la serre bénéficierait d'un ensoleillement optimal. Près de la moitié de l'espace était encore bien éclairée par les rayons presque chauds. Et on était en automne !

Durant un court moment, Thomas resta dans la pénombre de la maison, se contentant de regarder celle qui était sa femme depuis si longtemps déjà et qu'il aimait toujours.

Jeanne sirotait sa bière à petites gorgées sensuelles, laissant le liquide froid et pétillant descendre lentement dans sa gorge après avoir rafraîchi son palais. Elle ne buvait pas beaucoup. L'occasion devait être très importante pour qu'elle se décide à décapsuler une bière quand elle était seule à la maison. Aujourd'hui, elle avait jugé que l'événement en valait la peine. Cette serre, elle l'avait tellement imaginée, tellement désirée sans oser croire qu'un jour ses désirs deviendraient réalité ! Et voilà que c'était fait. Demain à la première heure, l'opérateur de machinerie lourde serait là pour creuser le trou qui recevrait les fondations.

— La *pépine* va arriver pour sept heures, avait précisé monsieur Bolduc. Jamais avant à cause des voisins. Mon gars aime bien prendre tout son temps. Il aime bien examiner les alentours en sirotant un café avant de commencer son ouvrage. J'aime mieux vous prévenir : il a l'air d'un gros ours mal léché. Mais n'ayez pas peur ! Quand y fait marcher sa machine, y'est aussi délicat que si y faisait un manucure. C'est un artiste dans l'âme, le Roland. Après, les gars vont venir pour placer le coffrage de la *footing*. Jeudi matin, c'est le plombier qui va faire les raccordements pis le lendemain, s'y fait toujours beau, on coule. Lundi prochain, on vient monter la structure. Si y continue de faire beau, dans huit à dix jours, ça va être fini.

Tandis qu'il énumérait les étapes de la construction, Germain Bolduc calculait sur ses doigts. Jeanne l'avait écouté les yeux mi-clos, ravie. Maintenant, elle se répétait ces mots, un sourire vague aux lèvres. Dix jours, dans dix jours au plus tard, elle pourrait commencer à placer des tables pour ses plantes. C'était à la fois très court et très long. Mentalement, elle voyait déjà la serre foisonnant de plantes exotiques luxuriantes, se réservant cependant un bel espace près de la maison pour installer une table et deux fauteuils confortables. Pour la lecture et les casse-tête. Thomas et elle adoraient faire des casse-tête ensemble, épaule contre épaule. Thomas disait souvent que c'était ainsi qu'il était tombé amoureux d'elle, épaule contre épaule et cuisse contre cuisse.

Thomas... Jeanne accentua son sourire.

Il avait quand même sourcillé un peu quand, catégorique, elle avait décrété que la vocation de la porte de service donnant sur la cuisine allait changer. Ce serait désormais le seuil de la serre. Thomas, qui aimait bien cet accès direct à la cour, avait tenté de la raisonner mais, rien à faire. Pas question pour elle de passer par le garage pour se rendre dans son petit paradis.

— Pense un peu à l'économie de chauffage en hiver ! avait-elle alors argumenté. Même par grands froids, c'est chaud dans une serre quand il fait soleil. On n'aura qu'à laisser la porte ouverte et toute la cuisine va en profiter. Et puis l'humidité va contrebalancer la sécheresse occasionnée par nos nombreux feux de foyer.

L'argumentation avait semblé porter ses fruits. De toute façon, Thomas ne se faisait jamais tirer l'oreille très longtemps. C'était un homme à la logique implacable. Il suffisait d'apporter les bons arguments pour le rallier facilement à sa cause.

Ce fut à cette réflexion, l'imaginant sourcils froncés à l'écouter attentivement, que Jeanne sut qu'il était là, à la regarder en catimini comme il le faisait encore très souvent. Il n'y avait que le regard de Thomas pour lui brûler la nuque ainsi. Ce regard de tendresse et de désir qui n'avaient pas tiédi au fil des ans. Elle savait sa présence aussi sûrement que s'il l'avait interpellée.

Jeanne prit tout de même le temps de s'étirer en tenant sa bouteille devant elle, par le goulot, en équilibre pour ne rien renverser, inspirant profondément, tellement l'instant lui semblait magique. Puis elle se retourna, affichant un sourire à la sincérité éclatante. Thomas était déjà sur la terrasse. Il répondit à son sourire.

— D'après ce que je vois, fit-il en pointant un des piquets, les travaux vont commencer plus tôt que prévu. C'est bien ça ?

Thomas avait descendu les trois marches qui menaient

au parterre. Il tendait la main pour se saisir de la bouteille de Jeanne afin de prendre une gorgée.

— C'est bien ça, confirma Jeanne en se levant. Demain matin, tu vas avoir le plaisir de déjeuner au son caressant d'une *pépine,* prédit-elle en imitant la voix rocailleuse de l'entrepreneur.

— Caressant ?

— Tout à fait. Paraîtrait-il que le Roland qui actionne ladite machine est un artiste en son genre.

— Oh !

— Comme tu dis !

Thomas pivota sur lui-même tout en buvant. Puis, s'essuyant la bouche du revers de la main, il demanda :

— Tu ne trouves pas que c'est un peu grand ? Il ne restera presque plus...

— Comment, trop grand ?

Jeanne s'était retournée d'un bloc, furieuse d'avoir encore une fois à débattre son point de vue. Elle avait mordu à l'hameçon sans remarquer la lueur goguenarde qui brillait dans le regard de son mari. Quand il éclata de rire bruyamment en lui redonnant la bouteille, elle baissa les yeux, déconfite. Même après toutes ces années, Thomas arrivait encore régulièrement à la faire grimper aux rideaux avec son petit air pince-sans-rire.

— Tu m'as encore eue ! Mais je vais quand même répondre à ta question : non, ce n'est pas trop grand. J'ai bien l'intention de me mettre à la culture des bonsaïs comme j'en ai si souvent parlé. Et puis je veux préparer les plantes pour les jardinières, transformer la cour en mini jardin botanique, faire des semis pour...

Comme l'avait fait l'entrepreneur un peu plus tôt dans la journée, Jeanne soulignait son énumération d'un calcul sur ses doigts, les yeux brillants de cette vision intérieure où elle détaillait déjà l'inventaire des plantes de sa serre. Au regard qu'il posait sur elle, Jeanne comprit aussitôt que Thomas continuait à se moquer gentiment d'elle. Elle coupa court en s'approchant de lui pour se pendre à son cou.

— Voilà ! Tu sais tout de mes ambitions. J'espère seulement que M. Bolduc dit vrai quand il parle de son employé. Je ne voudrais pas qu'il massacre toute la cour avec sa machine. Si c'est un artiste, il va devoir faire dans la dentelle pour ménager les rosiers qui ne sont pas très loin.

— Avec toi comme contremaître, je n'ai aucune crainte.

Effectivement, Jeanne se métamorphosa en chef de chantier minutieux, voire tatillon, dès le lendemain à l'aube. Elle avait l'œil à tout, n'autorisait aucun relâchement. Sévérité cependant enveloppée des effluves d'un très bon café qu'elle distribuait avec libéralité et accompagné d'un dessert nouveau, chaque jour, qu'elle offrait avec tant de gentillesse qu'aucun des ouvriers ne put lui résister. Jeanne et la générosité ne faisaient qu'un. On accepta donc ses remarques et ses exigences sans sourciller, comme on accepta avec plaisir son café et ses gâteries. La température se prêta au jeu et si, par quelque caprice des nuages, le soleil était absent, le thermomètre ne descendit jamais sous les dix degrés et la pluie se contenta de menacer, sans plus, pour ne pas déroger aux volontés de Jeanne. En neuf jours bien comptés, sur le coup de midi, sous un soleil du meilleur augure, la serre se dressait triomphalement contre le flanc de brique de la maison. M. Bolduc bombait le torse de fierté alors que Jeanne se faisait un plaisir de signer le dernier chèque. Si, comme Thomas l'avait laissé entendre, l'ajout semblait un peu massif pour les dimensions de leur résidence, la transparence du verre lui donnait tout de même une certaine allure aérienne et ne déparait pas vraiment le jardin.

Quand Thomas revint du travail, l'évident bonheur de Jeanne, sa fierté débordante lui firent accepter l'ensemble avec souplesse.

— Heureuse ? demanda-t-il gentiment, même s'il savait pertinemment la réponse.

Jeanne se contenta d'un regard pour lui répondre. Ses yeux brillaient comme des étoiles.

— Et maintenant, le verdict de la progéniture, lança-t-elle derrière elle en regagnant la cuisine. J'ai quelques coups de fil à donner !

Olivier et Mélanie se présentèrent à la maison pour apprécier le chef-d'œuvre dès le lendemain. En bons enfants de leur époque, ils y allèrent de quelques commentaires négatifs :

— L'escalier est un peu abrupt, l'évier est trop petit, la porte donnant sur la cour aurait dû être du côté de la terrasse.

« Tiens c'est pas bête ça », pensa Jeanne, déçue de ne pas avoir mieux planifié son affaire. Mais comme il était trop tard pour remédier à la situation, elle s'abstint d'approuver le commentaire d'Olivier qu'elle avait toujours trouvé un peu trop cartésien. À chacun son orgueil ! Malgré cela, dans l'ensemble, Olivier et Mélanie approuvèrent chaleureusement avant de chaparder un petit morceau de gâteau. Peu après, ils embrassaient Jeanne et Thomas avec l'effusion qui leur était coutumière et ils repartaient comme ils étaient venus, sur les chapeaux de roues.

— Promis, on vient dimanche, avait lancé Olivier avant de s'engouffrer dans sa petite auto sport décapotable.

Promesse tenue habituellement une fois sur quatre ! Mais Thomas et Jeanne ne s'en formalisaient pas. La vie d'aujourd'hui était autrement plus survoltée que celle de leurs jeunes années et ils comprenaient que leur fils aîné puisse avoir envie de rester chez lui à se détendre auprès de sa petite famille.

À partir de ce jour, les brefs moments de nostalgie de Jeanne furent chose du passé et elle s'employa à aménager sa serre avec un grand enthousiasme. Tréteaux et planches furent livrés dans la semaine et elle passa le plus clair de son temps le nez plongé dans les revues spécialisées pour préparer la liste des boutures, graines et autres accessoires qu'elle jugeait nécessaire de commander. Parallèlement, elle dressa une seconde liste, celle des invités, pour la fête qu'elle voulait organiser afin de souligner les cinquante-cinq ans de Thomas et qui aurait lieu au début de novembre.

Elle planifia donc soigneusement le menu de cette soirée qu'elle voulait grandiose et lança quelques invitations. Finalement, il ne resta plus qu'à manigancer une sortie logique avec Mélanie pour éloigner Thomas le samedi suivant. Pour une fois que Jeanne avait réussi à tenir sa langue, elle voulait que la fête soit une vraie surprise pour son mari. Ce fut Mélanie qui trouva l'excuse.

— Papa, j'aimerais que tu m'accompagnes samedi pour me choisir un vélo. Maxime doit travailler et il ne pourra pas venir avec moi. Qu'est-ce que t'en dis ?

Mélanie s'était arrêtée quelques instants chez ses parents avant de rentrer chez elle comme elle le faisait régulièrement quand son copain avait à travailler le soir. Thomas leva un regard surpris.

— Un vélo ? En novembre ?

Mélanie fit la moue, comme lorsqu'elle voulait amadouer son père, enfant. Une moue dont on ne savait si elle exprimait une simple déception ou si elle était les prémices d'une bonne crise de larmes. Thomas y avait toujours été sensible. Mélanie accompagna ce petit rictus d'un haussement de l'épaule droite.

— Pourquoi pas ? J'ai pensé qu'à ce temps-ci de l'année, il serait facile d'obtenir une réduction. Tu ne penses pas ?

L'économe qui sommeillait toujours d'un seul œil en Thomas trouva son compte dans la répartie de Mélanie. Il ne put s'empêcher d'approuver, même s'il avait prévu aider Jeanne à monter les établis dans la serre.

— Ouais, vu sous cet angle, tu as raison.

Tout en parlant, il s'était retourné vers Jeanne.

— Qu'est-ce que tu en penses ? Si je vais avec Mélanie, je ne pourrai pas t'aider à…

Jeanne l'interrompit d'un geste de la main un tantinet précipité.

— C'est une excellente idée ! Quoi de mieux, en effet, que d'acheter un vélo en novembre ! Presque personne dans les magasins, des commis disponibles. Il ne faudrait surtout pas que Mélanie rate une bonne occasion à cause de la serre.

Le regard de Mélanie, que Jeanne aperçut par-dessus l'épaule de Thomas, lançait des avertissements. Jeanne comprit aussitôt qu'elle en mettait peut-être un peu plus que nécessaire. Rouge comme une tomate, elle détourna alors la tête pour revenir face à l'évier.

— Tu feras comme tu veux, laissa-t-elle tomber d'une voix étrangement éteinte à côté de l'enthousiasme qu'elle affichait quelques secondes auparavant. La serre sera encore là dimanche, tu sais.

Habitué aux changements d'humeur de Jeanne, Thomas ne fut ni surpris ni agacé par l'attitude de sa femme. Il prit le temps de soupeser le pour et le contre avant de lancer, au grand soulagement de Jeanne et Mélanie :

— D'accord. Je vais t'accompagner samedi. Je passe te prendre vers 11 heures. Comme ça, si tu trouves quelque chose, je pourrai le mettre dans la *Caravan* et l'apporter jusque chez toi.

— Merci papa ! Si tu savais comme ça me fait plaisir. Je vais avoir l'impression de redevenir une petite fille !

Ce fut ainsi que Jeanne réussit à se débarrasser de Thomas le samedi suivant. Mélanie lui avait promis de se montrer on ne peut plus capricieuse.

— Et comme je n'ai pas vraiment besoin de vélo, on va rentrer bredouille ! J'espère seulement arriver à garder papa avec moi jusqu'à la fin de l'après-midi. Tu sais à quel point il déteste magasiner.

— Je sais ! Mais je te fais confiance. Tu as toujours su le mener par le bout du nez. Sers-toi de ton charme !

— Facile à dire, ça !

— Tu vas trouver, fit Jeanne catégorique. Emmène-le prendre un café, trouve-toi d'autres courses à faire. Débrouille-toi ! Je ne veux pas le voir revenir avant quatre heures et demie. Et trouve un prétexte pour être avec lui.

Je ne voudrais pas que tu rates le début de la soirée.

Ainsi assurée d'avoir la journée à elle, Jeanne poussa un profond soupir de soulagement quand leur vieille *Caravan* rouge vif tourna le coin de la rue, peu avant midi, le samedi suivant.

— Enfin !

La journée passa en coup de vent.

Elle rapatria toutes les plantes de la maison dans la serre, les disposa avec goût. Elle se servit des tréteaux et des planches pour faire une longue table temporaire qui supporterait le buffet, y déposa sa plus belle nappe. Son père et Sébastien devaient arriver un peu plus tôt que les autres invités, apportant avec eux des brassées de roses et de gerberas qu'ils auraient achetées aux serres de Rose Drummond en passant. Tous les pots à fleurs et à jus disponibles attendaient, bien cordés sur le comptoir de la cuisine, pour recevoir les bouquets. Elle en avait même emprunté à sa voisine Madeleine.

Le temps de passer l'aspirateur à la grandeur de la maison, de faire un ménage succinct des salles de bain, de prendre une douche et se maquiller et il était déjà trois heures. Sur le gravier de l'entrée, une voiture se stationnait. Probablement son père et Sébastien qui arrivaient.

À quatre heures, tous les invités étaient agglutinés autour de l'îlot de la cuisine. Julien, le fils aîné d'Olivier, était de faction dans l'ancienne chambre de son père et surveillait l'intersection. Du haut de ses presque cinq ans, il prenait son rôle très au sérieux. C'était lui qui avertirait tout le monde quand il verrait apparaître l'auto de son grand-père au coin de la rue. À l'image de son père, malgré son jeune âge, cet enfant-là était un spécialiste des automobiles en tout genre.

— N'aie pas peur, grand-maman, je ne me tromperai pas !

Le petit garçon avait redressé les épaules et fixait Jeanne, sûr de lui. Il ressemblait tellement à Olivier au même âge que Jeanne sentit l'émotion d'une larme piquer sa paupière. Dieu que la vie avait passé vite !

— Je te fais entièrement confiance, mon grand, confirma-t-elle en lui ébouriffant les cheveux. Dès que tu aperçois l'auto de grand-papa Thomas, tu cries très fort pour qu'on t'entende bien. Pour l'instant, tout le monde est dans la cuisine.

— Promis. Tu vas voir comme j'ai une bonne voix.

Il ne pouvait si bien dire ! Le cri strident que Julien poussa quinze minutes plus tard aurait suffi à réveiller les morts. D'une seule vague, les invités se précipitèrent vers la serre, rigolant comme des enfants. Julien avait trouvé moyen de se joindre au groupe, puisqu'il avait dévalé l'escalier sur la rampe, au risque de se rompre le cou.

— Doucement, jeune homme, tu vas tomber et te faire mal.

Le gamin ne s'était pas donné la peine de répondre. Les grands-mères ne connaissant rien à ces jeux de garçons, grand-maman Jeanne n'aurait rien compris. Excité comme une puce, il se glissa entre son père et sa mère, jouant du coude avec son petit frère Alexis pour se frayer une place.

Un silence approximatif s'abattit sur la serre. Tout le monde avait l'oreille tendue.

Les voitures ayant été stationnées suffisamment loin pour ne pas susciter d'interrogations, Thomas sortit de la sienne de fort mauvaise humeur. Il avait perdu sa journée. Jamais Mélanie n'avait été aussi difficile à contenter. Tellement difficile que finalement, ils revenaient bredouilles. Tout au long du chemin de retour, il avait ruminé dans sa barbe, répondant à sa fille uniquement par onomatopées. Dès qu'il eut mis pied à terre, Thomas claqua vigoureusement la portière de la *Caravan* sans se douter que ce faisant, il venait d'annoncer clairement son arrivée chez lui. Jeanne se précipita à l'entrée pour être bien certaine qu'il ne passerait pas par l'arrière.

Tout à sa mauvaise humeur, Thomas passa devant Jeanne sans dire un mot. Il ne remarqua pas non plus que l'immense ficus de l'entrée avait disparu. Tout ce qu'il voulait, c'était une bonne bière froide et son fauteuil préféré. Jeanne lui emboîta le pas. Un simple regard de Mélanie, qui secouait une main devant elle en faisant la grimace, avait suffi à la renseigner sur l'humeur plutôt ombrageuse de Thomas.

— Et si nous prenions l'apéritif dans la serre, proposa-t-elle.

— La serre ?

C'était au tour de Thomas de grimacer.

— Non, pas vraiment. Si on avait pu l'aménager, je ne dis pas, mais…

— S'il te plaît ! J'ai installé deux chaises et une petite table. Tu vas voir, on va être bien.

Thomas poussa un profond soupir. Il n'avait pas envie de s'installer sur une petite chaise droite sans confort. Mais il y avait tellement d'attente dans le regard de Jeanne qu'il ne put refuser.

— D'accord. Le temps de prendre une bière. Après, je

m'installe au salon. Ah oui! Mélanie s'est invitée à souper. J'espère que ça ne te dérange pas trop?

C'était un peu méchant, mais Thomas n'avait pu retenir cette petite pique à l'égard de sa fille. Tout l'après-midi, il avait eu l'impression de traîner derrière lui une gamine capricieuse. Jeanne se hâta de replacer les choses.

— Mais non, ça ne me dérange pas! Qu'est-ce que cette idée-là? Depuis quand un des enfants dérange-t-il? Va dans la serre, je te rejoins.

Jeanne se sentait fébrile. Comment Thomas accepterait-il la présence de tous ces gens venus expressément pour lui? Non qu'il fut un ermite, Thomas aimait la bonne compagnie et les soirées entre amis. Mais il était, par contre, allergique aux honneurs en tout genre.

Ouvrant le réfrigérateur, il saisit deux bouteilles par le goulot et s'approchant de l'évier, il les décapsula en faisant tinter les capuchons contre le métal sans même se donner la peine de les jeter à la poubelle. Mauvais signe! Il était sûrement de très mauvaise humeur. Jeanne avala sa salive. Après tout, elle aurait peut-être dû le prévenir.

— Surprise!

Thomas n'avait pas eu le temps de descendre les trois marches qui menaient à la serre que déjà un cri triomphal montait jusqu'à lui. Quelqu'un appuya sur l'interrupteur.

Intimidé, Thomas resta immobile un moment, le temps de s'ajuster à la surprise. Il ne s'y attendait pas du tout. Il y avait des rires, un peu de bousculade et il remarqua que les fils d'Olivier trépignaient de plaisir. Ce fut à ce moment que Thomas se rappela que son anniversaire était dans trois jours.

Sa mauvaise humeur avait brusquement disparu.

Lentement, son regard se promena de l'un à l'autre, ex-primant à la fois l'étonnement en découvrant les visages et une certaine reconnaissance à les voir là. Puis il descendit les quelques marches, posa les bouteilles sur une petite table basse et tendit la main vers tous ces gens qu'il appréciait.

Josée fut la première à venir l'embrasser, suivie de peu par Marc, son mari. C'étaient des amis de longue date, des amis de collège qui les avaient rejoints à Montréal quelques années après leur arrivée. Il y avait aussi Roger et Madeleine, leurs voisins les plus proches, et Gilles, l'éternel célibataire. Thomas apprécia qu'il n'ait pas traîné à sa suite sa plus ré-cente conquête.

Thomas allait de l'un à l'autre, heureux de la présence de tous ceux pour qui il avait un attachement particulier. Vraiment, tous ceux qu'il aimait étaient présents. Son frère Michel avec son épouse Suzanne, son père redevenu céli-bataire depuis le départ de Germaine qui l'avait quitté après de nombreuses années de disputes, Armand, le père de Jeanne, les enfants, les petits-fils, quelques amis triés sur le volet... Jeanne avait bien fait les choses.

C'est alors qu'il se retourna. Restée dans l'embrasure de la porte, Jeanne l'observait en souriant. Thomas lui rendit son sourire, accompagné d'un petit hochement de tête qui disait l'appréciation. Leurs regards s'attachèrent l'un à l'autre et Thomas eut l'impression que le brouhaha se dis-sipait. Ce n'était plus qu'un bruit de fond, leur permettant de se retrouver seuls. Ce regard entre eux, à la fois fragile et fort comme la lumière, comme des poussières d'étoiles traversant le temps et l'espace avant de les rejoindre alors qu'elles étaient déjà éteintes. Cela faisait très longtemps que

Thomas n'avait ressenti une telle communication entre eux.

« Une telle communion », pensa-t-il singulièrement ému.

Ils étaient un vieux couple maintenant et certains gestes, certaines émotions étaient un peu comme des acquis. Pourtant, voir Jeanne le regarder avec autant de chaleur lui fit oublier le passage du temps. Elle était belle, sa Jeanne, comme à vingt ans. Bien sûr, la frange de cheveux sur le front et les petites lunettes avaient été remplacées par une longue mèche grise et des lentilles. Bien sûr, la taille s'était épaissie au fil des années et quelques rides marquaient le coin des paupières. Mais aux yeux de Thomas, cela ajoutait à son charme. Silencieusement, sans la quitter des yeux, il articula un *merci* auquel Jeanne répondit d'un baiser à la volée lancé du bout de l'index. Puis, le charme s'estompa, remplacé par les rires et les voix. Jeanne fit alors volte-face et retourna dans la cuisine voir à ses chaudrons au moment où Armand Lévesque lançait de sa voix qui portait toujours aussi bien :

— Longue vie à toi, Thomas. Qu'on apporte le champagne que j'ai mis au froid pour célébrer son anniversaire ! Je n'aurais jamais pu souhaiter meilleur mari pour ma Jeanne. Longue vie à vous deux.

Au même instant, on entendit un bouchon sauter à la cuisine, tandis que parents et amis se mettaient à applaudir.

★ ★ ★

Tiré de l'agenda de Jeanne

Ouf ! Quelles semaines ! Je suis crevée. Je ne me rappelais plus que le bonheur pouvait être, lui aussi, très épuisant. J'ai été tellement débordée que je n'ai même pas pris la peine de faire le point du vendredi, la semaine dernière, ni celle d'avant, d'ailleurs. Cela fait des années que ça ne m'est pas arrivé. Maintenant, je vais devoir faire des efforts pour me rappeler tout ce qu'il y a eu d'important depuis trois semaines.

Curieux, cette manie que j'ai de prendre des notes, de consigner les moments importants. Je ne me souviens pas vraiment de quand date cette habitude. De loin, en tout cas, de très loin. Heureusement que maintenant, il y a l'ordinateur. C'est nettement plus rapide. S'il fallait que quelqu'un tombe sur mes vieilles disquettes, il rirait de moi ! Une grande partie de ma vie contenue en trois disquettes et quelques cahiers spiral ! Pas grand-chose, finalement. Mais peut-être l'essentiel. Je ne sais pas. Il faudrait que je relise tout ça. Un jour, quand je serai très vieille, je m'amuserai à le faire. Pour l'instant, je vais plutôt faire l'effort de me rappeler tout ce qu'il y a eu d'important ces dernières semaines. Ça ne devrait pas être trop difficile.

Bien sûr, il y a eu la serre. Ça, je n'ai pas beaucoup d'efforts à faire pour y penser ! Dire que j'étais heureuse quand j'ai vu la première pelletée de terre tomber dans la benne du camion serait un euphémisme. En fait, j'étais au septième ciel. Je crois que c'est probablement le plus grand de mes rêves que je voyais se réaliser. Une serre ! Une serre bien à moi où je pourrai faire pousser tout ce dont j'aurai envie. Fini le temps des commandes à exécuter, des fleurs que je devais obligatoirement utiliser même si je ne les aimais pas. Finalement, à bien y penser, la retraite n'a que du bon ! Plus d'embouteillage, plus d'horaire, plus de contrainte. Le paradis, quoi ! Je ferais bien de garder le numéro de téléphone de M. Bolduc. Comme il le disait lui-même : « *C'est de* la belle ouvrage, ça, madame ! » On ne sait jamais, ça pourrait servir.

Il y a aussi la fête de Thomas qui a été importante. Non seulement parce qu'elle a été réussie et qu'il était content, mais aussi pour cette complicité avec Mélanie. Cela faisait longtemps que nous avions pris du temps ensemble. Elle m'a beaucoup aidée, on a beaucoup jasé. Ça m'a fait plaisir de voir à quel point elle est solide, ma fille. Pourtant, elle aurait tous les droits d'être en colère face à la vie. Trois fausses couches en si peu de temps, il y a de quoi être frustrée. Mais non ! Le moral tient le coup. Elle est déçue, c'est certain, mais elle en parle quand même avec philosophie. Tant mieux. C'est curieux, mais je sens que la prochaine fois qu'elle va tomber enceinte, ce sera la bonne. Ce n'est qu'une intuition, je sais, mais elle est très forte. Comme lorsque les enfants étaient petits ! C'est arrivé souvent que je sente les choses avant qu'elles n'arrivent. Est-ce cela qu'on appelle l'amour maternel ?

J'étais aussi très heureuse de voir papa même si je trouve qu'il a beaucoup vieilli en quelques mois. Je suis négligente vis-à-vis de lui. Il n'a plus l'âge de voyager. Ce serait à moi d'aller plus souvent à Québec. Ce n'est pas le jour de son décès qu'il sera temps d'y penser. J'espère seulement que la présence de Sébastien sous son toit ne le fatigue pas trop. Habiter avec un jeune comme mon fils, c'est tout un contrat. Même si l'image est boiteuse, je dirais que Sébastien est à la fois le côté face et le côté pile d'une médaille. Je sais bien que c'est une sécurité pour mon vieux papa d'avoir quelqu'un à ses côtés. Et j'irais même jusqu'à dire que c'est grâce à Sébastien s'il peut encore garder sa maison. Mais Sébastien est tout un pistolet! Il ne vit pas, mon fils, il avale la vie, il croque dedans à grosses bouchées. Pour un vieil homme de quatre-vingt-trois ans, ça doit être étourdissant par moments. Malgré cela, j'ai ressenti une grande complicité entre eux. Connaissant mon père, il a dû poser lui-même les balises de leur entente et Sébastien n'a pas eu le choix de s'y conformer. Avec mon père, il ne sert à rien de discuter.

Olivier et Karine ont l'air de bien se porter. C'est un peu fou, mais malgré toutes ces années à la côtoyer, je n'arrive toujours pas à percer la carapace de ma belle-fille. Elle est polie, gentille même, mais j'ai toujours l'impression que ce n'est qu'une façade. Une façade de bienséance. Je ne pourrais pas dire si elle m'apprécie ou me déteste. En fait, elle ressemble beaucoup à Olivier. Lui aussi, c'est un casanier. Et je crois que s'il est aussi renfermé, c'est qu'il s'est toujours senti un peu à part. Être l'aîné de huit ans, ce n'est pas évident. Surtout quand ce sont des jumeaux qui suivent. Depuis l'instant où ils ont appris à ramper, Mélanie et Sébastien forment un clan. Et cette exclusivité existe toujours. Mélanie est chanceuse d'être amoureuse d'un homme aussi compréhensif que Maxime. J'en connais plusieurs qui n'accepteraient pas une alliance aussi exclusive. Je me demande parfois si cette complicité ne nuit pas à Sébastien: à vingt-cinq ans, il n'a toujours pas de copine. Mais c'est vrai aussi qu'il étudie beaucoup. Comme le dit mon père, le temps des amours viendra bien assez vite. Pour l'instant, même s'il n'en parle pas vraiment, je crois que mon fils aime bien papillonner. Il butine de fleur en *fleur et avec le pouvoir de séduction qu'il a, il doit laisser quelques cœurs en peine derrière lui.*

Bon! Assez méméré! Il se fait tard. Je ferais mieux d'aller me coucher. Parce que c'est vrai quand je dis que je suis fatiguée. Ça fait longtemps que je n'ai pas été aussi vannée.

Oh! Je viens de me rappeler. C'est après le décès de maman que j'ai commencé à écrire mes pensées et à décrire les événements que je trouvais importants. Le jour de ses funérailles, j'ai pris le journal intime qu'elle m'avait donné à ma fête et que j'avais trouvé insignifiant et je me suis dépêchée d'écrire tous les souvenirs importants que j'avais partagés avec elle. Je me souviens aussi que j'avais tellement peur que son image s'efface de ma pensée. Pauvre maman! Elle n'avait pas encore cinquante ans quand elle est décédée. À cette époque, je trouvais que c'était quand même assez vieux pour mourir. Aujourd'hui, j'aurais envie de dire que la vie avait à peine eu le temps de commencer pour elle. À cinquante ans, il reste encore tant et tant de choses à vivre.

Bon, maintenant c'est vrai. Je vais me coucher, sinon je vais m'endormir sur le clavier.

Chapitre 2

Montréal, janvier - février 2004

« Emmenez-moi au bout de la terre
Emmenez-moi au pays des merveilles
Il me semble que la misère
Serait moins pénible au soleil. »
EMMENEZ-MOI, CHARLES AZNAVOUR

Depuis les fêtes, Jeanne traînait, jour après jour, une fatigue démesurée. « Trop d'émotions en même temps », songeait-elle quand, après le dîner, elle ne pouvait résister à l'envie de faire la sieste. « Trop d'émotions et trop d'ouvrage. La retraite, la serre, l'anniversaire de Thomas, les fêtes de fin d'année. J'en ai trop fait. À moins que je ne couve une grippe d'homme. Ça ne me surprendrait pas, j'ai mal partout. Si on peut finir par partir en vacances, je vais reprendre le dessus ! »

Comme chaque année quand arrivait la fin du mois de janvier, Jeanne aspirait à la chaleur. Amante des fleurs et de la nature, l'hiver était loin d'être sa saison préférée.

— Un peu de neige pour Noël, j'en suis. Quelques bonnes tempêtes en janvier pour respecter le folklore, pas de problème. Mais tout de suite après, on pourrait passer à autre chose. Comme un beau printemps fleuri de crocus et de tulipes, peut-être !

« Finalement, je déteste l'hiver », clamait-elle haut et fort et sur tous les tons quand février s'enroulait dans ses froidures et prodiguait généreusement ses poudreries sans le moindre répit.

Cette année, Jeanne avait l'impression que c'était encore pire. Janvier n'était pas encore fini qu'elle trouvait déjà le temps long. Et elle avait mal partout. Comme si de moins travailler l'avait ankylosée, rendant certains gestes plus pénibles.

À défaut de mieux, elle avait décidé de pointer du doigt sa petite serre qui gardait un taux d'humidité assez élevé. Ce qu'elle ressentait quand elle y travaillait n'avait rien à voir avec ce qu'elle avait connu au Jardin botanique. Elle était persuadée que la dimension y était pour quelque chose. Et peut-être aussi la qualité du système de ventilation. Jeanne avait fait ce qu'elle pouvait avec les moyens dont elle disposait. Résultat : sa serre lui semblait moins confortable que celles qu'elle avait fréquentées au cours de sa vie. Mais comme elle ignorait la cause exacte, elle n'en parlait pas. Par contre, une chose était certaine : depuis quelques semaines, elle avait mal au genou gauche. Ce n'était plus une raideur comme il lui était arrivé d'en ressentir parfois au travail. Non ! Cette fois-ci, c'était une douleur lancinante comme celle qu'elle aurait pu imaginer quand on lui parlait d'arthrite.

— À moins que ce ne soit tout simplement l'âge, murmura-t-elle horrifiée, en faisant quelques flexions, les mains plongées dans la terre qu'elle tamisait pour faire des semis en prévision de l'été. Comme si je n'avais pas assez des petits bourrelets aux hanches et des pattes-d'oie ! Quelle horrible expression : pattes-d'oie. Avez-vous déjà examiné une patte d'oiseau de basse-cour ? C'est franchement hideux ! Pourquoi faut-il que la vieillesse s'accompagne de tous ces signes disgracieux et de ces petites douleurs? Le fait d'avoir moins de résistance devrait pourtant suffire. Pas besoin d'enlaidir en plus. Finalement, quand on dit qu'il n'y a rien de parfait en ce bas-monde, c'est la vérité la plus plate. Maintenant que nous allons avoir plein de temps pour nous, Thomas et moi, que les soucis financiers sont derrière, c'est le *body* qui ne veut plus suivre. Faudrait vraiment que je me décide à m'inscrire au centre de conditionnement physique. Je ne sais pas si ça pourrait m'aider, mais chose certaine, ça ne pourrait pas me faire de tort.

Malgré cette constatation, la seule perspective d'avoir à sortir plusieurs fois par semaine, dans un froid aussi glacial que celui qui sévissait depuis quelques jours, suffisait à lui faire remettre ses bonnes intentions aux calendes grecques.

Jeanne soupira son agacement.

— Au printemps, je verrai, fit-elle sans grande conviction. Par contre, si la douleur persiste après notre voyage à Cancún, je vais consulter.

Mais si Jeanne se promettait de consulter, et à voix haute en plus, c'était qu'elle était persuadée qu'un séjour à la mer, surtout au chaud soleil du Mexique, viendrait à bout de ses élancements. Combien de fois, au cours des années, avait-elle subi de ces crises fulgurantes, mais heureusement fort brèves, d'hypochondrie? Des dizaines, des centaines de fois! Imaginer les pires scénarios avait fait partie de sa vie même si Thomas essayait de la raisonner avec ses diagnostics sécurisants. Même s'il n'avait jamais pratiqué, son mari avait la fibre du médecin de famille bien développée! Finalement, ils finissaient par en rire ensemble quand le malaise s'éloignait. Sans jamais avoir consulté, bien entendu. Jeanne en était venue à la conclusion que le décès prématuré de sa mère y était pour quelque chose. Comme si une hérédité malsaine planait au-dessus de sa tête et de celle des enfants et qu'elle avait le réflexe de prendre au sérieux le moindre bobo. Heureusement, ça ne durait pas.

— Ridicule, grommela-t-elle en versant soigneusement un peu de terre dans le régiment de petits pots placés devant elle.

N'empêche que, pour l'instant, la douleur à la jambe était bien réelle. Les mots *arthrose* et *cancer* virevoltèrent un instant dans sa tête, laissant entrevoir les pires pronostics. Jeanne lança sa petite pelle sur la table, choquée contre elle-même.

— Mais qu'est-ce que c'est que ces idées sombres, ce matin? J'ai mal à une jambe, et après? Pas de quoi en faire tout un plat! Ça doit être le résultat d'une vie passée à genoux à planter des fleurs. Voilà tout! Quelques raideurs tout à fait normales.

Constatation logique. Après tout, ce n'était pas la première fois qu'elle était courbaturée. Mais de le savoir n'arriva pas à la dérider. Il semblait que la mauvaise humeur s'était installée pour y rester.

Pourtant, il faisait beau. Le soleil brillait de mille feux dans un ciel au bleu de cobalt presque pur. Reflétant à travers les vitres de la serre, il dégageait une douce chaleur. Seule une petite neige folle qui courait au ras du sol en traversant le jardin rappelait qu'il faisait moins vingt degrés et que l'hiver était loin d'en avoir fini de se manifester.

Et justement, dans l'état d'esprit où elle était, Jeanne ne

voyait que cette neige folle qui poudrait l'assurance d'un froid intense. Elle était même sur le point de se laisser aller à une bonne crise de cafard lorsque la sonnette de l'entrée se fit entendre. Machinalement, Jeanne porta les yeux à son poignet.

— Dix heures ? Mais qui peut bien sonner chez moi à cette heure ? En plus, il fait un froid de canard. Même les témoins de Jéhovah doivent être bien au chaud chez eux.

Curieuse, Jeanne s'essuya rapidement les mains et se précipita vers l'entrée.

— Josée !

Sautillant d'un pied à l'autre et soufflant sur le bout de ses doigts, son amie attendait que quelqu'un veuille bien lui ouvrir. Elle s'engouffra dans la maison dès que Jeanne eut entrouvert la porte.

— Sapristi qu'y fait froid !

Un long frisson corrobora ses dires, arrachant un sourire à Jeanne qui eut le réflexe de resserrer les pans de sa veste de laine.

— Mais veux-tu bien me dire ce que tu fais là, toi ?

— Panne de chauffage au bureau, expliqua succinctement Josée tout en secouant ses bottes sur le tapis que Jeanne déployait scrupuleusement chaque hiver sur le plancher de céramique. Pendant qu'elle parlait, sans attendre d'y être invitée, Josée avait enlevé son manteau et l'accrochait à la patère fixée au mur avant d'enfiler le couloir menant à la cuisine.

— J'ai pensé venir te voler un café et voir de quoi ça a l'air une femme à la retraite, lança-t-elle par-dessus son épaule.

Jeanne lui emboîta le pas en éclatant de rire.

— Une femme à la retraite qui déteste l'hiver, ça a l'air un peu grognon. Sinon, je présume que ça ressemble à n'importe quelle autre femme.

— Oh non! Tu n'as pas le droit de ressembler à n'importe qui. Tu n'as pas le droit de me ressembler, par exemple. Toi, tu n'as pas besoin d'affronter le trafic ni le froid. Tu peux bouffer tout ce que tu veux quand tu veux. Tu peux prendre un bain au beau milieu de l'après-midi si ça te chante. Tu peux regarder un film d'amour et pleurer tant que tu veux sans témoin. Tu peux même passer la journée en pyjama si t'en as envie. Pas de maquillage, pas de coiffure, pas de bas de nylon, pas de talons hauts. Te rends-tu compte de la chance inouïe qui est la tienne? Alors, tu n'as pas le choix, ma vieille. Tu dois obligatoirement être souriante et d'excellente humeur et me laisser le privilège de grogner.

— Rien que ça?

— Eh oui!

Jeanne avait écouté son amie, un sourire moqueur au coin des lèvres. Elle n'aurait pu trouver mieux pour secouer ses vieilles puces de mauvaise humeur. Josée avait un moral d'acier et un sens de l'humour très développé.

— Je te ferais remarquer que pour ce qui est des bas de nylon et des talons hauts, ils n'ont pas fait partie de mes contraintes de travail. Mais pour le reste, ta vision des choses est assez juste. D'accord! Pour toi, je vais être de bonne humeur.

Puis, passant du coq à l'âne.

— En parlant de café... Un espresso, ça te va?

— Miam, miam ! Surtout si tu as quelques petits biscuits maison dont tu as le secret.

— Il doit bien me rester quelque chose des fêtes. Donne-moi quelques minutes. Installe-toi dans la serre et j'arrive.

— C'est vrai ! En plus, madame a une serre pour oublier que notre pays, c'est l'hiver. Sapristi ! Et tu oses me dire que t'es grognonne ?

Jeanne esquissa une grimace contrite.

— Effectivement, je crois que j'exagère un peu. Le pire, c'est qu'on part pour le sud la semaine prochaine.

— Parce qu'en plus tu... Pas juste ! La vie n'est qu'une immense injustice à mon égard. Pour ça, tu mettras quelques gouttes de cognac dans mon café pour me réchauffer. Pour remplacer le soleil que je n'aurai pas cet hiver. Parce qu'imagine-toi donc que Marc s'est mis en tête d'aller en Mongolie l'été prochain. Ce qui veut dire qu'on oublie le sud pour cette année.

— En Mongolie ?

— Rien que ça, oui ! Apparemment, il y a un désert là-bas dont je ne me rappelle pas le nom où on peut faire des excursions à dos de chameau.

Tandis qu'elle préparait le café, Jeanne ne put s'empêcher d'éclater de rire. Elle essayait d'imaginer les cent et quelques kilos de Marc perchés en équilibre instable entre deux bosses. L'image était vraiment loufoque. Incapable de se retenir, elle lança, narquoise :

— Pauvre chameau. Va falloir qu'il ait les reins solides.

— C'est exactement ce que j'ai dit à Marc, mais rien à faire. Il prétend que c'est un rêve d'enfance et qu'il veut le réaliser avant qu'il ne soit trop vieux. Je me suis dépêchée de lui répliquer que dans son cas, il aurait dû dire avant qu'il ne soit trop gros. Il est devenu écarlate. S'il avait eu des fusils à la place des yeux, je ne serais plus là pour te raconter nos chicanes de ménage. Mais j'ai raison. J'ai beau lui dire de faire attention et le médecin a beau le menacer des pires supplices le jour où il n'aura plus le choix de prendre sa santé en mains, rien à faire. Il est aussi têtu qu'une mule. Il ne mange pas, le cher homme, il se goinfre! Il se justifie en disant que tous les hommes de sa famille ont été bien enveloppés et que ça ne les a pas empêchés de vivre jusqu'à quatre-vingts ans passés. Le pire, c'est qu'il a raison. Mais j'y pense! Si vous veniez, Thomas et toi? Ça pourrait être rigolo, non?

Josée était un moulin à paroles! En fait, il n'y avait qu'elle pour tenir la dragée haute à Jeanne qui, côté jasette, ne laissait pas sa place non plus. Sans attendre de réponse, Josée avait changé de sujet et venait de constater sur un ton surpris:

— Dis donc, toi, c'est confortable ici! Je n'aurais jamais cru. On a juste à fermer les yeux pour oublier l'hiver. Le soleil est même chaud à travers les vitres.

— C'est probablement pour ça que j'ai passé ma vie dans les serres, expliqua Jeanne qui revenait de la cuisine, un plateau en main. D'aussi loin que je me souvienne, je n'ai jamais aimé l'hiver. Inconsciemment, j'ai choisi le seul métier qui pouvait arriver à me sortir de chez moi. Il n'y avait que la perspective d'une serre bien chaude qui réussissait à me faire accepter d'affronter des moins vingt. Pour le reste, je m'en suis souvent remise à Thomas. Le moindre prétexte était bon pour éviter de sortir.

Jeanne déposa le plateau sur la petite table de jardin.

— Je reviens. J'ai oublié le cognac.

Josée pouffa de rire.

— Laisse tomber. C'étaient des blagues. Comment veux-tu que j'arrive à avaler de l'alcool à cette heure-là ? Viens t'asseoir. J'ai envie que tu me racontes comment c'est de n'avoir rien à faire. Moi, je t'avoue que la retraite me fait peur.

Jeanne versait le café dans les tasses.

— Peur ? Pourquoi ? C'est différent, c'est sûr, mais ce n'est pas désagréable. J'avoue que mes compagnons de travail me manquent parfois. On avait des discussions passionnantes sur les plantes. Mais pour le reste...

Jeanne venait de s'asseoir face à Josée et n'avait pu retenir une petite grimace de douleur quand elle avait fléchi les genoux. Grimace qui n'avait pas échappé à son amie. Celle-ci fronça les sourcils.

— Dis donc, toi. Qu'est-ce qui se passe ? On dirait que tu as mal quelque part.

Jeanne éluda la question d'un geste de la main et de quelques mots vides.

— Trois fois rien. Quelques raideurs aux jambes. Ça doit être l'âge. Un peu d'arthrite qui va disparaître au chaud soleil du Mexique.

Josée était à demi convaincue.

— T'es certaine ? As-tu vu le médecin au moins ?

— Le médecin ? Pour si peu ? Allons donc ! C'est trois fois rien, je te dis.

Josée avait levé un index sentencieux.

— On n'est jamais trop prudent. Surtout quand on commence à vieillir. Faut quand même regarder la réalité en face. On n'a plus vingt ans.

— Mais on en n'a pas soixante-dix, non plus.

La réponse de Jeanne avait été un peu sèche. Trop sèche. Il n'en fallait pas davantage pour que Josée s'entête. Elle connaissait Jeanne depuis l'école secondaire et quand celle-ci devenait distante, c'était habituellement qu'elle était mal à l'aise.

— J'insiste, fit-elle après avoir humé son café.

Quand Josée avait quelque chose en tête! Jeanne ferma les yeux d'impatience au moment où son amie reprenait, d'une voix grave :

— J'insiste, répéta-t-elle après avoir bu une petite gorgée brûlante. À quand remonte ton dernier *check-up*? C'est important. Moi, je passe une batterie de tests tous les deux ans. Comme ça, je ne risque pas de me réveiller avec une maladie bizarre incurable. Mammographie, prises de sang, test d'urine… Les microbes n'ont qu'à bien se tenir. Alors? Et toi? Même si je te sais allergique aux médecins, à part ton Thomas, bien sûr, ça fait combien de temps que tu n'as pas consulté?

Jeanne haussa une épaule qui se voulait indifférente.

— Ce qui se passe entre le médecin et moi ne te regarde pas, répliqua-t-elle sur la défensive. De toute façon, je ne suis pas comme toi. Je n'ai pas besoin de courir chez le médecin deux fois par mois pour me sentir en sécurité et en santé. On en a déjà parlé. Comme toi, j'imagine régulièrement le pire, mais contrairement à toi, je ne panique pas. Avoue que tu exagères un peu! Tu t'affoles au moindre petit bobo et tu n'as jamais rien. C'est en partie à cause de gens comme toi que notre système de santé est engorgé.

— Oh là! Madame est grimpée sur ses grands chevaux!

Jeanne avait piqué la susceptibilité de Josée. Par contre, elle n'avait pas tort quand elle laissait entendre que son amie exagérait. Et cette dernière le savait fort bien. Josée choisit donc de tourner le tout à la blague. Elles n'étaient toujours pas pour se disputer pour trois fois rien, comme le disait Jeanne.

— D'accord, j'avoue que j'exagère, admit-elle en soupirant. Là, t'es contente ? Mais entre mes courses bimensuelles chez le docteur et ton refus de consulter, il pourrait peut-être y avoir un juste milieu, non ?

— Peut-être, concéda Jeanne après un bref moment de réflexion. Je te promets d'agir si, à mon retour de vacances, les douleurs persistent. Ça va comme ça ? Mais pour l'instant, on change de sujet.

À son tour, Josée hésita un peu, scruta le visage de Jeanne d'un œil sévère, puis décida de laisser tomber.

— Si tu veux. On va donc parler de Mongolie et je me donne tout l'après-midi, s'il le faut, pour te convaincre de convaincre Thomas pour que vous veniez avec nous. Je le confesse, moi, la Mongolie, ça ne me tente pas du tout. Mais peut-être qu'à quatre...

Les deux femmes passèrent donc la fin de l'avant-midi et l'heure du repas à discuter d'un éventuel voyage entre amis. Après tout, pourquoi pas ? Une expédition à dos de chameau devrait paraître assez exotique aux yeux de Thomas, lui qui s'était promis quelques folies au moment de la retraite. Et l'été prochain, il serait justement un jeune retraité !

Quand Josée la quitta sur le coup de deux heures, Jeanne avait retrouvé un moral à toute épreuve. Était-ce d'être restée assise un long moment qui avait atténué la douleur qu'elle ressentait au matin ? Probablement. Mais, c'était un fait : sa jambe ne la faisait presque plus souffrir. Cela suffit amplement pour que Jeanne se répète, soulagée, que tout cela n'était que des broutilles. Un peu de soleil au Mexique et elle oublierait qu'un jour, son genou gauche avait été douloureux.

Elle concentra donc ses pensées sur le voyage en Mongolie.

Rien ne plaisait plus à Jeanne que ces petits imprévus qui pimentaient le quotidien. Elle avait toujours aimé s'y jeter tête première. Voyages, visites, invitations, sorties, peu importait. Tout ce qui bousculait la routine, sans aucune planification, lui plaisait infiniment plus que les projets de longue date. La réalisation de ce voyage imprévu deviendrait peut-être un projet à long terme, par la force des choses, mais ce n'était pas vraiment important. Jeanne était emballée par l'idée de cette escapade en compagnie de leurs amis. Et elle savait également que si Thomas était le moindrement dans de bonnes dispositions, il se joindrait aussitôt à son enthousiasme.

— On va donc s'occuper des bonnes dispositions de monsieur, lança-t-elle joyeusement en revenant vers la cuisine après avoir refermé la porte sur une Josée qui râlait contre l'hiver tout en marchant à petits pas prudents vers son auto.

Bon vin et bonne chère sauraient conduire son homme vers les meilleures dispositions possibles. La perspective d'un dépaysement complet devrait s'occuper du reste.

Jeanne plongea donc le nez dans ses innombrables livres de recettes jusqu'à ce qu'elle trouve ce qu'elle cherchait. Un brin d'exotisme pour le repas, une préparation mentale pour un grand voyage. Deux heures plus tard, elle filait prendre un bain comme l'avait suggéré son amie en riant. « Josée a fichtrement raison », pensa-t-elle ravie de pouvoir employer ce mot qu'elle retrouvait souvent dans ses lectures, mais qu'elle n'arrivait jamais à glisser dans une conversation.

« C'est vraiment agréable de pouvoir faire tout ce qu'on veut quand on le veut ! » pensa-t-elle en ajustant la température de l'eau avant de lancer en riant :

— Fichtrement ressemble à bortsch ! Le bortsch que nous allons manger pour nous préparer les papilles au voyage en Mongolie qui doit finalement ressembler à la Russie.

Elle se laissa glisser dans l'eau chaude et mousseuse qu'elle avait parfumée au jasmin. Une longue trempette et ensuite elle attendrait Thomas en sirotant un petit verre de rosé. Pour Jeanne, le vin rosé avait toujours eu des connotations de vacances.

Ce fut l'odeur alléchante qui s'échappait de la cuisine qui commença le travail. Levant le nez pour humer les effluves qui se glissaient jusque dans l'entrée, Thomas oublia aussitôt le trafic incroyable, pare-chocs à pare-chocs, qui l'avait retardé de plus d'une demi-heure. La musique que Jeanne avait choisie, un vieux disque de Jean Ferrat, lui arracha un sourire. Tous les deux, ils adoraient Ferrat, comme ils appréciaient la musique de tous ces chanteurs français qui s'étaient fait connaître durant leurs jeunes années. Brel, Adamo, Brassens, Montand, Ferré... Machinalement, Thomas porta la main à la poche de sa chemise pour vérifier si l'enveloppe y était toujours, puis il se dirigea vers le salon qui donnait sur l'arrière de la maison. La soirée s'annonçait très agréable.

—Jeanne?

Recroquevillée dans un fauteuil près du feu, Jeanne lisait. Elle n'avait pas entendu son mari rentrer. Il est vrai que lorsqu'elle lisait, Jeanne plongeait corps et âme dans une autre dimension de la galaxie. On pouvait l'entendre rire ou renifler, soupirer ou claquer de la langue avec impatience, car elle faisait corps avec son livre. Pour le reste, elle devenait totalement insensible. Il n'y avait que son nom, et encore fallait-il le prononcer distinctement, qui arrivait à l'arracher à sa lecture. Le temps de terminer sa phrase et elle levait les yeux vers Thomas.

—Déjà là?

Thomas la regarda avec une mine faussement déçue.

—Affreux! Elle ne s'est même pas aperçue que j'avais près de quarante minutes de retard. Et dire que je croyais que depuis la retraite elle se languissait de moi, désœuvrée et triste! Quel choc!

Puis changeant de ton, il demanda en pointant le nez devant lui:

—Ça sent bon! Qu'est-ce que c'est?

—Un bortsch.

Thomas écarquilla les yeux. Il doutait d'avoir bien entendu.

—Un quoi?

—Un bortsch, répéta Jeanne en riant. C'est un potage russe à base de betteraves. C'est pour nous préparer.

—Nous préparer? À quoi? On a eu une invitation pour un bal costumé?

—C'est encore mieux que ça! On a eu une invitation pour un voyage que nous allons faire l'été prochain avec

Marc et Josée. Enfin, si ça te tente, bien entendu. Viens, on passe à table et je te raconte ma journée.

Thomas se montra aussi enthousiaste que Jeanne. La perspective d'un voyage avec leurs amis l'emballait.

— Tu sais à quel point nous avons du plaisir ensemble! J'espère seulement que Marc, lui, n'y verra pas d'inconvénient. Parce que si j'ai bien compris, il n'est pas au courant de vos petites manigances, Josée et toi.

Jeanne le regardait avec un large sourire.

— Je ne dirais pas ça! Connaissant Josée comme je la connais, je suis persuadée que Marc est non seulement au courant, à l'heure qu'il est, mais qu'en plus, il déborde d'enthousiasme à l'idée de notre présence.

— Tu as probablement raison. Je vérifierai tout ça avec lui demain. S'il n'est pas convaincu que notre présence est absolument nécessaire à son bien-être, je me charge de le convaincre. Mais en attendant...

Du bout de l'index, Thomas tapotait la poche de sa chemise.

— J'ai ici quelque chose de beaucoup plus tangible qu'un voyage hypothétique en Mongolie. Ça, madame, c'est du concret.

Extirpant une enveloppe de sa poche, Thomas la plaça sur la table, devant Jeanne. Elle reconnut aussitôt les couleurs de leur agence de voyages.

— Les billets pour Cancún! *Yes*! Tu as raison, ça c'est du concret. C'est surtout un adieu sans larmes à notre trop long hiver! Si tu savais comme j'ai hâte!

Jeanne avait les yeux brillants de joie anticipée, comme une petite fille devant l'arbre de Noël. Spontanément, la main de Thomas avait traversé la table pour venir enlacer les doigts de sa femme tellement il la trouvait jolie.

— Contente ?

— Mieux que ça ! Je suis heureuse, heureuse ! Surtout que cette année, j'ai…

Jeanne avait été sur le point de parler de sa jambe. Elle esquiva la confession à la dernière minute, sans trop savoir pourquoi. Juste un moment de pudeur qui l'amena, dans une pirouette d'idées, sur une avenue tout aussi plausible pour expliquer son emballement un peu exagéré devant le voyage à Cancún.

— Surtout que cette année, j'ai l'impression que l'hiver est encore plus long que d'habitude. C'est curieux ce que je ressens. Je suis incroyablement soulagée de ne plus avoir à affronter le froid et le trafic, mais il m'arrive en même temps de trouver les journées un peu longues.

Jeanne leva un beau sourire vers Thomas.

— J'ai hâte que tu restes à la maison, toi aussi.

Thomas était ému devant la chance qu'ils avaient. Combien d'amis, de collègues lui avaient avoué repousser l'heure de la retraite simplement pour ne pas avoir à se mesurer à une solitude à deux qui ne les attirait pas ou qui leur faisait peur ? Thomas n'avait jamais compris. Pour eux, c'était le contraire qui se produisait. Cela devait bien faire trois ans, maintenant, qu'ils parlaient de la retraite avec une grande excitation et une impatience avide. Tous ces petits rêves qu'ils avaient mis de côté au fil des années, ils allaient enfin pouvoir les réaliser. Jeanne avait pavé le chemin avec la serre et, dans quelques mois, il suivrait avec son bel appareil photo numérique qu'il s'était procuré pour Noël.

Il avait déjà commencé à se faire la main au réveillon. À travers le nombre incroyable de prises qu'il avait faites, il devait bien y avoir trois ou quatre petits chefs-d'œuvre! Et il entendait bien récidiver durant leur voyage au Mexique.

Tandis que Thomas la regardait, un sourire flottant sur son visage, visiblement perdu dans ses pensées, Jeanne avait dégagé sa main et elle avait commencé à empiler la vaisselle sale.

— As-tu vu l'heure? Ouste! Debout! Si tu me donnes un coup de main, on va être juste à temps pour les nouvelles. Et après, dodo! Je veux me lever tôt, demain. Avec la visite de Josée, je suis en retard pour mes semis. J'aimerais bien avoir tout terminé avant le départ. Mélanie m'a promis d'y voir pendant notre absence. Comme ça, quand on reviendra, j'aurai moins l'impression que c'est encore et toujours l'hiver chez nous. Hé! Thomas, je te parle!

Thomas sursauta. Il n'avait rien entendu du discours que Jeanne avait tenu. Lui, il était déjà sur une plage du sud, se demandant comment s'y prendre pour approcher les lézards de suffisamment près pour les photographier! Devinant, à la regarder, que Jeanne avait sollicité son aide, il bondit sur ses pieds.

— À vos ordres, belle dame!

Ils firent la vaisselle en se taquinant. L'humeur était à la tendresse.

Quelques instants plus tard, ils se glissaient sous les couvertures pour regarder le bulletin d'informations comme ils le faisaient depuis toujours. Calés confortablement dans leur oreiller, ils argumentaient sur les nouvelles de la journée. Jeanne se sentait bien. Autant les imprévus savaient la charmer, autant ces petits riens d'une longue habitude de vie commune avaient de l'importance à ses yeux. Elle se lova tout contre Thomas et posa la tête sur sa poitrine. À l'écran, Gilles Gougeon parlait de froid intense en Europe. «Comme ici, finalement», pensa Jeanne en se pelotonnant étroitement contre son mari. Pourtant ce soir Jeanne n'avait pas froid, même si elle entendait le vent siffler contre la corniche du toit et qu'habituellement ce bruit lui donnait des frissons. Elle ferma les yeux et concentra sa pensée sur les battements du cœur de Thomas.

«Ce cœur qui ne bat que pour toi», lui répétait-il parfois aux heures de passion, un curieux trémolo dans la voix.

Cette passion, née d'une certaine curiosité alors qu'ils n'étaient encore que de jeunes fous, ne s'était jamais démentie au fil des années. Bien sûr, il y avait eu quelques passages à vide. Tout comme il y avait eu de ces disputes qui laissent des cicatrices. Mais quel couple ne rencontre pas de ces périodes creuses qui laissent un goût amer? Jeanne n'en connaissait pas. Tous leurs amis avaient eu leurs moments difficiles. Certains y avaient laissé leur couple. D'autres, comme Josée et Marc, avaient réussi à traverser les tempêtes et marchaient encore main dans la main. Tout comme eux.

À la télé, Jocelyne Blouin prédisait encore quelques jours de temps glacial.

— Brrr... On ferme tout ça? suggéra Jeanne. Tant qu'à entendre des mauvaises nouvelles...

— D'accord.

L'instant d'après, la chambre était plongée dans la noirceur. Seule une raie de lumière, provenant de la veilleuse du couloir, filtrait sous la porte et rejoignait un rayon de lune qui arrivait à se glisser entre les lamelles du store, dessinant des rayures sur le tapis. Jeanne allait se retourner sur le côté après avoir bourré son oreiller de coups de poing quand Thomas glissa un bras autour de sa taille pour la retenir.

— Je t'aime.

Jeanne retint son souffle un moment. Thomas était avare de ces mots tendres qui embellissent parfois tout le reste.

— Je t'aime, répéta-t-il, et je ne te le dis pas assez souvent.

Jeanne oublia aussitôt qu'elle avait sommeil et elle reprit la pose, sa tête contre la poitrine de Thomas, blottie au creux de ses bras.

— Tu n'as pas besoin de parler. Je sais que tu m'aimes. L'amour, c'est tellement plus que des mots.

— C'est vrai. N'empêche qu'il est parfois agréable de les entendre, ces mots qu'on n'a pas besoin de dire. Toi, tu passes ton temps à répéter que tu m'aimes et ça me plaît.

— Oh! Tu sais, moi... Je suis comme ça. Je parle tout le temps.

Taquine, elle ajouta:

— Je parle tout le temps et souvent pour rien dire. Faut pas me prendre au sérieux.

Thomas resserra son étreinte et répondit sur le même ton badin que celui que Jeanne avait employé:

— Mais je te prends au sérieux. Toujours. Et quand je sens ta main qui caresse doucement ma poitrine, même si c'est machinalement comme maintenant, je te prends très au sérieux. Regarde.

Prenant la main de Jeanne, Thomas la guida plus bas sur son ventre, sous les couvertures.

— Tu vois l'effet que tu me fais ?

— Je vois. Ça aussi, c'est une autre façon de dire que tu m'aimes. Je suis chanceuse.

— Pourquoi chanceuse ? Notre chance, on l'a faite ensemble, tu ne crois pas ?

— C'est vrai. Mais ce n'est pas de cela que je parle.

Jeanne s'exprimait à voix basse. Chuchotement amoureux, murmure de confidences que seule l'oreille de l'amant pouvait entendre.

— Je parle de la chance que j'ai de me sentir encore une femme désirable. Pour moi, c'est important. Par ton regard, j'ai l'impression d'être encore belle. J'oublie que les années ont passé. Je suis lucide, tu sais. Je n'ai plus la fraîcheur de ma jeunesse. J'ai grossi, je ride de plus en plus, mes cheveux sont ternes et ne frisent presque plus. J'ai...

Thomas l'obligea à se taire en posant ses lèvres sur les siennes, prolongeant indûment cet échange amoureux. Têtue, Jeanne reprit là où elle avait été interrompue dès la fin de leur baiser.

— N'essaie pas de noyer le poisson ! Tu sais très bien ce que je veux dire.

— Non, je ne sais pas. À mes yeux, tu es la même que celle que j'ai épousée, il y a longtemps. On a vieilli ensemble et c'est ce qui fait que tu seras toujours aussi belle à mes yeux. Tes rides sont les miennes, tes quelques kilos de plus aussi. Et après ? Est-ce si important ? Non, nous n'avons plus la fraîcheur de la jeunesse, je le concède. Mais nous avons encore plus. Après toutes ces années, nous sommes toujours ensemble, toujours amoureux. Ce qui fait que dans quelques mois, nous allons entreprendre la plus belle période de notre vie. Si tu savais comme j'ai hâte, Jeanne. Si tu savais !

— Moi aussi, j'ai hâte. Tu as raison quand tu dis que nous sommes chanceux.

Jeanne resta silencieuse un moment. Puis, elle se souleva brusquement et tendit le bras pour faire un peu de clarté. S'appuyant sur un coude, elle tourna son visage vers celui de Thomas et le regarda intensément. Elle voulait voir son regard, s'y noyer, s'y perdre. Tant de jours et de nuits qu'ils dormaient côte à côte... Jeanne avait l'impression que tout ce temps s'égarait dans la brume des souvenirs. Elle voulait faire du moment présent une bouée, un phare qui se détacherait de toutes les autres nuits. Il y avait eu une première fois qu'elle n'avait jamais oubliée, ce soir serait la première fois de cette autre partie de vie qui allait bientôt commencer. Il lui semblait important de dire les choses comme elle les sentait, sans pudeur, se donnant à lui librement comme elle lui avait donné ses dix-huit ans. Du bout du doigt, elle caressait sa joue rugueuse, dessinait le contour de ses lèvres, soulignait un sourcil. Elle le trouvait toujours aussi beau. Les boucles sombres avaient blanchi, les rides étaient plus marquées, mais l'intensité du désir qu'elle lisait dans ses yeux n'avait pas faibli.

— Mais je tiens quand même à répéter que je suis chanceuse d'être aimée par toi, murmura-t-elle d'une voix chargée d'émotion. Quand tu me caresses, quand ta bouche ouvre le chemin à l'amour, alors j'oublie les années. C'est ce que je voulais dire tout à l'heure. Merci d'être là, merci de m'aimer comme tu m'aimes, merci de savoir si bien me redonner mes vingt ans.

Puis, aussi brusquement qu'elle avait allumé la lampe, Jeanne la referma, avant de laisser ses mains glisser le long du corps de Thomas pour retrouver auprès de lui les vagues du plaisir qu'ils savaient si bien se donner l'un à l'autre.

★　★　★

Tiré de l'agenda de Jeanne

Je suis heureuse de retrouver mon ordinateur pour y parler de notre voyage, mais en même temps je suis triste de le faire, car ça veut dire qu'il est déjà fini! Pourquoi faut-il que les événements qu'on attend avec le plus d'impatience passent toujours trop vite? Cancún est déjà derrière avec son soleil et ses plages blanches. Heureusement que mes semis ont profité. Les heures que je vais passer dans la serre vont me permettre d'oublier en partie qu'il fait toujours aussi froid. Quand on est arrivés de l'aéroport, hier soir, Thomas en a eu pour plus de deux heures à nettoyer les entrées de la maison. Bienvenue chez nous!

Comment résumer les deux dernières semaines?

Je trouve aussi difficile de parler du bonheur que des tristesses ou des colères. C'est probablement pour ça que j'ai souvent mis mes états d'âme par écrit. Je suis tellement plus à l'aise avec les mots écrits que les mots parlés. Pourquoi? Je l'ignore. Pourtant, à la maison quand j'étais jeune, tant mon père que ma mère m'ont encouragée à formuler ce que je ressentais. J'ai essayé, mais quand vient le temps de m'exprimer, les mots s'envolent! Il n'y a qu'avec les étrangers que je me sens à l'aise. Curieux! Curieux aussi que je sois aussi volubile quand il me faut parler de tout et de rien ou d'argumenter sur les sujets d'actualité. Là, les mots sont faciles à trouver et très précis pour exprimer ma pensée. Mais pour ce qui est des émotions... Je devrais peut-être me faire psychanalyser! Parce qu'à bien y penser, c'est le contraire qui serait logique, non?

Ouf! Quel détour pour arriver à parler du voyage!

Que puis-je en dire sinon que nous avons été heureux? Il a fait beau et chaud et la mer était de ce turquoise unique qui n'appartient qu'à la Baya de Mujeres. J'adore cette ville, ses restaurants, ses petites terrasses et son marché public caché sous les auvents. Les enfants sont propres et beaux, souvent vêtus de blanc. Les gens sont réservés, mais accueillants. J'aime ce côté de la péninsule mexicaine.

Thomas et moi sommes retournés plonger dans la Baie de Xel-Ha. Les poissons y sont toujours aussi magnifiques. Nager à cet endroit, c'est un peu comme se retrouver dans un aquarium géant. Flatter un tétras ou quelque chose qui y ressemble, comme on flatte un petit chat chez nous, est une expérience magique. Le soleil ondulait dans l'eau à travers les courants salés, y dessinant des nuages dorés. J'étais bien, tellement bien. C'était la deuxième fois que j'y allais et j'ai à nouveau ressenti cette émotion qui me projette dans une dimension du monde habituellement invisible.

«Portée par les anges.»

C'est l'expression qui me vient quand je pense à ces heures où le temps n'existe plus. C'est ainsi que je me sens, bercée par les eaux chaudes de cette rivière. Portée par les anges. Juste pour cela, le voyage à Cancún vaut le déplacement.

Cette fois-ci encore, j'ai vécu une renaissance. C'est troublant, incroyablement vivifiant.

Comme nous avons eu la chance d'aller faire ce... comment dire, ce pèlerinage au tout début du voyage, le reste du séjour a été teinté d'une auréole presque mystique. Thomas et moi avions à nouveau vingt ans. Il a raison ; qu'importent les années qui ont passé ? Nous avons la chance de vivre ce que tous les jeunes amoureux rêvent de faire : n'exister que pour être ensemble. Le compte à rebours est commencé. Dans moins de quatre mois, Thomas sera lui aussi à la retraite. Yes ! Je n'arrive pas à comprendre qu'il y a des gens qui perçoivent ce moment comme un recul dans leur vie, une cassure. Moi, je le vois comme un tremplin. Et tant mieux si on est encore jeunes ! Il y a tellement de choses qu'on a rêvé de faire que les années qui restent suffiront à peine à combler toutes nos envies.

À commencer par transplanter mes jeunes pousses de géraniums. C'est fou comme le climat de ma serre leur va bien au teint ! Tant mieux. Ce qui reste d'hiver devrait passer assez vite. J'ai de quoi m'occuper jusqu'au printemps.

Voilà ! Je n'ai rien d'autre à ajouter sinon que Marc et Josée sont venus à la maison ce soir pour parler de notre expédition en Mongolie. J'ai hâte. On devrait bien s'amuser. Là aussi, au bout du monde, j'espère vivre une expérience qui saura me projeter hors de tout ce que je connais.

Et maintenant, dodo !

J'oubliais ! Ma jambe... Finalement je crois bien que j'avais raison. Le soleil m'a fait du bien. Beaucoup de bien. Il y a encore quelques raideurs le matin quand je me lève, mais elles sont vite passées. Ce qui veut dire, selon ce que j'en sais, que ça serait de l'arthrite. Papa se plaint parfois de la même chose. Je crois que je vais me fier aux publicités qui inondent les ondes. Je vais me procurer de la glucosamine. On verra bien si ce qu'on en dit est vrai.

Chapitre 3

Montréal, mai 2004

« Le vent dans tes cheveux blonds
Le soleil à l'horizon,
Quelques mots d'une chanson,
Que c'est beau, c'est beau la vie... »
QUE C'EST BEAU LA VIE, M. SENLIS, C. DELECLUSE, J. FERRAT,
INTERPRÉTÉ PAR JEAN FERRAT

— Maman !

Tout heureuse d'entendre enfin la voix de son fils, Jeanne déposa aussitôt sa pelle à côté du trou qu'elle venait de creuser et s'appuyant sur une grosse roche, elle se releva en retenant une grimace. Cela faisait des mois qu'elle n'avait pas vu Sébastien. Lors de ses deux dernières visites à Québec, quand Jeanne s'était déplacée pour voir son père, son fils brillait par son absence, parti chez des copains. Et fort curieusement, depuis l'hiver, Sébastien n'avait manqué d'argent à aucun moment, donc, il n'avait pas appelé. C'est pourquoi, cet après-midi, elle l'attendait avec impatience. Hier soir, il avait téléphoné pour dire qu'il venait passer une semaine de vacances à Montréal. Les examens étaient finis, « faits et bien faits », selon ses dires. Il affirmait mériter amplement ces quelques jours de repos.

— Non, merci, avait-il ajouté, c'est très gentil, mais j'irai plutôt coucher chez Mélanie. Elle m'attend.

D'un même souffle, il avouait beaucoup s'ennuyer de sa sœur. Elle non plus, il ne l'avait pas vue de l'hiver.

Malgré la distance, leur complicité de jumeaux semblait toujours aussi forte et Jeanne en avait été ravie. Elle avait raccroché le cœur en joie et s'était empressée d'annoncer la bonne nouvelle à Thomas.

— Et si nous l'invitions à souper samedi? J'ai l'impression qu'il a un horaire chargé. Nous devrions peut-être nous mettre sur sa liste de visites!

À vue de nez, comme ça, Sébastien restait Sébastien! Un vrai ouragan!

Voilà pourquoi, cet après-midi, Jeanne jardinait, l'oreille à l'affût du moindre bruit. Elle avait tellement hâte de le voir!

Un *maman* tonitruant la fit esquisser un sourire.

Brusquement, les fleurs n'avaient plus aucun attrait. Quand elle se retourna vers Sébastien, Jeanne affichait toujours un large sourire qui, cependant, se figea sur ses lèvres. Oh! pas longtemps. L'espace d'un souffle, d'un battement de cœur, en constatant combien Sébastien avait changé. Elle n'aurait su dire en quoi, mais son intuition lui suggéra qu'il vivait quelque chose de difficile ou d'important. Alors qu'il venait vers elle, sa démarche était plus lente et son attitude plus sévère que le souvenir qu'elle en avait gardé.

«Il vieillit lui aussi», pensa-t-elle émue devant cet homme qu'elle reconnaissait à peine.

Elle lui tendit les bras et, sans hésiter, Sébastien se précipita pour la soulever et la faire tournoyer, comme il l'avait si souvent fait auparavant. Jeanne s'abandonna à l'effusion et aux sentiments portés par la mémoire, se rappelant soudain qu'il était celui de ses enfants avec qui elle avait toujours eu le plus d'affinités.

— Arrête, grand fou! Tu m'étourdis!

Sébastien l'avait toujours étourdie même si, de ses trois enfants, c'était celui qu'elle croyait le mieux connaître. Olivier, avec sa nature un peu froide, ses raisonnements trop logiques, l'avait souvent déconcertée. Quant à Mélanie, elle était une indépendante. Depuis le jour où elle avait appris à marcher, sa fille avait filé vers sa liberté sans un regard pour ceux qui la suivaient, l'inquiétude dans l'œil. Sébastien était différent. C'était son jeune chien fou, son vif-argent, celui qui lui ressemblait le plus. Volubile, rieur, il prenait beaucoup de place.

— Maman!

Sébastien avait enfoui la tête dans le cou de sa mère comme lorsqu'il était gamin et il l'embrassa avec fougue. Puis, il recula d'un pas et, les mains posées sur les épaules de Jeanne, il la scruta d'un œil sévère.

— Tu as changé, toi. On dirait que tu as maigri.

— Ah oui? Eh bien! Tant mieux si c'est l'impression que je donne. Depuis le temps que je dispute contre mes bourrelets, ce n'est pas moi qui vais m'en plaindre. Et toi? Mon fils serait-il enfin devenu sérieux? Toi aussi tu as changé, Sébas. Ton regard, ta voix, je ne sais pas. La dernière fois que je t'ai vu, mon grand, c'était à Noël et tu étais encore un gamin. Mais là...

Sébastien rougit malgré lui.

— Peut-être...

Sans le savoir, Jeanne avait entrouvert la porte à certaines confidences. Sébastien comprit qu'il devrait en profiter. Il était ici pour cela : lui confier son secret, lui parler de sa vie. Mais les mots ne passaient pas. Il les savait par cœur, pourtant, les avait tant de fois répétés. Malgré cela, sa gorge était trop serrée pour les laisser couler librement. Le temps d'un soupir, il s'en voulut, car il connaissait bien sa mère. Il savait qu'elle comprendrait et finirait par accepter. S'il y avait quelque chose à accepter. Enveloppé dans le même soupir, il y avait aussi la certitude que tout cela, dans le fond, ne regardait sa mère que fort peu.

Emmêlé dans ses pensées, Sébastien approuva distraitement de la tête quand Jeanne lui proposa de s'installer sur la terrasse.

— Tu veux quelque chose à boire ? Une bière ? Un verre de jus ?

Brève hésitation.

— Du jus, oui. S'il te plaît.

Jeanne disparut à la cuisine au moment où Sébastien s'asseyait sur une des chaises en osier, perplexe. Comment lui apprendre ? Après tout, ce n'étaient que des mots. Des mots qui portaient à conséquence, il en était conscient, mais ce n'étaient que des mots. Alors pourquoi était-il si hésitant ? Jamais il n'avait vu sa mère rejeter un de ses enfants. Jamais. Même quand Mélanie avait volé une paire de gants au magasin près de la maison et qu'Olivier avait avoué consommer du pot à l'occasion et qu'il était revenu lui-même d'un *party* la démarche chancelante, l'esprit brumeux. Pourtant, ils savaient, tous les trois, que sur des sujets aussi précis que ceux-là, leurs parents affichaient ouvertement leur opinion. À la maison, pour certaines choses, c'était tolérance zéro. Jeanne avait tempêté, bien sûr, menacé des pires châtiments, mais elle avait fini par écouter et conseiller. Elle était comme ça, sa mère. C'était une femme impulsive qui criait rapidement, se choquait facilement pour se raviser tout aussi vite et s'excuser de s'être emportée. Après, venait le dialogue. D'aussi loin qu'il puisse se rappeler, Jeanne avait toujours été celle qui servait d'intermédiaire auprès de leur père, plutôt réservé. Aujourd'hui encore, Sébastien espérait qu'elle saurait l'aider. Parce qu'après tout, il n'était plus question de gants volés ou d'un verre de trop.

Le jeune homme soupira. Le soleil jetait mille feux sur la serre, mais c'est à peine s'il prenait conscience à quel point c'était joli. L'air embaumait les lilas qui fleurissaient dans le gros arbre qui aujourd'hui atteignait la fenêtre du deuxième étage, mais il ne le sentait pas. Dans le fond du jardin, les tulipes dessinaient une ligne colorée contre le vert sombre des cèdres, mais cela le laissait indifférent.

Sébastien prit une profonde inspiration tremblante. Il avait grandi ici. Il connaissait tous les coins et recoins non seulement de sa cour, mais aussi ceux des cours avoisinantes. Et présentement, à cause de ce qu'il s'apprêtait à dire, il avait l'impression d'être un étranger.

Quand il promena son regard au-delà des limites de leur terrain, son cœur fit un bond. Cette maison en diagonale dont on ne voyait qu'un pignon derrière le gros érable, c'était celle des Germain. Est-ce qu'ils y habitaient toujours? Et si oui, Philippe était-il encore chez ses parents? Sébastien revit alors très clairement le petit garçon un peu timide qui était son meilleur ami. Ils passaient tout leur temps ensemble, s'inventaient des histoires fantastiques, imaginaient des jeux incroyables, rêvaient d'aventures en surveillant les étoiles filantes, apprenaient à découvrir la vie... Oui, Philippe avait eu une grande importance dans sa vie. Mais un jour, ils s'étaient éloignés l'un de l'autre parce qu'ils avaient eu peur l'un de l'autre. Peur de ce qu'ils ressentaient l'un pour l'autre. L'enfance était derrière eux et l'adolescence les embêtait, avec ses désirs et ses impulsions. Était-ce un passage obligé ou une prédiction de l'avenir? Parfois, Sébastien se posait la question, y cherchant une réponse satisfaisante. Qu'en serait-il aujourd'hui s'ils venaient à se rencontrer, Philippe et lui? Sébastien se frotta longuement le visage. Dans un instant, sa mère allait revenir et il allait tout lui dire. Serait-elle peinée, heureuse pour lui ou déçue de le voir s'engager dans une voie différente, encore mal vue?

Sébastien sursauta quand il entendit la porte s'ouvrir.

— Voilà! J'ai ajouté quelques biscuits aux pépites de chocolat. Si je me souviens bien, c'étaient tes préférés.

— Merci. Tu es gentille, maman.

— Allons donc! C'est trois fois rien.

Trois fois rien! Beaucoup de choses n'étaient que trois fois rien dans sa vie depuis quelque temps. Jeanne s'écoutait parler et elle ne se reconnaissait pas. Ce dialogue ne rimait à rien. Cela faisait des mois qu'elle n'avait pas vu son fils et tout ce qu'elle trouvait à lui dire, c'était qu'elle croyait se rappeler qu'il aimait les biscuits aux pépites de chocolat. Quelle idiote! Mais en même temps, elle sentait, entre Sébastien et elle, une retenue qu'elle aurait été en peine d'expliquer. Cela ne ressemblait pas à Sébastien d'être si calme. Où donc était passé le séducteur, l'enjôleur qui arrivait toujours à lui soutirer quelques faveurs? Elle eut cependant un sourire quand elle le vit caler son verre de jus d'une traite. Sur ce point, il semblait n'avoir pas trop changé. Elle allait reprendre la parole quand Sébastien la devança. En reposant son verre sur la table, il avait aperçu le genou de Jeanne. Son genou gauche était légèrement enflé et quelque peu violacé.

— Dis donc, toi! Tu ne t'es pas ratée!

— Ratée?

— Ton genou. Il a l'air d'une aubergine.

— Oh! Ça!

Jeanne remercia intérieurement le soleil qui avait déjà hâlé ses joues. Sébastien ne remarquerait pas la rougeur qui lui montait au visage. Du geste étudié de celle qui a servi l'explication à quelques reprises, Jeanne hocha la tête avec commisération.

— Une aubergine, tu exagères un peu. Mais tu n'as pas tort quand tu dis que je ne me suis pas ratée. Imagine-toi que je suis tombée l'autre jour, mentit-elle effrontément. Là, précisa-t-elle en montrant la plate-bande. Je transportais plusieurs pots de géraniums en même temps et je n'ai pas vu la grosse roche. Laisse-moi te dire que ça a fait mal. Ça m'apprendra aussi à faire des voyages de paresseux. Si j'avais eu les mains moins chargées, rien de tout cela ne serait arrivé.

Sébastien auscultait le visage de sa mère d'un regard méfiant. L'explication coulait trop aisément de la bouche de Jeanne. Habituellement, devant ce qu'elle appelait ses gaffes, sa mère était agitée, un peu embarrassée, se traitant souvent de tête folle. Mais là, ce calme apparent… Néanmoins, Sébastien entra dans le jeu.

— Sûrement, oui, que ça a dû faire mal. Tu es sûre qu'il

n'y a rien de cassé ? À ta place, j'irais voir le médecin.

Sébastien avait l'air sincèrement inquiet. Et cette inquiétude rejoignit aussitôt celle que Jeanne tentait d'ignorer, la
ravivant douloureusement. Malaise d'une vérité qu'on tente
de renier. Jeanne chercha à surmonter sa propre inquiétude
en même temps qu'elle s'efforçait de rassurer son fils.

— Allons donc ! Je ne pourrais pas marcher si c'était cassé.
Ça va finir par se résorber tout seul, j'en suis certaine.

C'était ce qu'elle ne cessait de se répéter depuis quelques
jours. Depuis le matin en fait où, en s'éveillant, elle avait
remarqué l'enflure et cette curieuse couleur de prune mûre.
« Trop de sessions à quatre pattes », avait-elle spontanément
argumenté en son for intérieur.

Néanmoins, ce jour-là, elle avait porté un jeans. Question
de camoufler le tout, tant pour elle que pour les autres. Pour
Thomas surtout. Mais depuis hier, il faisait trop chaud.

— Parles-en au moins à Olivier, insistait Sébastien.

— Pourquoi ? Ton frère est suffisamment occupé comme
ça.

Jeanne parlait les lèvres pincées.

— Tu parles comme ton père. Il m'a dit exactement la
même chose, hier soir, quand il a remarqué mon genou.
Comme si je n'étais pas capable de prendre une décision
toute seule ! J'apprécie votre sollicitude, mais il ne faudrait
pas exagérer. Fichez-moi la paix avec vos inquiétudes.

Jeanne avait répliqué sèchement. Du ton qu'elle employait
jadis quand les enfants avaient fait une bêtise ou qu'elle
s'était inquiétée pour eux. Elle soupira et détourna la tête.

Du coup, Sébastien en oublia ce qui lui semblait vital de
dire quelques instants auparavant. Le moment ne se prêtait

plus aux confidences. Il chercha refuge dans l'évasion, exa-
minant sans raison quelques fentes entre les pierres de la
terrasse. Il se concentra sur deux ou trois fissures plus importantes, se disant qu'il offrirait à son père de l'aider afin
de redresser certaines pierres que le temps et les intempé-
ries avaient déchaussées. Puis, il releva la tête et se heurta
à l'intransigeance de Jeanne. Rejetant derrière sa longue
mèche de cheveux, elle venait d'ériger entre son fils et elle
la barrière d'un regard sombre, hermétique. Sébastien le savait: la conversation venait de se terminer. Toutes les
conversations. Comme si elle voulait lui donner raison,
Jeanne se relevait, ramassait les verres.

— Si ça ne te dérange pas, on pourrait continuer à jaser
près de la plate-bande. J'aimerais terminer mes plantations
avant le souper.

— Je ne te dérangerai pas davantage. J'allais partir.

— Déjà? D'accord...

Jeanne était déjà à la cuisine. Quelques bonnes respira-
tions pour se ressaisir, quelques instants pour s'en vouloir
de la tournure de la rencontre et elle revenait sur la terrasse. Sébastien était descendu sur la pelouse. La gorge
nouée, il était prêt à fuir.

— Je soupe chez Mélanie. Je... À bientôt, maman.

— C'est ça, à bientôt.

Le temps de se retourner, de faire quelques pas hésitants,
souhaitant follement que sa mère le rappelle et Sébastien
arrivait près du garage. Seul un oiseau exauça ses vœux,
poussant un cri aigu. Alors le jeune homme tourna le coin
de la maison et ses épaules s'affaissèrent. Ce n'était pas
ainsi qu'il avait prévu passer son après-midi.

Et Manu qui l'attendait dans l'auto... Sébastien lui avait promis que dès qu'il aurait parlé à Jeanne, il viendrait le chercher. Nul doute que sa mère voudrait le rencontrer. Mais rien n'avait été dit. Tout était à refaire.

Les yeux au sol, Sébastien marcha jusqu'à l'auto.

Comment annonce-t-on à ses parents qu'on a choisi, en toute connaissance de cause, du moins le croit-on, de partager sa vie avec un autre homme?

De son côté, Jeanne fixa le vide laissé par Sébastien, puis haussa les épaules de dépit. Elle savait que l'essentiel les avait frôlés. Tant de choses, de mots laissés à eux-mêmes dans la lourdeur d'un silence malhabile.

Jeanne retourna à la plate-bande, s'accroupit tant bien que mal, reprit sa pelle sans enthousiasme. Les géraniums, sans odeur, ne l'inspiraient plus. Les roses n'étaient encore que des boutons et le gros lilas fleurissait trop loin pour apporter l'apaisement de son parfum. Jeanne resta immobile un instant, l'image de son fils venant vers elle gravée sur l'écran de sa pensée.

Sébastien...

Quel était ce secret qu'il portait comme une offrande dans son regard? Trop prise par ses propres soucis, Jeanne n'avait pas été à la hauteur des attentes de son fils. Car elle en était persuadée: Sébastien avait quelque chose à lui confier.

Jeanne prit une longue inspiration tremblante.

Obnubilée par ses douleurs, elle était consciente qu'elle se retirait peu à peu du monde qui l'entourait. Sébastien avait raison. Ils avaient tous raison. Elle était négligente. Il était temps qu'elle réagisse. La *glucosamine* n'avait rien donné, le *Bois de velours* non plus. La douleur allait s'intensifiant.

Jeanne prit le premier pot à portée de main et, le renversant, en retira délicatement la plante.

Quelques instants plus tard, après avoir tassé la terre sur les racines, ses larmes se mélangeaient à l'eau qu'elle versait de l'arrosoir.

En plus, elle avait oublié de l'inviter à souper samedi...

Sans le savoir, tout juste de l'autre côté de la maison, assis dans une voiture encore immobile, Sébastien, lui, écrasait des larmes de rage au coin des paupières.

Manu respecta son silence et son désarroi, ne sachant trop ce qu'il devait y voir. Puis, incapable de soutenir plus longtemps l'attente, il posa une main sur la cuisse de Sébastien et demanda :

— Qu'est-ce que ta mère a dit pour te mettre dans un état pareil ?

Sébastien tourna un regard contrit.

— Rien. Ma mère n'a rien dit.

— Mais alors ?

— C'est ma faute. Je n'ai pas parlé.

— Pourquoi ?

Sébastien haussa les épaules.

— Je ne sais pas. Comme un enfant, j'aurais envie de te répondre « parce que »...

Sébastien essuya son visage du revers de la main.

— Démarre, ordonna-t-il d'une voix sourde. J'ai besoin de prendre un verre pour faire le point. Après, je serai peut-être en mesure d'expliquer pourquoi la conversation a dérapé. Parce que pour l'instant, je ne comprends pas. Je crois

que c'est beaucoup plus grave que… Et puis merde ! Allez !
Démarre, s'il te plaît. Tu tourneras à droite vers la rue prin-
cipale. Il y a un petit café sympathique. Après, on ira chez
ma sœur. Peut-être aura-t-elle une réponse. Avec elle, j'arrive toujours à tout comprendre.

Manu intensifia la pression de sa main sur la jambe de
Sébastien en signe de réconfort, puis il fit démarrer l'auto.
Cela faisait longtemps qu'il avait compris l'importance
qu'avait Mélanie dans la vie de Sébastien. Acceptait-il cet
état de fait ? Il ne le savait pas encore. Tout ce qu'il avait
compris à travers quelques bribes de conversation et la ré-
pétition de ce nom, c'était qu'il aurait à composer avec
Mélanie. Alors, les dents serrées, il réussit à se convaincre
qu'avec elle, ils trouveraient une solution. Même s'il ne
l'avait jamais rencontrée, qu'il ne lui avait pas encore parlé,
Manuel avait dit à Sébastien qu'il acceptait la présence de
Mélanie dans sa vie. Dans leur vie. C'était cela ou dire adieu
à Sébas. De toute façon, n'avait-elle pas déclaré à son frère
que Manuel était le bienvenu chez elle ? Pour l'instant, il
n'avait pas le choix : il se fiait aux dires de Sébastien.

— Pour elle, je n'ai aucun secret, lui avait confié Sébastien
au début de leur relation. Il va falloir l'accepter dans ta vie
comme tu m'acceptes moi. Elle est gentille, tu verras.

Alors Manuel avait accepté cette présence.

Tout comme Mélanie, aussi, avait accepté le choix de
son frère. Cela faisait longtemps qu'elle s'en doutait. Il y
avait eu trop de filles dans sa vie et jamais rien de sérieux.
Et Sébastien, sous des dehors un peu frivoles, était un garçon
sérieux. Quand il lui avait parlé de Manuel, à Noël, Mélanie
avait encaissé le coup sans montrer la moindre émotion.

Sinon un sourire pour lui signifier qu'elle l'aimerait toujours quoi qu'il arrive. Aucune mise en garde, aucun « T'es
bien certain de ton choix ? », non, rien. À l'exception de ce
sourire de la bouche et des yeux qui disait tout entre eux.
Qui disait surtout le respect de l'autre dans ce qu'il avait
d'essentiel. Ce ne fut que plus tard, seule dans le noir de
son appartement alors que Maxime était déjà au lit, qu'elle
avait fait le deuil d'une vie qu'elle avait imaginée tout autrement. Adieu ! les beaux rêves de grande complicité avec
une gentille belle-sœur avec qui elle aurait partagé ses ambitions, parlé des enfants à venir et prévu des vacances en
famille ! Sébastien n'aurait jamais épouse ou enfants et
Mélanie n'était pas certaine que Maxime accepte de partager ses vacances avec deux homosexuels. Pourtant, ce
même Maxime n'avait pas semblé surpris quand elle lui
avait laborieusement avoué l'orientation sexuelle de son ju-
meau dès leur retour à la maison.

— Ce que tu essaies de me dire, avec tes mots tordus,
c'est que Sébas est une *tapette*, avait-il crûment précisé.
Appelons un chat un chat et ce sera plus facile pour tout
le monde.

Mélanie s'était sentie rougir comme une pivoine.

— Ce n'est pas exactement les mots que j'emploierais,
avait-elle tenté de moduler. Mais, un dans l'autre...

Maxime avait levé une main de protestation pour l'interrompre.

— Mais c'est ce que tu viens de dire, n'est-ce pas ?

Mélanie avait approuvé de la tête.

— Et après ? avait poursuivi Maxime, apparemment imperturbable. Sébastien a droit à sa vie comme on a droit à

la nôtre. J'ai accepté qu'il fasse partie de notre existence parce que j'ai vite compris que tu tenais beaucoup à lui. Ça ne changera pas parce qu'il fait des choix différents des nôtres. Tu pourras lui dire qu'il est toujours le bienvenu ici.

— Et son copain aussi ?

— Pourquoi poser la question ? Ça me semble évident, non ?

Ceci étant dit, et Mélanie était reconnaissante à Maxime d'être aussi tolérant, cela ne l'empêchait pas d'avoir des papillons dans l'estomac alors qu'elle tournait autour de la table, l'œil à l'affût du moindre détail inopportun. La nappe était-elle trop pâle ? L'ensemble ne faisait-il pas, justement, un peu trop *tapette*, comme l'avait dit Maxime ? Et comment se sentirait-elle si Sébastien tenait la main de son copain ? S'ils s'embrassaient ?

Comment s'appelait-il encore, ce fameux copain ? Ah oui ! Manuel Tanguay. Manu pour les intimes.

— Mon Dieu que tout ça est compliqué, murmura-t-elle en replaçant les verres à vin pour une énième fois. Il n'aurait pas pu s'amouracher d'une jolie jeune fille comme tout le monde ? Avec ma manie de rougir à tout propos, jamais je n'arriverai à me sentir à l'aise. Et maman dans tout ça ? Comment a-t-elle réagi ? Pauvre Sébas ! Il devait être dans tous ses états.

Comme toujours, les sentiments de Mélanie revenaient à son frère. Il était son *alter ego*, sa copie carbone. Elle n'aimait pas le savoir malheureux. Et quand il lui avait parlé de Manuel, il avait vraiment l'air d'un homme heureux. Alors…

— Prends sur toi, ma vieille, lança-t-elle après un dernier regard à la table. C'est important pour Sébas !

En dépit de ce que Mélanie avait pu anticiper, la soirée

se déroula merveilleusement bien. Manuel était un garçon *normal*, pas efféminé pour deux sous, ce que la jeune femme avait craint plus que tout. Ils passèrent, tous les quatre, de longues heures autour de la table à discuter politique et vacances, cinéma et musique, à rigoler comme une bande de lurons.

Une soirée entière à parler de tout et de rien, sauf de l'essentiel.

Mélanie espérait avoir un moment en tête-à-tête avec Sébastien pour lui demander comment cela s'était passé avec leur mère et elle ne savait trop comment provoquer un retrait de la table sans froisser personne. Manuel accepterait-il qu'elle se retire avec Sébastien?

Et pourquoi ce dernier n'en parlait-il pas? Était-il gêné? Était-ce la présence de Maxime qui provoquait ce silence? Ou celle de Manuel parce que finalement la conversation avait été orageuse avec Jeanne et que celle-ci avait refusé de rencontrer l'ami de son fils?

Mélanie se perdait en spéculations, suppositions, questionnements et depuis quelques instants, elle s'était retirée de la conversation. Les yeux dans le vague, elle triturait une graine de pain quand Sébastien l'interpella.

— Hé! Mélanie!

La jeune femme sursauta.

— Oui... Je m'excuse. J'étais dans la lune.

— Dans la lune? Peut-être. Mais si c'est là où tu étais, tu y étais avec maman, n'est-ce pas?

Un sourire complice entre eux. Puis, Mélanie approuva.

— Dans le mille. Oui, je pensais à maman.

— Tu pensais à son genou?

Cette fois-ci, Mélanie renvoya un regard surpris.

— Son genou ? Qu'est-ce qu'il a le genou de maman ? Non, je ne pensais pas à l'anatomie de notre mère. Disons que j'étais curieuse. Après ce que tu m'as dit vouloir faire, je me demandais comment...

Tandis qu'ils parlaient, le ton avait baissé. Petit à petit, Mélanie et Sébastien entraient dans leur monde, fait autant de regards que de paroles, de soupirs et de gestes qui n'appartenaient qu'à eux. Discrètement, Maxime fit signe à Manuel de le suivre et, tous les deux, ils se dirigèrent vers le salon.

— Quand les voix se font murmures entre ces deux-là, vaut mieux les laisser tranquilles. On n'existe plus.

— À ce point ?

— Oh oui ! Et même plus.

— Eh ben ! Sébastien m'avait mentionné que sa sœur était très importante pour lui, mais je ne pensais pas que...

— On n'a même pas à penser, mon vieux, interrompit Maxime. On n'a qu'à accepter. C'est inéluctable. Si t'es pas prêt à te retirer dans l'ombre par moments, vaut mieux oublier Sébas. Mélanie aura toujours priorité dans ses pensées.

Manuel donna l'impression de réfléchir un instant avant de lever les yeux vers Maxime pour lui avouer :

— Je ne pensais pas que c'était à ce point.

Puis, il demanda à brûle-pourpoint :

— Et toi ? Comment vis-tu ça ? Tu ne te sens pas rejeté, mis à part ?

Maxime haussa les épaules.

— Non ! Pourquoi ? Ce qui existe entre eux existait bien avant que j'arrive dans l'existence de Mélanie. Je me dis qu'être jumeaux, c'est quelque chose d'unique et que ce qu'ils vivent leur appartient. Faut quand même pas exagérer. Ils ne passent pas leur temps à se téléphoner, à se consulter avant de prendre la moindre décision. Mélanie est une femme très indépendante. Sauf quand Sébastien est là!

Manuel ne relança pas le dialogue. Ce serait là une discussion qu'il aurait avec Sébastien. Il verrait, avec le temps, jusqu'où allait cette intimité entre le frère et la sœur. Lui, il était plutôt du genre exclusif, autant du point de vue physique qu'émotif. Il ne savait pas s'il arriverait à s'y faire de voir Sébastien se confier à sa sœur autant qu'à lui. «Plus tard, se dit-il, je verrai à ça plus tard. Pour l'instant, l'important c'est d'être accepté par la famille.» Et sur le sujet, il savait de quoi il retournait. Sa propre famille l'avait purement et simplement répudié, quand il leur avait appris son homosexualité. Ses parents l'avaient renié. C'était exactement le mot que son père avait employé. Renié...

— Ne remets jamais les pieds ici. À partir de maintenant, je n'ai plus de fils. Tu es renié!

Le tout articulé sur un ton théâtral, exagéré. Manuel en avait encore la nausée quand il y repensait.

Maxime avait allumé la télévision et s'était affalé sur le divan. Alors sans dire un mot, Manuel s'installa dans un fauteuil. Feignant de regarder la reprise d'un vieux film français, il se demandait de quoi discutaient Sébastien et Mélanie, frustré d'être tenu à l'écart de la conversation, un peu jaloux des confidences que recevrait la jeune femme. Pendant ce temps, les deux principaux intéressés poursuivaient leur dialogue à voix basse.

— Alors tu n'as rien dit?

Mélanie n'en revenait pas. À cause d'une bosse sur la jambe de sa mère, Sébastien n'avait rien annoncé.

— Il me semble que ta vie a plus d'importance qu'une mauvaise chute !

— Je n'en suis pas si certain. Maman m'a semblé vraiment bizarre.

Mélanie leva un sourcil sceptique.

— Comment, bizarre ?

— À la fois impatiente et trop calme. Elle avait l'air de quelqu'un aux abois. Ça ne lui ressemblait pas du tout. J'avoue que ça m'a coupé l'inspiration.

— Ouais... Et Manuel, lui, il prend ça comment ?

— Je crois qu'il m'en veut un peu d'être passé à côté de ce qu'il juge essentiel.

Essentiel... C'était le mot que Mélanie espérait. Ou un autre qui lui ressemblerait.

— On peut aisément le comprendre... Et pour toi, Sébas, est-ce que c'est essentiel ? relança Mélanie.

Sébastien hésita une fraction de seconde, mais pour Mélanie c'était déjà trop. Elle avait ressenti ce très léger flottement comme s'il venait d'elle.

— Et pour toi, est-ce que c'est essentiel ? répéta-t-elle avant même que Sébastien n'ait eu le temps de répondre.

Il fit une grimace que Mélanie connaissait bien. C'était celle qu'il affichait quand il ne voulait pas qu'on dépasse certaines limites. Même entre eux, ces limites existaient.

— Bien sûr que c'est important pour moi aussi, admit-il enfin sur un ton posé, légèrement évasif. Je ne passerai pas ma vie dans le placard, ne t'inquiète pas. N'empêche que c'est difficile à dire.

Puis, après une légère pause :

— Avec toi, ce n'était pas pareil, tu ne m'as jamais jugé.

— Maman non plus ne juge pas, rectifia aussitôt Mélanie, d'une voix à la fois très douce, mais très ferme. Elle ne l'a jamais fait. Tu n'as pas le droit d'être injuste envers elle simplement parce que tu as peur.

Sébastien resta silencieux, le front ridé par la réflexion. Parler avec Mélanie, c'était aussi se parler à lui-même. C'était sa façon de faire le point, de prendre du recul, de comprendre ce qu'il ressentait. Ensemble, ils avaient tout connu. Des plus grandes joies aux chagrins les plus intenses.

— D'accord, tu as raison, concéda-t-il enfin. Mais si tu penses que je me suis servi de l'accident de maman pour me défiler, tu te trompes. Je suis vraiment inquiet. Sa réaction n'était pas normale. Quand j'ai senti qu'elle était contrariée, nerveuse, un peu angoissée, c'est elle qui a pris toute la place. Ça, toi tu peux le comprendre.

Mélanie n'osa demander si c'était là ce que Manuel n'avait pas compris. À l'amertume que distillait la voix de Sébastien, il était clair que le bât avait blessé. Elle tendit une main au-dessus de la table et la posa sur celle de Sébastien qui l'avait remplacée dans l'inventaire des miettes de pain.

— Je comprends. Que comptes-tu faire maintenant ?

Haussement d'épaules, soupir.

— Il faut que je lui parle, c'est certain. Surtout que j'ai l'intention de m'installer chez Manu dès que je me suis trouvé un emploi. Tu sais, dans le fond, ce n'est pas tellement maman qui me tracasse. C'est papa. Je me rappelle trop bien certaines blagues sans équivoque qu'il a déjà lancées…

— Va falloir t'y faire. Pas tant de la part de papa que de tous les autres. Tu ne choisis pas la voie facile pour bâtir ton bonheur. Par contre, c'est drôle, mais papa ne m'inquiète pas. C'est quelqu'un de foncièrement juste et impartial. Oublie donc ses mauvaises blagues et fais-lui confiance.

— C'est sûr que tu as raison. On a de bons parents. Malheureusement je n'y peux rien. J'ai une boule dans la gorge, si tu savais ! Comme quand j'étais petit et que j'avais fait une bêtise. Ça n'a rien à voir, je le sais bien, mais c'est comme ça. J'ai le trac. Un trac incontrôlable.

La pression de la main de Mélanie sur celle de Sébastien se raffermit à l'instant où elle fermait les yeux, essayant de se mettre dans la peau de son frère. Qu'aurait-elle fait à sa place, comment se sentirait-elle ? Peu à peu, la peur que ressentait Sébastien se fit sienne. Elle non plus n'aurait pas été à l'aise d'annoncer à ses parents qu'elle était lesbienne. Pas du tout. Elle aurait eu besoin de se sentir épaulée.

— Veux-tu que j'aille avec toi ? murmura-t-elle sans ouvrir les yeux.

La tentation de dire *oui* fut grande. Durant un instant, Sébastien se revit enfant quand ils se présentaient à deux pour avouer une bêtise. Ils avaient toujours été solidaires. Il ébaucha même un sourire. Pour l'effacer en une fraction de seconde. Ils n'étaient plus des enfants et ce qu'il avait à dire ne regardait que lui. Que lui et Manuel.

Comme si elle lisait dans ses pensées, Mélanie ajouta sans attendre une réponse qu'elle devinait déjà :

— En as-tu parlé à Manuel ? Ce trac, comme tu dis, lui en as-tu parlé ?

— Pas vraiment. Il ne comprendrait pas. Notre attitude

face à la situation diffère beaucoup. On est encore à la période d'adaptation. Je n'ai pas envie de lui parler de mes états d'âme. Pas tout de suite. Et pour ce que tu m'as proposé, la tentation d'accepter est grande, mais je crois préférable d'y aller seul. Je n'ai plus quatre ans pour m'en remettre à toi.

— Je comprends.

Maintenant, ils se regardaient intensément.

— Et grand-père dans tout ça? demanda-t-elle pour faire diversion, sachant que son frère l'apprécierait.

Sébastien haussa les épaules.

— C'est certain qu'il a déjà rencontré Manuel. Après tout, j'habite chez lui. Mais il ne se doute de rien. Grand-père est persuadé que nous écumons les bars de la ville à la recherche de la perle rare. C'est un vieux monsieur avec des idées bien arrêtées. Malgré tout le respect que je lui dois, sa perception du monde est un peu dépassée. Mais je l'aime bien. En fait, nous nous entendons plutôt bien tous les deux. Je n'ai pas envie de lui enlever ses illusions. Je présume qu'avec le temps, les choses se placeront d'elles-mêmes. De toute façon, a-t-il vraiment besoin de savoir?

Un simple regard confirma que leurs pensées se rejoignaient. Leur grand-père n'avait nul besoin d'être dans la confidence.

— Ne me reste plus qu'à affronter maman, soupira Sébastien. Et je mesure mes mots en disant ça. J'ai vraiment la sensation d'avoir à affronter des tas de démons, par les temps qui courent. Pas les miens, mais ceux des autres. Et le fait de... de tenir à Manuel n'a rien à y voir.

* * *

Tiré de l'agenda de Jeanne

Une bombe ! Il est tombé une bombe sur mon jardin, cet après-midi. Il faisait un soleil éclatant et tout à coup, un nuage a passé. Sébastien est revenu me voir alors que je ne l'attendais pas. C'est lui qui était le porteur de nuages. Je croyais m'être blindée contre les surprises en tout genre que peuvent nous procurer nos enfants ; celle-là, je ne l'avais pas vu venir. Pas Sébastien ! Pas mon grand séducteur… Pas celui qui sait si bien parler aux femmes… À sa mère, en tout cas.

Une fois encore, j'ai le sentiment de ne pas avoir été à la hauteur. Maudite impulsivité ! Il était là devant moi à attendre un geste, un mot et je n'ai rien dit, rien fait. J'ai figé. La surprise n'était pas tout, loin de là. Je dois l'avouer, j'étais déçue. Il faisait chaud, mais j'ai eu un long frisson.

Pourquoi ?

Pourquoi lui ?

Je n'arrive pas à me débarrasser d'une espèce de sensation de culpabilité tout à fait déplacée. Je n'arrête pas de me dire que j'ai dû faire quelque chose que je n'aurais pas dû faire. Comme si d'être homosexuel était une tare ! Pour l'instant, c'est un peu ainsi que je vois la situation. C'est ridicule de penser comme ça, mais c'est plus fort que moi.

Mes idées s'entrechoquent, mes émotions s'éparpillent.

Je n'ose fermer les yeux, car les images qui y apparaissent ne me plaisent pas. Sébastien avec un autre homme, dans les bras d'un homme…

Tous les sobriquets consacrés me viennent à l'esprit. Je ne les aime pas. Ils ne conviennent pas à mon fils.

Combien de mères, comme moi, souffrent dans leur chair

de ces appellations dégradantes ? Sébastien n'est pas une tapette. *Nul homme n'est plus mâle que mon fils. Ses traits anguleux, sa voix grave, ses larges épaules... Il est aussi masculin que sa sœur est féminine. Pourquoi, l'espace d'un battement du cœur à contrecoup, me suis-je permis d'en douter ? Il était là, devant moi, son regard fouillant le mien, et je n'ai pas ouvert les bras. Quelle sorte de mère suis-je donc ? Est-ce pour cela que je me suis octroyé des droits que je n'avais pas ? Quand il m'a demandé si je voulais rencontrer son... comment dire, son copain, ce Manuel, j'ai refusé. La peur d'être mal à l'aise a tout dicté. J'ai exigé un sursis. Je le rencontrerai demain, au souper. Et même si, à ce moment-là, j'ai vu la souffrance traverser le visage de mon fils, je n'ai pas fait marche arrière.*

Je m'en veux. Pourtant, j'ai toujours dit que les regrets étaient inutiles.

J'essaie de revoir l'enfant. Ses jeux, ses amis, ses découvertes. Aurais-je dû l'empêcher de jouer avec sa sœur ? Tous ces bricolages qu'ils faisaient ensemble, ces films qu'ils regardaient assis l'un contre l'autre sur le divan, cette intimité particulière que je n'ai jamais voulu bousculer. Avais-je raison de privilégier cette relation ? Mélanie a toujours été le chef. Elle profitait outrageusement du fait qu'elle était née la première. Combien de fois Sébastien s'est-il retrouvé affublé de robes et de couronnes, promenant le carrosse de madame ? Aurais-je dû intervenir ?

Je me perds en conjectures à odeur de culpabilité même si je sais que c'est inutile.

Pourquoi chercher une cause ? Il n'y en a pas ou il y en a cent. Qu'importe ! Il n'y a que les faits qui soient importants.

Mon fils aime un autre homme. Voilà la réalité. Moi qui ai toujours parlé de justice et de liberté, je n'ai plus qu'à vivre selon mes principes.

Même si je suis déçue devant les choix de Sébastien.

Voilà que j'écris des mots que je n'aurais même pas le droit de penser. Je n'ai pas à être déçue ou non. Je n'ai qu'à accepter. Sébastien a tous les droits face à sa vie. Il n'est pas différent à cause de son orientation sexuelle. Il reste mon fils, mon Sébastien, celui qui j'ai bercé et consolé, celui que j'ai nourri de mon lait.

Pourquoi n'y a-t-il que des images de lui, enfant, qui me viennent à l'esprit ?

D'où provient ce réflexe de penser à lui au passé ? Comme s'il y avait deux Sébastien. Comme si celui que je connaissais était mort ! C'est complètement ridicule. Il n'y a qu'un seul Sébastien. Il n'y aura toujours qu'un seul Sébas. C'est moi qui étais aveugle, qui ne le regardais pas comme il aurait mérité de l'être.

Je suis devant mon ordinateur et j'écris sans avoir attendu le soir. Il y avait en moi un trop-plein d'émotion que je devais extérioriser. À qui aurais-je pu en parler sinon à cet écran anonyme qui me renvoie à mes propres émotions ?

Et dire que je vais devoir parler à Thomas. Je l'ai promis à Sébastien.

Je suis devant mon ordinateur et je sens les larmes qui coulent sur mon visage. Pourquoi cette tristesse ? J'ai l'impression de vivre un deuil. Peut-être suis-je en train de vivre le deuil des espoirs que j'avais mis en lui. Pourtant, rien n'est changé. Sébastien n'est pas mort. Il n'est pas malade. Il m'a juste confié un choix qu'il a fait pour lui-même. Il m'a confié ce qu'il a appelé «son» secret. Comme il murmurait ses secrets d'enfant à mon oreille. Femme ou homme à ses côtés, sa vie continue, ne m'en déplaise. Ça ne me regarde pas.

Pour lui, la confiance est restée intacte, pourquoi en serait-il autrement pour moi?

Il est temps que je sèche mes larmes. Elles n'ont aucune raison de couler. Ce n'est pas sur mon fils que je pleure, mais sur ma propre déception. Et même cette déception n'a pas lieu d'exister.

Deux heures.

Le soleil est toujours aussi chaud. Je le sens à travers la vitre. Mais je n'irai pas terminer le jardinage.

J'ai plus important à faire.

Dans toute cette histoire, j'ai oublié l'essentiel.

J'ai oublié de dire à mon fils que je l'aimais. Depuis toujours et pour toujours.

J'ai aussi oublié de lui demander s'il était heureux. C'est la seule chose que j'aurais dû lui demander. S'il avait répondu oui, le reste importait peu.

Il m'a dit qu'il passait l'après-midi chez Mélanie pour profiter de la piscine.

Je crois que je vais en profiter moi aussi. J'ai toujours aimé la chaleur du soleil sur ma peau. Tout comme Sébastien. Je le sais depuis longtemps : c'est celui de mes enfants qui est le plus proche de moi. Et je l'aime...

★   ★   ★

Voilà! La journée est presque finie. Je crois que c'est la première fois que je trace une démarcation dans mon agenda.

J'ai l'impression que la journée a été scindée en deux et qu'il était important de faire de même dans mes écrits.

J'ai revu Sébastien.

Tout a été dit. En fait, nous n'avons rien dit. Il s'est jeté dans mes bras et nous avons mélangé nos larmes. Soulagement, regret, tendresse. Après, il m'a présenté Manuel. Contre toute attente, je l'ai trouvé sympathique. Finalement, nous avons passé un bel après-midi. J'avoue que j'étais un peu mal à l'aise. Mais ne l'ai-je pas été aussi devant Maxime et Karine quand ils m'ont été présentés ? Je suis une mère-poule. C'est un vilain défaut et j'essaie encore, à mon âge, de m'en corriger. Mais ceux qui approchent mes enfants n'ont qu'à bien se tenir. Quand mes trois bébés sont venus au monde, je m'étais fait une promesse : leur donner les outils nécessaires pour qu'une fois adultes, ils soient capables de fabriquer leur propre bonheur. Par contre, la définition qu'ils donnent au bonheur ne m'appartient plus. C'est la partie de l'équation que j'avais un peu oubliée.

Il ne me reste plus qu'à parler à Thomas. Chose promise, chose due. Je crois que ça ne sera pas trop difficile. En fait, je n'ai qu'à lui parler d'amour. Celui que nous avons tous deux pour nos enfants. Il devrait comprendre assez facilement.

Chapitre 4

Montréal, début juin 2004

« *À toi, à la façon que tu as d'être belle,*
À la façon que tu as d'être à moi,
À tes mots tendres un peu artificiels, quelquefois...
À la vie, à l'amour,
À nos nuits, à nos jours,
À l'éternel retour de la chance... »

À TOI, JOE DASSIN, PIERRE DELANOË, INTERPRÉTÉ PAR JOE DASSIN

Assise bien droite sur une petite chaise inconfortable, Jeanne attendait.

Elle avait détaché les deux premiers boutons de son col Polo et s'éventait avec une revue ramassée machinalement sur la table basse. Il pesait, sur la ville, un ciel gris et lourd qui plongeait la moindre âme qui vive dans un état de torpeur nonchalante. Jeanne n'avait pas échappé à cette humidité pesante, même si elle convenait mal à la nervosité où son inquiétude grandissante la tenait immergée depuis quelques semaines.

Anxiété et torpeur rendaient sa respiration laborieuse. Jeanne y allait de nombreux soupirs et inspirations profondes.

N'eut été de la promesse que Sébastien lui avait arrachée de haute lutte, l'autre jour au bord de la piscine, Jeanne ne serait pas ici à mariner en attendant de voir le médecin.

La peur de savoir était encore plus grande que l'inquiétude.

Malgré cela, elle avait promis. Sébastien, le séducteur, avait de nombreux pouvoirs sur elle !

C'est pourquoi, aujourd'hui, par une chaleur oppressante, elle patientait dans la salle d'attente anonyme d'une clinique médicale qu'elle avait bien peu fréquentée au cours de sa vie, au lieu d'être chez elle à profiter de son jardin. Le nom du médecin qu'elle devait rencontrer lui était totalement étranger.

Son état ne s'était pas empiré. Pas plus qu'il ne s'était amélioré, d'ailleurs. À force de le répéter, Jeanne en était venue à croire qu'elle avait effectivement frappé son genou sur la grosse roche ronde qui délimitait une partie de cette nouvelle plate-bande que Thomas lui avait préparée au début du printemps. Ne l'avait-elle pas, effectivement, heurtée à quelques reprises, cette grosse roche sournoise, parfois en s'agenouillant, plus rarement en se relevant ? « Bien suffisant, jugeait-elle, pour avoir quelques ecchymoses. »

Non ? Peut-être.

Elle ne savait plus.

Par contre elle avait mal, c'était certain. Plus ou moins. Elle n'aurait su décrire l'intensité de sa douleur. On s'habitue à tout. Certains matins moins que d'autres. Le temps de faire quelques pas, de remettre sa jambe en action et elle finissait par oublier son mal. Elle avait choisi de s'en accommoder. Et si elle jouait à l'autruche, c'était surtout parce qu'elle avait peur. Sa mère était morte à l'aube de ses quarante-cinq ans. En quelques mois, une femme débordante de vitalité s'était peu à peu étiolée comme une fleur privée d'eau. La joie de vivre incarnée s'était transformée en une ombre de souffrance. Puis, elle était décédée.

Cancer.

Le mot, l'horrible mot, avait suivi Jeanne toute sa vie. Pour elle et son père, des milliers d'images se juxtaposaient à ce terme que d'autres percevaient uniquement comme une statistique. Depuis le jour des funérailles de sa mère, malgré ses treize ans, Jeanne avait décidé que le cancer ne serait pas accolé à son nom. Elle ne ferait pas partie des statistiques. Elle n'avait donc jamais fumé, buvait avec modestie, évitait les aliments transformés. La routine avait été facile à établir, Jeanne étant un pur produit de cette génération qui avait tâté du retour à la terre. Elle en avait gardé ce qu'elle estimait important : rythme de vie au gré des saisons et alimentation saine. Le reste, rattaché à cette période que d'aucuns appelaient les *Années Hippies*, elle y puisait parfois avec la nostalgie qu'on accorde aux beaux souvenirs, sans plus. Une vieille robe noire à volants s'empoussiérait sur un cintre du garde-robe, dernier bastion d'une jeunesse dorée et révolue. Ce fut ainsi, à sa façon, cultivant un mode de vie qui ressemblait à un talisman pour conjurer les maléfices, que Jeanne avait tenu le cancer en laisse pendant plus de quarante ans.

Et voilà que cette vilaine douleur avait ravivé l'ancienne peur, celle qu'elle avait connue au décès de sa mère. Pas plus aujourd'hui qu'hier, Jeanne ne voulait entendre parler du cancer. Pas elle, pas maintenant, elle était trop jeune. Et dire qu'elle trouvait sa mère âgée quand elle est décédée!

Assise sur sa petite chaise, jetant coup d'œil sur coup d'œil à la grosse horloge noire qui ressemblait à s'y méprendre à une horloge d'école, Jeanne attendait. Le temps passait au compte-gouttes. Elle aurait voulu que tout soit fini pour être de retour chez elle devant une bonne limonade fraîche. Elle aurait voulu arrêter le temps et rester ici indéfiniment, préférant demeurer dans l'ignorance.

Jeanne ignorait encore si elle dirait la vérité. Avant de quitter la maison, elle avait même failli jouer son rendez-vous à pile ou face. « Pile, je m'en tiens à la stricte vérité. Face, je joue le jeu de l'éclopée. »

Elle s'était jugée ridicule.

Pas facile de s'y retrouver quand on se ment à soi-même depuis trop longtemps.

Jeanne s'agita sur la chaise. Il faisait beaucoup trop chaud et il n'y avait qu'un petit ventilateur pour aérer la pièce. Les minutes s'égrenaient lentement. C'est long une minute passée à attendre.

— Madame Lévesque ! Jeanne Lévesque.

L'attente cessa aussi brusquement qu'elle avait semblé interminable.

Jeanne tressaillit, se leva rapidement, lança la revue sur la petite table en mélamine blanche. Son cœur battait la chamade.

Le médecin, un homme à première vue relativement jeune, ni beau ni laid, s'effaça pour la laisser passer quand elle arriva à la porte du cabinet. Un bref signe de tête en guise de salutations et il se glissa derrière un pupitre métallique de qualité tout juste acceptable. Sans attendre d'invitation, Jeanne prit place devant lui sur une petite chaise à peine plus confortable que celle de la salle d'attente et laissa son regard s'attarder sur le jeune homme qui lisait devant elle. Il semblait avoir l'âge d'Olivier.

Son fils était-il aussi froid quand il rencontrait un nouveau patient?

La pièce était dénudée. Dans un coin, une table d'examens, une balance datant de l'antiquité et une console métallique avec des tas de pots de verre dessus. Sur les murs, quelques images du corps humain, un tableau pour l'examen de la vue, le guide alimentaire canadien et un diplôme accroché au-dessus de la tête de l'homme qui consultait les rares feuilles contenues dans son dossier. Daniel Morneau, put-elle y lire avant que le médecin ne lance, la faisant sursauter:

— Pas souvent malade, à ce que je vois.

Il avait parlé sans lever les yeux.

— Non. Jamais, en fait.

Le docteur Morneau se décida enfin à la regarder. Il avait les yeux d'un bleu très pâle qui indisposa Jeanne, comme une eau insondable, placide, trop calme.

— Alors, qu'est-ce qui vous amène?

— Oh! Trois fois rien.

Encore! Jeanne baissa les paupières une fraction de seconde. Vérité ou mensonge? Que s'apprêtait-elle à dire? Elle revint au médecin. Elle lui trouva l'air sévère. Ou fatigué. À moins que ce ne soit la chaleur qui régnait dans la pièce.

— Quelques douleurs au genou gauche qui durent depuis quelque temps. Aggravées, je crois, par le fait d'être souvent à quatre pattes dans mes plates-bandes. Et peut-être aussi une grosse roche plate qu'il m'arrive d'accrocher.

Vérité édulcorée, Jeanne le savait, mais c'était plus fort qu'elle. Comme si de ne dire qu'une partie de la vérité permettrait d'éloigner un diagnostic difficile à entendre. Le médecin la regardait, de plus en plus imperturbable.

—Je vois… Et qu'est-ce que je peux faire pour vous à part vous recommander de ne plus vous mettre à genoux ?

Devant tant de froideur, Jeanne se sentit déstabilisée. Elle changea de position sur sa chaise, glissa un regard par la fenêtre, revint au médecin.

—Je crois… Peut-être est-ce de l'arthrite ? J'aimerais savoir. Et peut-être aussi avoir un médicament contre la douleur. Les *Tylenol* ne sont pas vraiment efficaces.

—Je vois…

Le jeune médecin semblait songeur. Il reprit sa lecture, souleva une feuille, puis une autre et releva encore une fois la tête pour soutenir le regard de Jeanne qui fut incapable de supporter ce masque inanimé. Elle baissa le front, contempla le bout d'un ongle qu'elle avait écorché la veille en plantant quelques nouveaux rosiers.

—Ce que vous me dites, c'est que vous avez mal au genou et que la douleur est suffisamment importante pour prendre des médicaments. J'ai bien compris ?

—Ça ressemble à ça.

—Et votre dernier examen date de quand ?

—Examen ?

—Votre dernière visite dans un bureau comme celui-ci. Avez-vous consulté pour ces douleurs ? Pour autre chose ? Dans une autre clinique ?

Le ton, maintenant, était impatient.

—Oh ! Je… Mon fils est médecin, vous savez. Alors, je ne sens pas le…

—Cordonnier mal chaussé, l'interrompit l'homme au visage de marbre. Asseyez-vous sur la table d'examens là-bas, je vais regarder ça.

Le médecin avait de longs doigts fins, semblables à ceux d'un pianiste. La douceur de cette main chaude contrastait étrangement avec la froideur de l'homme. Il palpait lentement, soigneusement, délicatement les genoux, les jambes de Jeanne.

— Aie !

— Pardon, je ne voulais pas. C'est ici n'est-ce pas ?

— Aie ! répéta Jeanne. Oui, c'est exactement là. Qu'est-ce que c'est ?

Le médecin ne répondit pas. Il promena ses longs doigts sur la jambe de Jeanne, effleura à nouveau le point sensible et se redressa.

— Vous pouvez remettre vos chaussures.

Puis, il regagna sa place derrière le bureau.

Jeanne regarda sa jambe, là où le médecin avait décelé un point particulièrement douloureux. À l'endroit même où il y avait un peu d'enflure sous cette curieuse marque prune. Cependant, elle n'osa y toucher. Glissant en bas de la table, elle enfila ses sandales.

— Alors, docteur ? Ça ressemble à de l'arthrite, n'est-ce pas ? Cette rougeur, cette enflure... Il m'arrive aussi d'avoir un peu de difficulté à marcher, le matin au réveil. Comme si mon genou gauche était raide, ankylosé. À moins que la roche n'y soit pour...

Jeanne s'était mise à parler comme un moulin pour briser un silence qui lui semblait aussi lourd que l'atmosphère de cette journée torride.

— ... c'est pourquoi j'ai tout de suite pensé à de l'arthrite. Est-ce plausible ?

— Peut-être...

Le médecin venait de détacher son regard de la feuille qu'il avait noircie de mots. *Peut-être*, avait-il machinalement répliqué. C'était sa réponse quand il ne voulait pas créer inutilement des inquiétudes ou susciter de fausses joies.

— Et cette douleur, reprit-il en jetant un coup d'œil sur la feuille, vous la ressentez depuis quand?

— Oh! Vous savez, on s'habitue à tout. Je ne sais trop à…

— Madame!

Jeanne se tut brusquement, rougissant comme une enfant prise sur le fait.

— Si vous voulez que je vous aide, il va falloir maintenant me dire la vérité. Toute la vérité. D'accord?

Le ton avait changé. S'il n'était pas vraiment chaleureux, il y avait tout de même une pointe de sympathie qui fit fondre la réserve de Jeanne. Elle eut l'impression que le regard aussi s'était réchauffé. Le bleu des yeux lui semblait maintenant auréolé d'une pointe de miel.

— D'accord.

Elle détourna la tête un instant pour rassembler ses souvenirs. Le ciel était de plus en plus sombre. Au loin, on entendit un chien japper. Jeanne poussa un long soupir. Puis, comme s'il s'agissait là d'un acte de courage, elle s'obligea à soutenir le regard du docteur Morneau qui continuait à la fixer.

— C'est depuis l'été dernier que j'ai commencé à ressentir certaines raideurs. Avant même de prendre ma retraite. J'ai alors pensé que c'était un petit nerf coincé. Au début, ce n'était que…

Quand Jeanne quitta la clinique, le ciel était couvert de

gros nimbus. Il faisait si sombre que les lampadaires étaient allumés. L'orage ne saurait tarder.

Elle récupéra son auto, fit un détour par le centre commercial pour acheter des homards et retourna chez elle, l'humeur tranquillisée. Le médecin avait bien demandé quelques examens supplémentaires, qualifiés de routine, et deux radiographies, mais c'était sans grande importance pour elle.

— À l'hôpital ou en clinique privée, comme vous voulez, avait-il précisé. La clinique a l'avantage de vous recevoir à votre convenance et j'ai les résultats dès le lendemain. Il en va de même pour les radiographies. Peu importe votre choix, je vous appelle dès que j'ai tout en main.

Puis, il avait refermé le dossier de Jeanne avant d'en prendre un autre sur le coin de son bureau. Comprenant qu'il ne servait à rien d'insister, Jeanne s'était éclipsée sur un *au revoir* discret qu'elle crut sans réponse. Malgré le peu d'empathie ressentie durant ce bref entretien, Jeanne se sentait ridiculement mais indiscutablement rassurée.

Ce n'était plus son problème dorénavant, mais celui du médecin. Connaissant toute l'histoire, il allait trouver les causes et la solution. En attendant, elle avait dans son sac une prescription pour des analgésiques plus efficaces que les *Tylenol*.

— Uniquement en cas de besoin.

Recommandation inutile puisque Jeanne détestait prendre des médicaments. De toute façon, maintenant qu'un médecin était au courant de sa situation, elle aurait juré que son genou faisait déjà bien moins mal! Comme la violente rage de dents qui cesse dès qu'on a mis le pied dans le bureau du dentiste!

Jeanne arriva chez elle au moment où les premières gouttes de pluie commençaient à tomber.

Il faisait presque noir dans la maison et il faisait toujours aussi chaud, d'une chaleur humide qui collait à la peau.

Jeanne se débarrassa de son sac et ouvrit la porte qui donnait sur la terrasse pour prendre une bonne, une longue, une satisfaisante inspiration.

Dehors, il pleuvait comme l'eau tombe d'un arrosoir, à grosses gouttes, et une petite brise s'était levée. Jeanne laissa le courant d'air caresser sa peau avant de refermer la porte sur cette intense sensation de soulagement qui l'habitait.

Puis elle regarda autour d'elle, actionna machinalement l'interrupteur pour faire un peu de clarté et attrapa le téléphone.

Heureuse ou malheureuse ou lorsqu'un imprévu traversait sa vie ou la bouleversait, Jeanne avait toujours envie d'en parler. Pour partager, pour y trouver une certaine approbation ou déverser un trop-plein d'émotions... Toutes les raisons étaient bonnes pour se confier à ceux qu'elle aimait. Il n'y avait que les secrets appartenant aux autres qu'elle arrivait à garder quand on lui demandait la discrétion. Mais pour le reste, elle était, pour ses amis, comme un grand livre ouvert.

Elle signala un numéro sans la moindre hésitation.

— Josée? Allô! C'est moi... Pas trop d'ouvrage, t'as deux minutes? Oui? Ben, tu vas être fière de moi, ma vieille. J'arrive de chez le médecin. Hé oui! Je me suis enfin décidée, à la suite d'une discussion épique avec Sébastien. Et sais-tu ce qu'il m'a dit? Mais non, pas Sébastien, voyons! Sais-tu ce que le médecin m'a dit? Imagine-toi donc que...

Dans la bouche de Jeanne, la froideur du praticien se transforma en politesse, sa réserve en compétence et son *peut-être* concernant l'arthrite en certitude. De prononcer à voix haute ces mots qu'elle se répétait intérieurement depuis une heure leur donna une crédibilité qu'elle eut brusquement hâte de partager avec Thomas.

Jeanne raccrocha sur un *au revoir* joyeux, après l'avoir invitée à venir souper avec Marc le samedi suivant. Ils allaient parler du voyage qui arrivait à grands pas.

Puis, elle ouvrit l'annuaire du quartier pour dénicher les noms et numéros de téléphone d'un centre de prélèvements et d'une clinique de radiologie afin de prendre ses rendez-vous. Lorsque tout fut fait, deux visites prévues le jeudi suivant, Jeanne retourna à la cuisine avec le sentiment intense du devoir accompli. Elle détestait les paperasses à remplir, les obligations administratives de toute sorte, les rencontres en tous genres à planifier. Elle avait ainsi la fâcheuse tendance à remettre au lendemain ce qu'elle voyait toujours comme une corvée. D'avoir pris ses rendez-vous avec autant de diligence suffisait donc à lui faire redresser les épaules. Elle avait surtout très hâte que toute cette histoire soit derrière elle.

Quand Thomas arriva enfin, il avait plus d'une heure de retard. Jeanne ne s'était pas inquiétée. La température était exécrable, la pluie de l'après-midi s'étant brusquement métamorphosée en déluge au moment où le tonnerre éclatait avec fracas. Pendant près d'une heure, Jeanne avait eu l'impression d'assister à une représentation de l'Apocalypse selon saint Jean. Puis l'orage s'était éloigné, oubliant cependant d'emmener avec lui la pluie qui continuait de tomber abondamment. À peine le temps de courir entre son auto et la porte de la maison et Thomas était trempé.

— Tu parles d'un temps de chien ! Pouah ! Mais qu'est-ce que ça sent ici ? Jeanne ? Aurais-tu oublié les déchets ce matin ?

— Pas du tout !

Au bout du couloir, un long tablier lui ceinturant la taille, Jeanne le regardait avec un sourire moqueur.

— T'as l'air d'un canard qui sort de l'étang, affirma-t-elle en le détaillant de la tête aux pieds. Et l'odeur un peu forte que tu perçois, jeune homme, c'est le prix à payer pour avoir droit à un repas de roi !

— Un repas de... Du homard ! C'est bien ça ? Là tu parles ! Et le premier de l'année est toujours le meilleur. J'enfile un vieux *jogging* et j'arrive. Miam ! Miam ! Ça fait oublier le trafic, ça, et tout le reste !

Jeanne n'eut pas le loisir de lui demander ce qu'était tout ce reste que déjà Thomas était à l'étage des chambres. Elle l'entendait se rafraîchir dans la salle de bain, ce qu'il faisait uniquement quand la journée avait été particulièrement difficile. Ce fut au moment où il la rejoignait à la cuisine qu'elle remarqua ses traits tirés.

— Dure journée ?

— Oui et non.

— Tu veux en parler ?

Autant Jeanne sentait le besoin d'exprimer ses émotions sur le vif, autant Thomas avait l'habitude de les analyser avant de les formuler. Il hésita quelques secondes avant de répondre.

— Je veux en parler, je dois en parler, même, parce que ça te concerne toi aussi, mais j'aimerais le faire le ventre plein. On mange d'abord et je te parle ensuite. D'accord?

Jeanne qui le connaissait bien n'insista pas, même si elle était torturée par la curiosité.

— D'accord! Alors à table, tout est prêt.

Jusqu'au dessert, ils ne discutèrent que du voyage et de la retraite de Thomas qui se concrétiserait dans moins d'un mois.

— Te rends-tu compte? Un mois! Un tout petit mois! Après, fini les éprouvettes, les boîtes de Pétri et les microscopes. Fini le trafic!

Thomas jubilait. Puis brusquement, son enthousiasme disparut comme un gros ballon qui vient de se poser sur une épine de rosier, dégonflé.

— J'ai un peu peur de trouver le temps long! avoua-t-il mi-figue, mi-raisin. Je crains de m'ennuyer de tout ça. Parce que j'ai vraiment aimé mon métier de chercheur, tu sais. Cette fébrilité, parfois, ces intuitions qui se confirment, la certitude d'être utile à quelque chose.

Jeanne lui jeta un regard rempli de tendresse.

— Je suis passée par là! fit-elle gentiment. Mon métier était peut-être moins essentiel que le tien, mais j'osais croire que la beauté que je créais aidait les gens à aimer la vie. Et tout d'un coup, une grande partie de mon existence était derrière moi. Oui, j'ai eu l'impression d'un certain vide. Mais tu vas voir, on s'y fait assez rapidement, ne t'inquiète pas. On s'ennuie de certaines choses, je l'avoue, mais le plaisir d'être maîtres de nos journées prend vite le dessus.

Thomas ne demandait pas mieux que de la croire.

— Si tu le dis.

— Je l'affirme!

Puis, après une légère hésitation, elle demanda :

— C'est ça qui te fatiguait tout à l'heure ?

Thomas la fixa longuement, comme s'il cherchait ses mots pour répondre. Puis, dans une profonde expiration, il lâcha :

— Non. Pas du tout. C'est Sébastien qui me fatigue.

De nouveau un bref silence, avant d'articuler clairement, d'une voix impatiente :

— Et pas juste à peu près.

Cela ressemblait si peu à Thomas, cette colère sourde, que Jeanne demanda, surprise :

— Mais encore ?

— En fait, pour être honnête, je dirais que c'est plutôt ce Manuel qui me fatigue.

Jeanne fronça les sourcils. Elle ne comprenait pas. Il lui semblait, malgré une réticence qu'il arrivait difficilement à exprimer à travers quelques mots succincts, il lui semblait que Thomas avait accepté le choix de son fils. Or, de toute évidence, il n'en était rien. Pourquoi alors s'était-il caché derrière les apparences ? Cette acceptation n'était donc qu'une façade cachant une tout autre réalité ? Jeanne était déçue. Elle aussi trouvait que Sébastien ne s'engageait pas nécessairement dans une voie facile. Mais si cela répondait à un instinct chez lui, à un besoin vital, ils se devaient de le soutenir. Lui fermer leur porte n'arrangerait rien. Ils en avaient longuement parlé, Thomas et elle, et ils étaient tombés d'accord. Or, voilà que Thomas laissait entendre que la situation ne lui convenait plus. Jeanne ne comprenait pas. Ce n'était pas dans la nature de Thomas de revenir sur ses pas. Elle se permit donc d'insister :

— Je ne comprends pas, Thomas. Nous en avons longuement discuté et tu disais que même si tu trouvais ça difficile, jamais tu ne serais capable de rejeter ton fils. Tu es tout débobiné, je le vois bien. Tu as changé d'avis ? Pourquoi ? Je n'aime pas les injustices, tu le sais, et là, je trouve que tu es injuste envers lui. Dans le fond, ça ne nous regarde pas. Tu, tu...

Les mots se bousculaient dans la bouche de Jeanne. La moindre attaque envers un de ses enfants la rendait fébrile, la mettait sur la défensive. Que cette agression vienne de Thomas ne changeait pas grand-chose à son état d'esprit. Quelqu'un critiquait Sébastien, ses choix et cela lui était intolérable.

Au ton qu'elle avait employé, Thomas comprit rapidement que Jeanne se méprenait sur le sens de ses paroles. Il l'interrompit aussitôt.

— Je t'arrête tout de suite. Je ne rejette pas Sébastien, loin de là. Tu me connais, quand même ! Par contre, dans toute cette histoire, il y a une certaine ambiguïté qui m'agace. Laisse-moi plutôt te raconter ce qui s'est passé. Tu vas comprendre...

Thomas s'était levé de table et s'était mis à faire les cent pas dans la pièce. Il resta silencieux un moment, concentré, le front strié de rides. Puis, il s'arrêta brusquement et se tourna vers Jeanne.

— Voilà ! Ce matin, Sébastien m'a rejoint au travail, ce qu'il ne fait pas habituellement. Là-dessus, je n'ai aucun reproche à vous faire, aux enfants et à toi. Vous avez toujours respecté mon travail. C'est pourquoi, quand j'ai entendu sa voix au bout du fil, j'ai vite compris que ça devait être important. En fait, je crois que c'était la première fois que Sébastien me dérangeait au labo. Il m'a dit qu'il était de passage à Montréal et qu'il voulait dîner avec moi. Inutile de te dire que j'ai accepté sans l'ombre d'une hésitation. Cela me faisait plaisir de voir que certains liens restaient solides. Parce que, vois-tu, je suis tout à fait conscient que mon attitude de l'autre soir, quand il est venu manger avec Manuel, n'était peut-être pas à la hauteur de ses attentes. Je l'avoue, j'ai été plutôt réservé. Bref, j'étais heureux de son appel et je me suis dirigé vers le restaurant rempli de bonne volonté, décidé à dire les choses comme je les ressentais. J'avais envie de parler avec lui de cœur à cœur, d'homme à homme.

À ces mots, Thomas soupira bruyamment.

— Ma première déception a été de voir que Manuel l'accompagnait. Aussitôt, j'ai eu le pressentiment que le repas ne ressemblerait pas du tout à ce que j'avais prévu. Mes bonnes résolutions, l'envie d'une franche discussion, d'une discussion à cœur ouvert n'avaient plus qu'à plier bagage. Je l'admets, je me suis dirigé vers eux beaucoup moins disponible que j'aurais pu l'être. Malheureusement, tout le repas a été à l'avenant de cette impression.

Thomas avait recommencé à se promener à travers la pièce.

— Je n'étais pas sitôt assis que Manuel prenait le contrôle des opérations. Je te le dis, Jeanne, c'est à peine si Sébastien a eu le temps de me dire bonjour ! Je te fais grâce du détail de la discussion. Sinon que Sébastien avait tout juste formulé quelques mots que Manuel enchaînait pour donner sa vision des choses. En termes clairs, notre fils nous demande de lui prêter ou de lui donner en avance sur son héritage, à nous de voir, cinquante mille dollars pour l'achat d'une maison. Cinquante mille dollars ! Ce n'est pas rien. Et si Sébastien a pensé à nous le demander, c'est pour mériter sa part dans la transaction. Ce sont les mots de Manuel ! Mériter ! Comme Sébastien n'a pas encore d'emploi, Manuel s'engage à payer les mensualités le temps nécessaire, en plus du capital qu'il va lui-même investir. À peu près dix mille dollars. Il estime que Sébastien doit apporter sa contribution, s'il veut que son nom apparaisse dans le contrat. J'étais sidéré. Comment Sébastien peut-il se laisser mener par le bout du nez comme ça ? À mon avis, Manuel n'avait pas à être là. Si Sébastien veut nous emprunter de l'argent, argent qu'on n'a peut-être pas à lui prêter comme ça, remarque, je ne le sais pas encore, il peut le faire seul. Pas besoin d'un chaperon pour tout surveiller, tout analyser. J'ai quand même promis de réfléchir. Si je m'étais laissé emporter par mes émotions, je lui aurais servi une fin de non-recevoir. Non mais ! Pour qui se prend-il ce Manuel ? À la façon dont il m'a présenté les choses, j'ai l'intuition qu'il a été impressionné par la maison de ton père et qu'il s'imagine qu'on nage dans l'argent. Ce qui n'est pas le cas !

Jeanne avait écouté attentivement. Comprenant que Thomas avait terminé son histoire, elle le regarda franchement et lui dit :

— Et alors ?

— Comment, et alors ? Tu trouves ça correct, toi ?

Jeanne haussa les épaules en faisant la moue.

— Je ne sais pas. Je ne trouve pas ça incorrect, en tout cas. Juste un peu énorme, compte tenu du montant, et peut-être expéditif, surtout si la rencontre s'est passée comme tu le laisses entendre. Mais pour le reste, ça me semble, comment dire, ça me semble équitable.

— Équitable ? Non, je ne vois pas ce qui peut justifier ce mot. Qu'est-ce qu'il y a d'équitable dans cette situation-là ? À commencer par la présence de ce Manuel qui ne ressemblait pas du tout au jeune homme que Sébastien nous a présenté l'autre soir, je te ferais remarquer. La politesse et les belles manières ne sont qu'une façade, crois-moi ! J'avais plutôt l'impression de me retrouver assis devant un banquier qui sonde le terrain avant d'accorder un prêt. Pourtant, le prêt c'est nous qui allons décider de l'accorder ou pas ! Ce blanc-bec n'a rien à y voir. Et justement parce que Manuel ne me plaît pas, je ne sais plus trop si j'ai envie de sortir mes papiers pour faire des calculs et voir si on a les moyens d'avancer cet argent à Sébastien. Parce qu'il s'agit d'un prêt, entendons-nous bien. Ni toi ni moi n'avons les moyens de faire un don de cette envergure. C'est dommage, mais c'est comme ça ! Non, mais ! Pour qui se prend-il, Manuel, pour me dicter ce que je devrais faire ?

Thomas était hors de lui. Jeanne ne l'avait pas vu souvent s'emporter de la sorte. Sachant pertinemment qu'il ne servirait à rien de tenter de le raisonner, cela n'aurait fait qu'ajouter de l'huile sur le feu, elle resta silencieuse, se contentant de le suivre des yeux alors qu'il déambulait dans le salon adjacent à la cuisine.

Les critiques et l'indignation jaillissaient de la bouche de Thomas avec virulence. De Manuel à Sébastien en passant par l'emprunt et l'avenir de leur fils, rien n'échappa au courroux d'un père qui en était arrivé aux reproches qu'il se faisait sans complaisance. Que s'était-il passé pour que leur fils en soit arrivé là ?

Quand il consentit enfin à se taire, Thomas se tenait au milieu du salon, les poings fermés le long des cuisses. Jeanne voyait jaillir les veines de ses bras. Elle se demanda alors si la brillance qu'elle croyait percevoir dans ses yeux était de la colère à l'état pur ou les prémices de larmes de déception. Son mari avait dit tellement de choses qu'elle ne savait plus trop qu'en penser. Avait-il accepté ou non le choix de leur fils ou n'était-ce qu'une irritation, peut-être légitime, devant la tournure des événements?

Quand elle comprit que Thomas demeurerait silencieux, elle se leva en retenant une grimace de douleur. Peut-être aurait-elle dû passer par la pharmacie, en fin de compte. Elle se promit d'y voir dès le lendemain, en même temps qu'elle parlerait de sa visite chez le médecin. Ce soir, il était trop tard pour le faire. Pour l'instant, il y avait plus important à régler qu'une banale visite chez le médecin pour ce qui semblait être un peu d'arthrite. Elle s'approcha de son mari et posa les mains sur ses épaules, l'obligeant à la regarder droit dans les yeux. Effectivement, il y avait quelques larmes au coin des paupières de Thomas. Jeanne sentit son cœur se serrer. Elle n'avait vu pleurer son mari qu'à deux reprises au cours de leur vie. C'était à la naissance des enfants. Pour le reste, et Jeanne avait toujours apprécié la chose, Thomas était un homme d'émotion capable d'exprimer ce qu'il ressentait, mais les larmes ne faisaient pas partie de cette démonstration. Quelques reniflements suffisaient parfois à dire ce qu'il éprouvait. Alors, sans le moindre mot, elle le prit tout contre elle et le serra très fort dans ses bras.

Ils restèrent ainsi, enlacés au milieu du salon, durant un long moment. Et tout doucement, Jeanne sentit que Thomas se détendait. Machinalement, sa main caressait le dos de Thomas comme elle avait si souvent caressé celui de ses enfants quand il y avait une grosse peine à calmer, un gros chagrin à consoler. Elle savait que les mots viendraient ensuite, quand la gorge serait moins serrée. Malgré le long monologue que Thomas lui avait servi, Jeanne pressentait que l'essentiel n'avait pas été dit. Elle attendit encore un instant puis, reculant d'un pas, chercha le regard de son mari.

— Ça va mieux ?

Thomas se contenta de hausser les épaules.

— Colère ou déception, saurais-tu le dire ?

Thomas renifla bruyamment, s'essuya le visage du revers de la main, puis expira longuement.

— Un peu des deux, je présume. C'est plus fort que moi. Depuis l'autre soir, je n'arrête pas de me questionner. J'ai l'impression d'avoir raté le coche avec Sébastien. Alors je m'en veux.

— Mais pourquoi ? Tu as aimé tes deux fils également, chacun selon leurs besoins.

— Je sais. Mais tu viens de le dire, Sébastien est mon fils. Pour un homme, voir son fils amoureux d'un autre homme, ce n'est pas facile à prendre. Enfin, pour moi, c'est difficile à accepter. J'aimerais être capable d'en parler à Marc, avoir son avis. Après tout, il a un fils lui aussi. Malheureusement, les mots ne passent pas. C'est peut-être ridicule, mais je me sens responsable de ce que vit Sébastien et j'en suis gêné. Si je l'avais poussé vers les sports au lieu de le laisser jouer avec sa sœur peut-être que… peut-être qu'il ne serait pas avec ce Manuel.

Thomas avait craché ce dernier mot avec beaucoup de ressentiment.

— Tu ne l'aimes pas, n'est-ce pas?

— Qui? Manuel? Non, je ne l'aime pas. Pas du tout. Trop arrogant, prétentieux. Sous la couche du vernis des bonnes manières, de sa conversation intéressante se cache un dominateur de la pire espèce.

— Tu n'as pas souvent dénigré quelqu'un de la sorte, Thomas. L'orientation sexuelle de Sébastien te blesse donc à ce point?

Thomas resta silencieux un instant avant de répondre.

— Est-ce cela qui me blesse? chuchota-t-il d'une voix sourde, se questionnant davantage qu'il ne questionnait sa femme.

Puis, il leva la tête et affronta le regard de Jeanne qui le fouillait jusqu'au fond de l'âme.

— Je ne peux pas te répondre, avoua-t-il simplement. Je ne le sais pas. Sûrement que ça m'affecte puisque je n'arrive pas à en parler à un ami comme Marc. Mais ça va bien au-delà de ce choix. Ce dont je suis certain, c'est que Manuel n'est pas quelqu'un qui convient à Sébastien.

— Mais pourquoi? Sébastien n'a jamais eu l'étoffe d'un meneur et tu le sais aussi bien que moi. Il aime s'en remettre aux autres pour prendre certaines décisions. Il se contente de jouer les séducteurs quand il veut obtenir quelque faveur.

— Je sais tout ça.

— Alors? Pourquoi en vouloir à Manuel d'être ce qu'il est? Tant mieux si c'est un homme de décision, Sébastien a justement besoin de quelqu'un de ce genre. Regarde la relation qu'il a avec Mélanie! Depuis toujours, Sébastien est heureux de suivre. Pourquoi voudrais-tu qu'il change maintenant qu'il est adulte et qu'il doit choisir ses relations d'adulte ?

— Ça n'a rien à voir. Tu ne viendras toujours pas me dire que tu voudrais que Manuel remplace Mélanie ?

À ces mots, Jeanne recula d'un pas, comprenant que la discussion était loin d'être terminée. D'être restée long-temps debout immobile, sa jambe lui faisait mal. Retenant une grimace de douleur, elle se détourna et fit les quelques pas qui la séparaient du divan.

— Non, je ne veux pas que Manuel remplace Mélanie, dit-elle enfin en s'asseyant. Par contre, vois-tu, moi je n'ai aucune crainte à ce sujet. Jamais personne ne remplacera Mélanie dans le cœur de Sébastien. Ces deux-là, c'est à la vie à la mort. Quand Mélanie nous a annoncé qu'elle avait décidé de vivre avec Maxime, as-tu eu la moindre crainte ?

— Mélanie n'est pas Sébastien.

— C'est vrai. Ils sont les contraires qui s'attirent. Mais tu n'as pas répondu à ma question. Je te la pose autrement. Si Manuel était une fille aurais-tu les mêmes scrupules ? Si, ce midi, Sébastien t'avait fait la même demande pour s'ins-taller avec une fille, aurais-tu eu les mêmes réticences ?

— Non, admit alors Thomas avec une franchise désar-mante. Non, je n'aurais pas eu les mêmes réticences. Je n'aurais peut-être pas accepté davantage de l'aider, je ne le sais pas encore, mais j'aurais été plus à l'aise, c'est certain.

— Et c'est toi, tout à l'heure, qui parlais d'équité ? J'ai beaucoup de difficulté à te suivre, Thomas. Ça ne te res-semble pas d'agir ainsi. Pas du tout.

Tandis que Jeanne parlait, Thomas était venu la rejoindre sur le divan.

— Là aussi tu dis vrai, concéda-t-il en lui prenant la main. Je déteste les injustices. Et je ne veux surtout pas être injuste envers Sébastien. Pas plus que je ne voudrais être injuste envers nos autres enfants. Ce qui fait que, là aussi, le bât blesse! Si nous prêtons de l'argent à Sébastien qu'allons-nous répondre à Mélanie si elle nous fait la même demande? On n'est pas à la rue, je le sais, mais on n'a quand même pas une fortune illimitée! Je n'ai pas envie d'hypothéquer notre retraite sous prétexte que Sébastien a besoin d'argent. Si on lui donne une réponse positive, on ouvrira possiblement la porte à d'autres demandes et je me vois très mal refuser à l'un ce que l'on a accordé à l'autre. Par contre, je suis persuadé que si nous refusons, Manuel ne sera pas content et notre fils en subira les conséquences. C'est un bel imbroglio tout ça, oui! Tu n'as pas assisté à la rencontre, toi. Je suis convaincu que tu me comprendrais mieux si tu avais entendu les propos de Manuel. Au-delà de leur homosexualité, même si j'ai énormément de difficulté à m'y faire, il y a une attitude qui m'effraie. J'ai l'impression d'avoir été pris au piège et je l'avoue, cela m'est extrêmement désagréable. De là à en vouloir à Manuel, pour toutes les raisons que tu peux imaginer, il n'y avait qu'un tout petit pas à faire. Cet après-midi, je l'ai franchi allègrement, crois-moi! J'en suis là. Je n'ai aucune envie de prêter de l'argent à notre fils tant qu'il sera avec lui. C'est bête et en partie irraisonné, mais c'est comme ça. Voilà pourquoi j'ai affirmé, avant le souper, que ça te concernait et que tu aurais ton mot à dire. Je te sens plus… comment l'exprimer, plus neutre et objective. Ton point de vue sera peut-être plus impartial que le mien. Après tout, c'est autant ton argent que le mien.

— Oui, en effet, c'est notre argent, soupira Jeanne songeuse. De l'argent durement gagné dont je voudrais profiter un peu. Pas de doute là-dessus. Par contre, si les enfants ont des besoins…

— Alors là, je t'arrête, interrompit Thomas, retrouvant une part de sa virulence. Aider les enfants est une chose, leur donner tout cuit dans le bec en est une autre. Cette maison n'est pas une nécessité.

— C'est vrai. En un sens, tu as raison.

À son tour, Jeanne demeura silencieuse, le visage ridé par la réflexion. Elle avait fort bien compris ce que Thomas avait péniblement tenté d'expliquer. Jamais il ne renierait son fils, mais le jour où il serait en mesure d'ouvrir son cœur à un éventuel copain n'était pas arrivé. Loin de là. Il lui faudrait du temps, beaucoup de temps et Jeanne se demanda même si ce jour viendrait. Thomas était de cette génération où les homosexuels n'avaient pas vraiment leur place au soleil et il lui faudrait longtemps travailler sur de vieux réflexes de rejet. C'était possiblement pour cette raison que Manuel prenait des allures de dictateur à ses yeux. Il était probablement plus facile pour Thomas de se convaincre que ce dernier était responsable de tous les maux de Sébastien. Et cette histoire d'emprunt ne faisait qu'ajouter à la confusion dans laquelle Thomas semblait se débattre.

— On va laisser retomber la poussière, proposa-t-elle enfin. Qu'en penses-tu?

Thomas se contenta de soupirer.

— Je sais bien que ce n'est pas une réponse, poursuivit Jeanne en interprétant le soupir de son mari comme une déception de plus. Comme toi, je ne possède aucune réponse toute faite concernant ces circonstances imprévisibles. Je suis, comme tu l'as dit tout à l'heure, peut-être plus ouverte à la situation, mais j'accorde néanmoins une certaine crédibilité à ce que tu m'as confié ce soir, quand tu parlais de l'attitude de Manuel et tout le reste... J'ai l'impression que tu as perçu quelque chose qui m'a échappé au souper. Toutefois, il y a un élément qui m'agace dans cette histoire : que Sébastien ait choisi de te parler au lieu de passer par moi comme il l'a toujours fait. Je t'avoue que son comportement me déroute et suscite une certaine inquiétude qui rejoint peut-être la tienne. Ça ne ressemble pas du tout à Sébastien de s'adresser directement à toi. Quelqu'un l'a influencé, c'est clair comme de l'eau de roche. Peut-être que je devrais lui en parler... Qu'est-ce que tu en penses ?

Thomas allait lui répliquer que cela ne changerait pas grand-chose au fait qu'ils avaient une décision à prendre quand le téléphone sonna. Jeanne lui jeta un regard intrigué. Qui donc pouvait appeler à une heure si tardive ? Thomas se dirigea vers la cuisine et répondit, puis il y eut un long silence suivi de quelques mots. Thomas revenait vers elle. Jeanne avait gardé la tête tournée en direction de la cuisine.

— Qui c'était ?

— Sébastien. Ton père a eu une faiblesse. À première vue, rien de grave, mais à son âge, on ne sait jamais. Sébastien n'a pas pris de chance : il a composé le 911. L'ambulance ne devrait pas tarder.

— J'y vais !

— Attends au moins que Sébastien rappelle.

— Pas question. Papa est un vieux monsieur et il n'a que moi comme enfant. Un petit-fils c'est bien, mais je connais suffisamment mon père pour savoir qu'il va apprécier ma présence. Le temps de faire mes bagages et je pars.

Thomas retint un soupir d'impatience. C'était bien Jeanne d'agir avec impulsivité, sans la moindre réflexion.

— Tu es certaine que c'est nécessaire? tenta-t-il de négocier, inquiet à l'avance de la savoir seule sur les routes. Il se fait tard. Si tu partais demain, tôt en matinée?

— Pas question.

Jeanne était déjà dans le couloir qui menait à l'escalier. Elle hésita un instant avant de faire demi-tour pour revenir sur ses pas. Thomas était toujours debout dans le salon. Elle lui sourit avant de dire:

— La seule fois où il y a eu de la maladie dans la famille, c'est au décès de maman. Je suis certaine que papa y pense, lui aussi. Je... J'ai envie d'être près de lui. Comme tu l'as souligné, papa n'est plus très jeune. On ne sait jamais ce qui peut arriver. Je préfère partir tout de suite.

Thomas avait fait les quelques pas qui le séparaient de Jeanne et avait noué ses bras autour de ses épaules. Comme elle l'avait fait quelque temps auparavant, il se mit à masser son dos. À ses yeux, la raison invoquée par Jeanne était valable. Il n'insisterait donc pas.

— D'accord. Veux-tu que je t'accompagne?

— Ce ne sera pas nécessaire. J'en ai pour un jour ou deux tout au plus.

— Alors prends mon cellulaire. Il est sur la tablette de la patère. Dès que j'aurai des nouvelles de Sébastien, je t'appellerai.

— Bonne idée. Merci!

Jeanne redressa les épaules et posa un baiser rapide sur la joue de Thomas.

— Merci de si bien me comprendre, répéta-t-elle dans un souffle.

Puis sans attendre, elle pivota sur elle-même et regagna le corridor. Elle n'en avait probablement que pour quelques jours. Une petite valise ferait l'affaire, il faisait tellement chaud !

★ ★ ★

TIRÉ DE L'AGENDA DE JEANNE

Qui a dit que la retraite était une oasis de paix et de sérénité ? Je ne me souviens plus. Il me semble avoir déjà lu ça quelque part. Mais la personne qui avait écrit cette phrase avait bien menti ! Depuis que j'ai pris ma retraite, j'ai la sensation de vivre en quatrième vitesse. Rien à voir avec l'effervescence de mes trente ou quarante ans alors que les enfants étaient encore à la maison, c'est vrai. Mais je crois que c'est encore pire ! Le travail de sape est insidieux, mais j'ai vraiment l'impression que je n'ai plus de temps à moi. D'être à la maison incite les gens à croire que nous n'avons plus rien à faire, ce qui fait qu'ils se permettent de solliciter notre présence et notre aide pour mille et une raisons. J'exagère un peu, je le sais. Mais ça me fait du bien de l'écrire, parce que je ne peux pas en parler ! Je me vois mal dire à Josée que je n'irai pas l'aider à repeindre sa cuisine parce que j'ai horreur de peinturer, ni à Mélanie que je ne verrai pas à son aquarium pendant leurs vacances parce que ça m'agace d'avoir des obligations à heures fixes. Sans oublier la semaine que je viens de passer à Québec, en plus qu'Olivier est venu nous annoncer que Karine et lui avaient l'intention de partir en Provence en septembre prochain, sans les enfants. Il n'a pas encore parlé de la garde de ses deux trésors, mais je sens que ça va venir! J'adore mes petits-fils, là n'est pas la question, mais je ne sais pas vraiment si je me sens la force d'y voir pendant deux longues semaines. Par contre, il est vrai qu'en septembre, Thomas sera à la maison lui aussi.

Ouf! J'ai de la difficulté à reprendre mon souffle. Pas surprenant que je sois toujours fatiguée!

Maintenant, les choses importantes...

Heureusement, le malaise de papa était sans gravité. Une petite crise d'angine que le médecin qualifie d'avertissement. Après deux jours d'observation à l'hôpital, papa est retourné chez lui avec une liste de recommandations longue comme le bras. Écrire qu'il était grognon serait un euphémisme! Pour dire la vérité, il râlait, le cher homme, contre tous les médecins de la terre, contre Sébastien qui avait appelé l'ambulance trop vite et même contre moi. Dès qu'il m'a aperçue, tournant le coin du corridor, car il était dans le corridor, mon pauvre papa, faute de place à l'urgence, il a froncé les sourcils comme il le faisait pour m'intimider quand je n'étais qu'une gamine.

— Voir si ça a de l'allure de venir de Montréal pour si peu. Et en pleine nuit à part ça!

— Personne ne pouvait savoir que ça serait si peu! Et j'aime mieux rouler la nuit, il n'y a personne sur les routes.

— Tête dure, va! Quand bien même j'y aurais laissé ma peau, qu'est-ce que tu aurais pu y changer?

— Papa!

— D'accord, je n'ai rien dit.

Le tout articulé à voix basse parce qu'on était en pleine nuit et que papa partageait le corridor avec d'autres infortunés. Mais quelques instants plus tard, toujours à voix basse, il m'a dit merci en me serrant la main. Je savais bien que ma présence serait appréciée! Ce qui n'a pas empêché que pendant les jours de son hospitalisation, j'ai eu droit à mon lot de regards furibonds et de jérémiades à tous propos.

Finalement, j'ai passé la semaine à Québec... et Thomas a eu la surprise de sa vie quand Josée et Marc se sont pointés pour souper, samedi soir! J'avais oublié d'annuler mon invitation.

À partir de maintenant, papa va avoir un suivi médical plus régulier; il fallait donc communiquer avec le CLSC et trouver un médecin de famille. À regarder les choses de près, papa et moi nous nous ressemblons. Le corps médical au grand complet nous donne de l'urticaire! Mais quand il le faut...

J'en ai profité aussi pour jaser longuement avec Sébastien. Dès le second soir, quand papa se reposait au salon après sa sortie de l'hôpital.

Nous nous sommes donc installés dans le jardin qu'il s'est mis à entretenir après mon mariage. Ses rosiers sauvages sont déjà en fleurs, alors que les hybrides thé sont nettement en avance sur les miens. Ils ploient déjà sous une myriade de boutons. En fait, les rosiers de papa sont, sans la moindre équivoque, plus beaux que les miens! De quoi me donner une jaunisse! Et quel parfum! C'était enivrant d'être assise au soleil couchant, les narines chatouillées par l'odeur des roses, mon fils à mes côtés. Depuis cinq ans qu'il vit à Québec, des moments comme celui-là se sont fait rares. C'était magique. On entendait un air d'opéra en sourdine, je ne saurais dire lequel, je n'aime pas *l'opéra. Sauf peut-être en cet instant où, près de mon fils, je me laissais porter par mes souvenirs d'enfance. L'opéra fait partie de mon enfance, fera toujours partie des souvenirs que je garderai de papa. Il adore l'opéra! Alors cette voix de femme qui vibrait dans l'air tiède de cette soirée de printemps m'a donné des frissons. Je l'ai trouvée agréable, envoûtante, un peu comme celle de Cesaria Evora.*

Il suffit de si peu, parfois. Comme de savoir que son père est toujours là, bien vivant, pour rendre la vie un peu plus belle.

Il suffit de si peu pour que le passage du temps s'efface.

Ce soir-là, avec Sébastien, bercée par la musique qui a enveloppé mon enfance, j'ai eu droit à un de ces instants intemporels où je n'étais plus que la mère et lui l'enfant que j'aime. Comme avant, comme lorsqu'il était tout petit. Il a suffi d'un jardin de roses et d'une musique pour engendrer la conversation. L'amour que je ressens pour mes enfants n'a pas tiédi au fil des années. Parfois une inquiétude, une incompréhension ou une tristesse sont suffisantes pour annuler les années qui ont passé trop vite, sont suffisantes pour fracasser cette espèce de détachement que l'on croit ressentir vis-à-vis de nos enfants devenus adultes. Allons donc! L'amour reste ce qu'il est, fort et fragile, intense et discret, capable des plus grands dépassements et des plus violents chagrins. J'ai eu cette chance de le vivre avec Sébastien. À ses côtés, je me suis rappelé à quel point je les aimais, ces trois êtres que j'ai portés avec amour.

Je ne m'étais pas trompée en disant que l'idée de s'adresser à Thomas venait de Manuel. Tout comme l'achat d'une maison, d'ailleurs. Par contre, à ce chapitre, Sébastien endosse l'idée de son ami. Tant qu'à payer des mensualités, autant le faire pour une maison qui prendra de la valeur avec le temps. Je suis d'accord avec eux. Mais est-ce à nous de pourvoir à leur besoin de départ? Je ne le sais toujours pas. D'un autre côté, la faiblesse de papa est arrivée à point, si je peux me permettre de penser ainsi. Sébastien est vraiment attaché à son grand-père, plus que je ne l'aurais cru, et il m'a promis de rester avec lui quelques mois encore. Je n'ai même pas eu besoin de le demander. C'est lui qui me l'a proposé et avec une diligence qui m'a un peu surprise. Sébastien ne l'a pas dit clairement, mais j'ai l'intuition que ça l'arrange un peu toute cette histoire.

Pourquoi?

Je n'ai pas osé en parler. Il y a certaines choses qui appartiennent à l'intimité d'un couple. Mais si ça lui convient, tant mieux. Parce que ça va nous donner le temps de réfléchir à leur demande. Je sais que Thomas va apprécier ce délai. Et parlant de Thomas, j'aurais aimé qu'il puisse lui aussi converser sur ce ton avec son fils. Peut-être que d'homme à homme, certaines confidences seraient nées. Peut-être... Néanmoins, sur certains aspects, Sébastien n'a pas changé. Il reste le gars généreux qu'il a toujours été. Sauf que je le sens moins exubérant, moins vif-argent. Est-ce l'âge qui en est la cause ou autre chose? Je suis revenue chez moi en emportant cette question dans mon cœur. Et un peu de tristesse, je l'avoue.

J'espère seulement qu'il est heureux...

En fin de compte, je ne me suis pas présentée à mes rendez-vous. Je les ai complètement oubliés. Je vais appeler *lundi matin pour m'excuser et en prendre de nouveaux. Et comme les médicaments prescrits semblent efficaces, en fait, je n'ai presque plus mal, j'attendrai notre retour de voyage pour finaliser ce dossier-là. Je n'en parlerai même pas à Thomas. Le connaissant, il insisterait pour que je passe les tests tout de suite et ça ne me tente pas. La douleur est nettement moins vive pour l'instant et ça me réconforte. Si c'était grave, de simples pilules ne suffiraient pas. J'aime mieux me laisser porter par des choses agréables. Papa va bien, la décision de prêter ou non de l'argent a été reportée, dans deux semaines Thomas prend sa retraite et dans un peu plus d'un mois nous nous envolons pour la Mongolie, via Paris. Voilà de quoi occuper tout mon temps et mes pensées. On verra à ce fichu genou après!*

Moi qui rêve depuis toujours de voir Paris! J'ai hâte, j'ai hâte...

Chapitre 5

Montréal, début juillet 2004

« À faire prier et supplier nos mains, je vais t'aimer,
Je vais t'aimer plus loin que tes rêves ont imaginé,
Je vais t'aimer comme on ne t'a jamais aimé,
Je vais t'aimer comme personne n'a osé t'aimer
Je vais t'aimer comme j'aurais aimé être aimé
Je vais t'aimer... »

JE VAIS T'AIMER, GILLES THIBAULT, INTERPRÉTÉ PAR MICHEL SARDOU

Jeanne fredonnait un air des *Mamas and The Papas.*

Elle était en train de déplacer quelques boîtes afin de mettre la main sur la vieille malle de cuir qui devait bien dater de Mathusalem! C'était dans cette valise antique, énorme comme le ventre d'un paquebot, qu'elle rangeait les vêtements hors saison. À l'exemple de sa mère, depuis toujours ou presque, chaque année quand arrivait le mois de mai, Jeanne lavait ou faisait nettoyer les vêtements d'hiver avant de les ranger dans la malle d'où elle ressortait ceux d'été qu'elle rafraîchissait et replaçait dans les tiroirs. À l'époque où les enfants vivaient encore à la maison, elle remplissait aussi deux immenses armoires achetées en solde chez Ikea. Aujourd'hui, les armoires servaient essentiellement à entreposer les couvertures de laine qui ne servaient plus et quelques serviettes de plage défraîchies qu'elle transformait en torchons au gré des besoins. Pour Thomas et elle, la vieille malle suffisait. Ils étaient tous deux plutôt parcimonieux quand venait le temps d'acheter des vêtements. Marqués par les années de vaches maigres qu'ils avaient vécues au début de leur mariage, ils privilégiaient les soldes et les liquidations, voire les braderies en tous genres pour renouveler leur garde-robe. Thomas optait volontiers pour des survêtements, au grand dam de leurs enfants qui le comparaient à un *quêteux*, ce qui ne l'affectait aucunement. Il était un adepte inconditionnel du confort. Quant à Jeanne, l'époque des robes indiennes révolue, elle avait adopté les jeans et les pantalons qu'elle apprêtait à toutes les sauces, si on peut l'exprimer ainsi. Ils étaient à la fois sa tenue de travail, sa tenue de maison et souvent sa tenue de sortie. Mais par ce beau matin d'été, c'étaient les vêtements d'hiver que Jeanne voulait retrouver. Suivant les conseils de Josée, elle avait décidé d'emporter dans ses bagages ses plus vieux pantalons. Pour les promenades à dos de chameau, il semblerait que ce soit l'idéal.

— Ça doit puer, ma vieille, ces petites bêtes-là! avait observé Josée en riant. Pour ma part, je n'aurai que des guenilles que je pourrai jeter après. Tu devrais faire la même chose!

Jeanne avait fait la moue. Elle était peut-être une inconditionnelle des pantalons, elle était quand même toujours tirée à quatre épingles. Même quand elle restait à la maison!

— Quand même! Des guenilles... Tu exagères toujours!
— Façon de parler.

Josée avait regardé Jeanne d'un œil scrutateur.

— Mais t'es donc ben drôle toi, depuis quelque temps! Tu prends tout au pied de la lettre. Une vraie soupe au lait!

Il est temps de partir, c'est moi qui te le dis! Des vacances ne te feront pas de tort! Et n'oublie pas les vêtements chauds. Dans le désert, il paraît que c'est froid la nuit! Très, très froid même.

Froid? Jeanne avait regardé son amie avec une mine plutôt renfrognée. Déjà qu'elle détestait l'hiver!

— Sapristi, Jeanne, change de face, je ne te reconnais plus! Je sais bien que tu n'aimes pas le froid, mais il y a des limites, non?

Josée avait raison. Jeanne avait les nerfs à fleur de peau, réagissait vivement au moindre inconvénient. Et quand Jeanne était de mauvaise humeur, cela se lisait sur son visage. Alors elle disait à tout propos qu'elle était fatiguée. C'était son échappatoire, son camouflage, mais ce n'était qu'une demi-vérité. En fait, et elle ne l'aurait avoué pour tout l'or du monde, ce qu'elle appelait fatigue n'était qu'une bonne dose d'impatience.

Contre toute attente, la présence de Thomas l'exaspérait.

À peine deux semaines qu'il était à la retraite et Jeanne n'en pouvait plus.

Il voulait trop en faire. Il était trop serviable, trop gentil, trop tout! C'était tuant. Après trente-cinq ans à régner seule sur la cuisine et l'essentiel de la maison, Jeanne n'avait nulle envie de partager son royaume. Si au moins Thomas avait suivi ses conseils! Mais non! Il voulait tout faire et au grand désespoir de Jeanne, il voulait le faire à sa guise.

— Repose-toi donc un peu! C'est à mon tour de faire le ménage. Tu as assez donné dans ce domaine. Et pour la cuisine aussi. Je suis certainement capable de suivre une recette, non ? Tu n'arrêtes pas de dire que tu es fatiguée, profite de mes bonnes résolutions !

Jeanne était consciente qu'elle était prise dans son propre piège. À force de dire qu'elle était épuisée, on avait fini par la prendre au sérieux. Thomas, en tout cas, l'avait prise très au sérieux. Ça lui apprendra, aussi, à trop parler ! Ce n'était pas qu'elle doutait des capacités de son mari. Elle savait fort bien qu'il était capable de cuisiner et de s'occuper de la maison. N'empêche que cela l'agaçait de plus en plus de toujours l'avoir dans les pattes !

Ce n'était pas ainsi qu'elle avait imaginé leur retraite. Elle s'était figuré que ça serait le paradis entre eux. Plus d'obligation, plus d'horaire, à eux la grande liberté. Elle entendait multiplier les occasions de détente, les petites escapades, les longs moments de *farniente*. Mais Thomas l'entendait d'une autre oreille. Il détestait perdre son temps, alors il s'occupait. Et il occupait toute la place !

Jamais Jeanne n'aurait pu imaginer qu'elle se sentirait envahie par la présence de son mari. Pourtant, c'était un fait : Thomas lui tapait sur les nerfs. Il n'arrêtait pas. Une vraie tornade ! Jeanne se doutait bien que la peur de s'ennuyer agissait beaucoup sur lui. Et elle admettait aussi qu'il valait peut-être mieux être confrontée à un tourbillon plutôt qu'à un éteignoir qui promènerait un air dépressif à travers la maison. Mais de là à vouloir tout faire !

Le bruit du moteur de la tondeuse que Thomas venait de démarrer lui fit lever la tête. Par la fenêtre du sous-sol, elle aperçut son mari, en shorts et tee-shirt, des espadrilles élimées aux pieds, qui attaquait la pelouse avec entrain. Elle ne put s'empêcher de sourire. Tout à l'heure, au déjeuner, il lui avait fait remarquer que tondre la pelouse un mercredi matin lui semblait nettement moins astreignant que de s'y mettre un samedi. Lui qui détestait cette corvée avait fait le pied de grue en attendant une heure décente pour éveiller le voisinage.

— Penses-tu qu'il est trop tôt ? Huit heures, sur semaine, tout le monde doit être réveillé, non ? C'est la première fois que j'ai hâte de tondre le gazon, avait-il souligné en scrutant la cour d'un œil gourmand. Ça doit être parce qu'on est au milieu de la semaine. Je ne vois pas autre chose. Ça donne de l'exotisme à la besogne !

Jeanne s'était retenue pour ne pas éclater d'un rire narquois. Pour ne pas lui faire remarquer que dorénavant, tous les jours pourraient être des samedis s'il le voulait bien et qu'il serait peut-être temps de se mettre au diapason. Non, elle préféra se taire car le ton aurait été sarcastique. Elle s'était simplement détournée en se disant qu'elle aimait mieux le voir s'occuper à l'extérieur. Ainsi, il déserterait enfin la cuisine où il lui arrivait trop souvent de passer des remarques. Même sa façon de placer les assiettes sales dans le lave-vaisselle n'y échappait pas ! C'est un peu pour cela que dès qu'elle le vit se diriger vers le cabanon, elle laissa tout en plan à la cuisine et se dépêcha de descendre au sous-sol pour fouiller dans la vieille malle. Là encore, elle préférait être seule. Au cas où il aurait à redire à sa façon de plier les vêtements !

Elle n'en pouvait plus, plus du tout, de ces remarques qui, comme le disait Thomas, se voulaient constructives !

Après avoir déplacé quelques boîtes, Jeanne arriva enfin devant la malle. Elle venait à peine d'en soulever le couvercle qu'elle entendit, dominant le ronronnement de la tondeuse, la voix de Thomas qui s'était mis à chanter. À tue-tête, avec énergie et, lui semblait-il, avec beaucoup de plaisir. Elle suspendit son geste et leva les yeux vers la fenêtre. Un rayon de soleil se glissait en diagonale, soulignant au passage un tas de vieilleries qui attendaient patiemment qu'on veuille bien s'occuper d'elles. La poussière dansait dans le rayon de lumière comme une pluie de pépites d'or, tissant une tenture entre Jeanne et les pieds de Thomas qui passaient devant la fenêtre. Alors, comme il lui arrivait souvent, Jeanne sentit son ressentiment fondre comme neige au soleil. L'espace d'un battement de cœur, elle passa de l'impatience à la tendresse. On était mercredi et Thomas était là, à la maison avec elle. Et dorénavant, leur vie irait ainsi, jour après jour.

Ça y était! La retraite était enfin là. Ils l'avaient tellement désirée, en avaient tellement parlé.

Jeanne tendit le cou pour suivre Thomas du regard, le cœur heureux. Dans le fond, il suffirait de faire quelques ajustements pour que le rêve devienne enfin la réalité si souvent inventée à deux.

Jeanne attendit que le bruit s'éloigne, que son cœur s'assagisse pour revenir à son exploration de la malle. Elle eut le réflexe de se pencher spontanément, mais retint le geste. Elle ne pouvait plus se pencher vivement, en pliant les genoux. Elle resta un moment immobile, fixant le plancher. Comment allait-elle s'y prendre? Les médicaments prescrits par le docteur Morneau étaient plus efficaces que les *Tylenol*, heureusement, mais leur effet était limité. De toute façon, Jeanne s'interdisait d'en prendre trop souvent. Depuis un mois qu'elle avait vu le médecin, il y avait maintenant quelques gestes diminués, quelques positions interdites. Jeanne en avait conscience, mais elle ne voulait pas s'y attarder. Petit à petit, elle s'était habituée à ces raideurs et ces élancements qui parfois survenaient sans crier gare, brisant net certains élans, certains gestes pourtant habituels.

Comme présentement...

Jeanne soupira, hésita, se demandant s'il ne serait pas préférable de remonter à la cuisine afin d'avaler deux cachets avant de s'installer à même le sol. Auparavant, elle s'asseyait en tailleur sur le plancher quand venait le temps de vider cette valise. Maintenant, cette position était trop pénible. Mais remonter l'escalier aussi serait pénible. Alors, s'appuyant sur le rebord de cuir tout usé, elle réussit à se pencher pour s'installer à genoux, faisant porter son poids sur la jambe droite, tout en étirant la gauche sur le côté. Il n'y avait que le genou gauche qui était enflé et douloureux. Ce qui, dans l'esprit tortueux de Jeanne, confirmait la thèse de l'arthrite.

L'exercice fut souligné par quelques grimaces. Malgré cela, Jeanne parvint à s'installer sans trop de dommage. Elle n'était pas à son aise, mais elle devrait s'en contenter.

C'est ainsi qu'en équilibre instable, elle commença à faire l'inventaire de la malle, cherchant les pantalons et autres vêtements chauds qu'ils apporteraient. Ça sentait le camphre et la poussière et Jeanne éternua à deux reprises, en riant, repoussant les foulards, triant les vestes pour enfin atteindre les pantalons et autres chandails chauds.

Elle manipulait les vêtements à gestes vifs afin de se relever le plus rapidement possible. Sa jambe gauche élançait de plus en plus.

Ce fut au moment où elle voulut enfin se redresser que la douleur la paralysa. Une sensation foudroyante qui lui alla droit au cœur, la faisant trembler. Elle retint son souffle, les yeux fermés sur sa douleur.

Après quelques instants, elle arriva à se relever péniblement, s'appuyant de toutes ses forces sur le rebord de la valise, marquant douloureusement ses paumes. Puis elle resta plantée là, campée sur sa jambe droite, la gauche effleurant à peine le sol. Cette dernière ne pourrait supporter aucun poids car Jeanne avait l'impression d'avoir un couteau planté dans le genou. Elle agrippait les pantalons et les chandails qu'elle avait extirpés de la malle, les pressant contre sa poitrine, comme s'ils avaient pu la soutenir.

Elle resta un long moment immobile, le temps de s'habituer à cette souffrance plus intense. Puis tout doucement, elle plia son genou, le remit en place, le plia et le déplia, encore et encore, jusqu'à ce que le geste soit tolérable. Alors, en boitant, prenant appui sur les meubles ou les objets qui lui tombaient sous la main, elle se dirigea vers l'escalier qu'elle monta très lentement, une marche à la fois, s'appuyant fermement sur la rampe. Tout ce que Jeanne voulait, c'était atteindre la cuisine sans trébucher. Elle savait que si cela se produisait, jamais elle n'arriverait à se relever seule.

Le vrombissement de la tondeuse l'accueillit au haut de l'escalier. La première chaise disponible n'était plus qu'à quelques pas.

Elle s'y laissa tomber avec un soupir de soulagement.

Jeanne resta assise longtemps, les yeux clos, prenant de profondes inspirations, insensible à tout ce qui n'était pas cet élancement qui irradiait dans tout son corps. Elle n'entendait rien sinon une curieuse pulsation qui lui harcelait les oreilles au rythme de sa douleur qui, heureusement, allait en diminuant. Concentrée sur sa respiration, elle ne prit nullement conscience que la tondeuse s'était tue. Pas plus qu'elle n'entendit Thomas qui montait l'escalier menant à la terrasse, approchait en sifflotant, ouvrait la porte moustiquaire. Il mourait de soif. Il faisait déjà tellement chaud. Le temps de finir de tondre la pelouse et il proposerait à Jeanne de s'évader pour la journée. Dans les Cantons de l'Est, sur une plage au bord d'un lac. Et peut-être, si le cœur leur en disait, pourraient-ils terminer la journée par un souper en tête-à-tête dans une petite auberge sympathique.

Sa joyeuse réflexion fut interrompue par la vue de Jeanne assise immobile, la tête renversée contre le dossier de la chaise, une pile de vêtements à ses pieds sur le plancher. Il fronça les sourcils, hésita puis demanda :

— Ça ne va pas ? Tu t'es fait mal ?

Jeanne sursauta, se hâta de tourner la tête vers Thomas en s'efforçant d'esquisser un pâle sourire.

— Ça va... Rien de majeur. C'est mon fichu genou. Tu sais, celui que j'ai frappé contre la roche. Il continue de m'élancer parfois... Ça va passer.

Le mensonge lui était venu avec une facilité déconcertante. Thomas accentua le froncement de ses sourcils. Il soupira, hésita encore un instant, puis se décida à interroger Jeanne même s'il savait pertinemment qu'il risquait de se faire rembarrer sans ménagement. Depuis quelque temps, sa femme était particulièrement de mauvais poil. Par contre, une ecchymose ne pouvait faire mal si longtemps et lui, tout médecin qu'il était, ne pouvait rester silencieux devant ce fait. Une drôle d'inquiétude lui fit débattre le cœur.

— Ton genou ? Il fait encore mal ? Ça me surprend. Je peux regarder ?

À ces mots, Jeanne sentit son cœur s'emballer. Elle s'agita sur la chaise.

— Pourquoi ? En fait, j'ai vu le médecin à ce sujet. Je ne te l'ai pas dit ? Non ? Ah ! Je me souviens. Je voulais t'en parler, mais l'histoire de papa a tout bouleversé. Donc, j'ai vu le médecin à la clinique du quartier. À première vue, il semblerait que ce soit de l'arthrite. En tout cas, c'est ce que le docteur a laissé entendre. Je devais passer quelques examens pour confirmer le diagnostic, mais j'étais à Québec et je les ai complètement oubliés. J'ai donc tout reporté à notre retour de voyage. Tu n'as qu'à regarder sur le calendrier, j'ai inscrit le rendez-vous qui est prévu pour le milieu du mois d'août. En attendant, le médecin m'a prescrit des calmants. Mais tu me connais. Moi et les pilules… Alors si j'ai mal en ce moment, c'est ma faute, parce que je n'ai pas pris mes comprimés, ce matin. Quand je me suis levée, je n'avais pas vraiment mal, alors…

Jeanne parlait trop vite, soulignait ses propos de mimiques qu'elle voulait convaincantes. Elle cherchait à noyer le poisson, Thomas en était convaincu. Elle devait souffrir davantage qu'elle ne le laissait entendre. Ce fut suffisant pour qu'il s'entête.

— J'insiste. Je veux voir ce genou qui te fait encore si mal.

Tout en parlant, Thomas s'était approché de Jeanne. Maintenant, il était accroupi devant elle et il fronça les sourcils en prenant conscience qu'elle portait un jeans. Pourquoi un pantalon alors qu'il faisait un temps de canicule ? Habituellement, quand il faisait aussi chaud qu'aujourd'hui, Jeanne portait un maillot de bain avec un short par-dessus. Et la nuit, elle ne portait plus que des pyjamas. Que cherchait-elle à cacher ?

Sans attendre la permission, Thomas souleva le bord du pantalon et tenta de le relever. Jeanne posa brusquement la main sur celle de Thomas.

— Puisque je viens de te dire que j'ai consulté un médecin, argumenta-t-elle d'une voix coupante. Pas besoin de vérifier, Thomas. Je ne suis plus une enfant.

Thomas suspendit son geste et leva la tête à la rencontre du regard de Jeanne qui se déroba aussitôt, se concentrant sur ses ongles qui grattaient nerveusement le tissu du jeans, comme pour déloger une tache incrustée.

— Mais qu'est-ce que c'est que cette supposition ? Je ne te traite pas en enfant. Je suis inquiet et je suis médecin. Je veux simplement voir. C'est tout. Après, on n'en parle plus. Je ne prendrai aucune décision à ta place.

Jeanne continuait à résister, repoussant la main de Thomas. Elle pressentait qu'il n'aimerait pas cette bosse qu'elle avait sur le côté de la jambe ou du genou, elle ne le savait plus trop, et que cela risquait de déclencher une discussion. Mais avant qu'elle n'eut le temps d'ouvrir la bouche pour protester, Thomas avait remonté la jambe de son jeans. Il retint son souffle, le cœur battant la chamade. L'hématome qu'il avait vu le mois précédent s'était transformé en une tuméfaction de la grosseur d'une noix de pacane de bonne dimension.

— Jeanne !

Alors que Jeanne s'attendait à des mots de protestation ou de colère, il n'y eut que son nom, prononcé avec cette tendresse infinie propre à Thomas. Les doigts qui palpaient sa jambe avaient une douceur encore plus grande que ceux du médecin qu'elle avait consulté.

Après quelques instants, Thomas replaça délicatement le pantalon et prenant le visage de Jeanne entre ses mains, il l'obligea à le regarder.

— Jeanne, répéta-t-il avec cette douceur qui arrivait encore à la bouleverser, même après toutes ces années. Pourquoi n'avoir rien dit ?

— Je ne sais pas.

Jamais Jeanne n'avait parlé avec autant de sincérité. Non, elle ne savait pas. Elle n'aurait su dire si c'était le déni d'une réalité qui lui faisait peur ou la conviction qu'il n'y avait pas lieu de s'inquiéter.

— Je ne sais pas, répéta-t-elle d'une voix mouillée.

Sans qu'elle sache comment, Jeanne se retrouva debout, appuyée contre la poitrine de son mari qui la soutenait fermement par un bras.

— Viens. Le divan du salon est beaucoup plus confortable qu'une chaise.

Jeanne claudiqua jusqu'au canapé et s'y laissa tomber avec un soupir tremblant. Elle ne savait plus trop où elle en était. Ce curieux spasme au creux de l'estomac, soulagement ou inquiétude ? Et cette gentillesse, cette douceur témoignées par Thomas que voulaient-elles dire au juste ?

Thomas s'était agenouillé de nouveau devant elle. Cette fois-ci, il avait relevé les deux jambes de son jeans. Ses mains compétentes palpaient délicatement l'une après l'autre, puis simultanément alors qu'il avait les yeux à demi fermés. Jeanne retenait son souffle. Durant un instant, elle en oublia même l'horrible douleur qu'elle avait connue quelques minutes plus tôt, obnubilée par les doigts habiles qui auscultaient lentement sans lui faire le moindre mal. Inopinément, Jeanne regretta que Thomas n'ait jamais pratiqué. Il aurait inspiré confiance. Ses mains inspiraient confiance, à la fois robustes et douces. Il aurait été un merveilleux médecin de famille.

Les impatiences en tous genres qui avaient rythmé les dernières semaines s'étaient subitement évaporées, aspirées par cette sensation d'apaisement qu'elle éprouvait présentement. Alors Jeanne se redressa à demi et posa les mains sur celles de son mari.

— Alors? demanda-t-elle d'une voix légèrement chevrotante.

Thomas leva la tête et l'inquiétude de son regard frappa Jeanne de plein fouet. Entre eux, il n'y avait jamais eu de mensonge.

— Je n'aime pas ça, avoua-t-il simplement en replaçant le pantalon. Cette tumeur ne me plaît pas. Pas du tout.

Le mot *tumeur* raviva sur-le-champ les plus douloureux souvenirs de Jeanne. En un méchant tour de passe-passe, sa mémoire fit revivre sa mère. Image fugitive, mais combien réelle. Béatrice Lévesque se retrouva assise devant elle, accoudée à la table de la cuisine, lui expliquant qu'elle devait être hospitalisée pour enlever une tumeur qu'elle avait au poumon droit. Après, tout irait bien, avait-elle affirmé de sa voix légèrement rocailleuse, balayant d'une main insouciante les volutes de la cigarette qui brûlait dans le cendrier. Elle semblait si convaincue que la petite Jeanne y avait cru. Six mois plus tard, Béatrice Lévesque mourait.

Jeanne ferma précipitamment les yeux comme devant une vision d'épouvante. Pourquoi Thomas avait-il employé ce mot?

— Une tumeur? réussit-elle enfin à demander d'une voix étranglée. Tu... tu crois donc que ça serait un can...

— Je ne crois rien du tout, l'interrompit vivement Thomas, comprenant facilement où Jeanne voulait en venir. Le mot *tumeur* ne veut rien dire de particulier pour l'instant. Il fait partie du jargon médical. J'aurais pu tout aussi bien dire *une bosse*. Pour un médecin, toutes les bosses inhabituelles sont des tumeurs. Il ne faut surtout pas partir en peur avec ça. D'accord?

Jeanne avala difficilement sa salive.

— D'accord.

Thomas s'était relevé et l'avait rejointe sur le canapé. Il glissa son bras autour des épaules de sa femme et machinalement, Jeanne posa la tête tout contre lui. C'était sa place à elle, son abandon, la certitude d'un amour plus grand que tout ce qui pourrait lui arriver. Elle entendait la voix de Thomas qui résonnait dans sa poitrine tandis qu'il reprenait la parole et elle se permit de fermer les yeux. Avec lui, elle se sentait toujours en sécurité.

— Par contre, il ne faut pas prendre cette... cette bosse à la légère, expliqua Thomas. Ce n'est peut-être qu'un kyste, qu'une malformation de l'os attribuable à l'arthrose. On ne sait pas. Cependant, on ne peut se contenter de suppositions. Il faut savoir exactement ce qu'il en est parce que ça peut aussi être tout autre chose.

Autre chose…

Jeanne le savait très bien que ça pouvait être autre chose. Et c'était justement pour cela qu'elle n'avait rien dit. Cette autre chose la terrorisait.

L'image de Béatrice aux derniers jours de sa vie, émaciée, fragile et meurtrie, flotta encore un moment sur l'écran de ses paupières closes, heurtant brutalement la sensibilité de Jeanne à travers les souvenirs qu'elle avait gardés de sa mère. Jeanne se fit toute petite au creux des bras de son mari.

— J'ai peur.

Deux mots. Jeanne avait résumé ce que son existence était depuis quelques mois en deux tout petits mots et Thomas saisissait maintenant la cause de la fatigue avouée et des sautes d'humeur.

— Je comprends.

Il n'y avait rien à ajouter pour l'instant. Contre son bras, Thomas sentait le souffle léger de Jeanne. Une respiration rapide, saccadée, superficielle. Puis, il y eut un long soupir tremblant. Alors Thomas resserra son étreinte.

— J'ai tellement peur, répéta Jeanne. J'en ai rarement parlé, mais je n'ai pas oublié que maman est morte d'un cancer. J'y ai même pensé très souvent au fil des années. Chaque fois qu'un des enfants avait des ecchymoses qui me semblaient durer un peu trop longtemps, chaque fois que l'un d'entre eux se plaignait d'un mal de tête prolongé, j'y pensais. Et depuis quelque temps, j'y pense presque à chaque jour. À cause de ce maudit genou qui n'arrête pas de me faire mal. Qui me fait de plus en plus mal…

Thomas dut se retenir pour ne pas affirmer qu'il était trop tôt pour parler de la sorte. Il connaissait trop bien Jeanne pour savoir que ça serait inutile. Elle n'avait pas besoin d'être sécurisée par quelques mots vides. Elle avait surtout besoin de parler. C'était dans sa nature de s'étourdir par les mots, pour permettre à son inquiétude de se calmer, de se faire sage. Ensuite viendraient les explications, les questions, les mesures à prendre.

— Je ne veux pas avoir de cancer, Thomas. Je ne veux pas souffrir comme j'ai vu ma mère souffrir. Je veux profiter de nos années de retraite qui commencent enfin. On y a tellement rêvé ! Je ne veux pas vivre les prochaines années à travers la maladie et les traitements. Je ne veux pas vivre à moitié. Je suis encore trop jeune pour ça ! Je veux vivre pleinement, sans compromis. Je veux voyager, je veux transformer la cour en un merveilleux jardin, je veux prendre le temps de m'occuper de toi, de nous. Je veux voir grandir mes petits-enfants et continuer de soutenir nos enfants. Ils ont encore besoin de nous, Thomas. Tellement. Mélanie qui rêve d'avoir un bébé, Sébastien qui me semble encore bien fragile pour affronter l'existence. Même Olivier, par moments, ne me paraît pas aussi heureux qu'il pourrait l'être. Et papa ! Il y a aussi mon vieux papa qui a besoin de moi, de nous. Je n'ai pas le temps d'être malade. Je ne veux pas être malade. Tu m'entends ? Je ne veux pas...

La tirade de Jeanne venait de se terminer dans les larmes et Thomas comprit qu'elle n'ajouterait rien. Il la laissa pleurer un moment, puis tout doucement, il essuya son visage du revers de son chandail.

— Mais qu'est-ce que c'est que cet avenir sinistre ? Justement, c'est toi qui l'as dit, tu es encore jeune et à part cette bosse, tu es en parfaite santé. Pourquoi envisager le pire alors que ce n'est peut-être que trois fois rien ?

À ces mots, Jeanne ne put réprimer un sourire.

— Tu viens d'employer l'expression que je ne cesse de me répéter depuis des mois.

— Tu vois ! Ce qui ne veut pas dire d'être négligents pour autant. C'est pourquoi, si tu le permets, je vais appeler Gilles. C'est peut-être un coureur de jupons impénitent, mais c'est aussi le meilleur médecin que je connaisse en... dans le domaine des bosses !

Malgré le tressaillement de son cœur, Jeanne se tourna franchement vers son mari.

— Vas-y ! N'aie pas peur des mots, dis-le ! Gilles est un excellent oncologue. Je le sais. Ce qui veut dire que je ne suis pas loin de la vérité.

— Pas du tout ! Ça veut seulement dire qu'on va éviter des tas d'étapes, des délais inutiles et qu'au besoin, cela jouera en ta faveur. S'il n'y a rien de majeur, Gilles saura nous le dire. Par contre, si on doit intervenir, c'est le meilleur. Alors ? Qu'est-ce que tu en penses ?

— Ce que j'en pense ?

Jeanne s'était redressée. Elle regarda longuement autour d'elle. Brusquement, ce salon qu'elle avait décoré avec tant de soin lui sembla hostile. Même le jardin qu'elle apercevait du coin de l'œil lui parut inhospitalier. Elle soupira. De colère, d'amertume, d'appréhension.

— D'accord, consentit-elle enfin du bout des lèvres, une bonne dose de réticence dans la voix. Ai-je vraiment le choix ? Appelle Gilles, qu'on en finisse au plus vite. S'il peut me recevoir aujourd'hui, dis-lui que je suis prête.

Mais au fond d'elle-même, Jeanne savait qu'elle ne

serait jamais prête à apprendre l'impensable.

Jamais.

Quelques heures plus tard, elle était assise dans le bureau de Gilles Picard, copain d'études de Thomas, chirurgien, hématologue et oncologue. Elle était tendue et le fauteuil capitonné ne l'aidait pas à se détendre. Chaque fois qu'elle tentait de prendre une profonde inspiration, elle avait l'impression de glisser, de s'enfoncer entre les accoudoirs et cela lui était franchement désagréable. La pièce avait des allures de chambre d'hôtel luxueuse ou plutôt, elle tentait de ressembler à un bureau de ministre et cela également n'aidait pas Jeanne à se sentir à l'aise. À un point tel qu'elle se surprit à regretter la petite chaise droite et les murs dénudés du cabinet du docteur Morneau. L'austérité qui les caractérisait s'accordait nettement mieux à ses muscles crispés.

Depuis leur entrée dans la pièce, Thomas et Gilles parlaient de tout et rien. Ils avaient l'air de deux compères se retrouvant après de nombreux mois et voulant à tout prix écouler toutes les nouvelles qu'ils n'avaient pas eu le temps de partager, en attendant qu'on leur serve un cocktail !

Jeanne ne s'était pas immiscée dans la conversation, la jugeant aussitôt hors de propos. Pourquoi discuter de la pluie et du beau temps alors qu'elle était ici pour savoir si l'espoir était encore permis ? Parce que c'est ainsi qu'elle voyait cette consultation. Avec l'expérience que Gilles avait développée au cours de ses nombreuses années de pratique, il ne faisait aucun doute pour Jeanne qu'il allait, d'un simple regard, poser un diagnostic précis et infaillible. Pourquoi attendre alors et s'embarrasser d'une conversation qui n'avait pas sa place ?

Jeanne se demanda si les deux hommes agissaient ainsi pour l'aider à se détendre.

Elle soupira en se disant qu'ils avaient magistralement raté leur coup. De seconde en seconde, elle sentait la tension s'accroître. Elle avait les mains moites et la gorge sèche.

Jeanne sursauta violemment quand Gilles l'interpella pour la seconde fois.

— Hé Jeanne! Où donc es-tu, jolie Jeanne?

Jeanne tourna enfin la tête vers Gilles, non sans avoir posé, au passage, un regard ténébreux sur son mari.

— Je suis là! J'attendais seulement que vous ayez terminé vos mondanités, répliqua-t-elle du tac au tac, un peu méchamment.

À ces mots, Gilles comprit que l'inquiétude de Jeanne avait atteint son paroxysme. Jamais il ne l'avait vue impatiente ou malveillante envers quelqu'un. Jeanne était la douceur incarnée, la tolérance, l'indulgence. Du moins, c'était l'image qu'il s'était faite d'elle à travers les nombreuses rencontres au fil des années. Si elle avait riposté avec autant de raideur, dardant un regard assassin vers Thomas, c'était qu'elle avait atteint ses limites. Il tourna alors vers elle toute son attention. Jeanne avait raison. Aujourd'hui, ce n'était pas l'ami qu'elle venait rencontrer, mais le médecin qu'elle voulait consulter.

— Alors, Jeanne? Thomas me parlait d'une masse au genou. C'est bien cela?

— Ça ressemble à ça.

— Peux-tu m'en faire l'historique? Quand est-ce que cela a commencé et comment?

— Je vais essayer.

Durant un bref moment, Jeanne ferma les yeux. Avec Gilles, pas question de dorer la pilule. De toute façon, elle avait trop mal pour contourner la vérité. Ce qui l'embêtait, cependant, c'était la présence de Thomas. Quand il apprendrait qu'elle avait ces malaises depuis près d'un an et qu'elle n'avait rien dit...

Jeanne avala sa salive en même temps qu'elle ouvrait les yeux.

Évitant de croiser le regard de Thomas, à qui elle aurait eu envie de demander de sortir, elle se jeta enfin à l'eau.

— Voilà, lança-t-elle en prenant une profonde inspiration. Ça doit faire maintenant presque un an que j'ai commencé à avoir mal à ce maudit genou. Au début, c'était plutôt le matin, au réveil, que j'avais mal. C'est pourquoi j'ai tout de suite songé à de l'arthrite. À force d'être à quatre pattes sur la terre humide, ça me semblait logique. Mais voilà qu'au début de l'hiver...

Pendant de longues minutes, Jeanne tenta de se rappeler les événements qui avaient ponctué l'évolution de sa douleur. C'était là le seul mot que sa bouche consentait à prononcer: douleur. Elle n'arrivait pas encore à parler de masse ou de tumeur et espérait n'avoir jamais à prononcer ces mots. Pour elle, ils étaient synonymes de cancer ce qui, à ses yeux, était à son tour synonyme de défaite.

Gilles l'écouta avec l'attitude rigoureuse d'un confesseur, se contentant de noter un mot par-ci, par-là, son stylo grinçant lorsqu'il marquait le papier. Puis, quand Jeanne se tut, il resta un long moment silencieux, ayant la décence d'éviter le regard de Thomas. Il se leva brusquement, faisant sursauter Jeanne pour la seconde fois en quelques minutes à peine. Elle avait décidément les nerfs à fleur de peau.

— Si tu le veux bien, j'aimerais jeter un coup d'œil à ce fichu genou, déclara-t-il en se penchant au-dessus du pupitre en acajou. Passe dans la salle d'examen, c'est la porte au fond du bureau. J'aimerais que tu enlèves ton jeans. Il y a des jaquettes sur une tablette. Quand tu seras prête, tu n'auras qu'à m'appeler.

Jeanne se leva sans protester. La douleur du matin s'étant légèrement résorbée, elle se fit un devoir de marcher sans clopiner comme si elle voulait prouver à tout le monde que ce n'était pas grave. Mais dès que la porte de la salle d'examen se referma sur elle, elle ne put s'empêcher de grimacer. Puis, elle se dirigea vers le petit meuble où s'empilait une multitude de jaquettes bleues comme on en voyait dans les hôpitaux et elle commença à dégrafer la fermeture de son jeans. Dans quelques minutes, elle saurait enfin ce qui causait tant de douleur.

— C'est beau, Gilles. Tu peux venir!

★   ★   ★

Tiré de l'agenda de Jeanne

Le voyage est annulé ou plutôt, comme le dit diplomatiquement Thomas, reporté à plus tard. Quel euphémisme! Il aurait dû dire remis à la semaine des quatre jeudis, oui! C'est Josée qui va être déçue quand je vais l'appeler demain. Je déteste écrire ces mots, mais avons-nous le choix? J'ai toujours dit que la vie n'était qu'une suite de choix ou plutôt de décisions plus ou moins heureuses. Mais, là... Si je veux exprimer les choses avec lucidité, avec franchise, si je veux rendre la situation plus objective, comme le dirait mon fils Olivier, je dois reconnaître que Gilles ne m'a pas laissé le choix, justement. Il a pris la situation en mains sans me demander mon avis. Je lui en veux, c'est certain, car je déteste qu'on se mêle de mes affaires, mais je m'en remets à lui.

Je suis ressortie de son cabinet avec une liste interminable. Une ribambelle d'examens à passer dans les plus brefs délais. À l'hôpital, a-t-il précisé, et non dans une clinique. Sans même me demander ma disponibilité, Gilles a pris lui-même les rendez-vous. J'ai l'impression qu'il est un poids lourd à l'hôpital, car on lui a tout de suite trouvé une place. Lundi prochain, à sept heures du matin, je dois me présenter pour une série de tests. À jeun. Gilles a parlé de radiographies, de scanner, de prises de sang. Il ne m'a pas caché qu'il n'aimait pas du tout l'apparence de ma jambe. Mon cœur s'est arrêté de battre quand il m'a dit ça, en me regardant droit dans les yeux. J'aurais tant voulu qu'il me dise autre chose. J'aurais tant voulu que l'inquiétude et la peur restent dans ce bureau trop chic. Mais non ! Gilles m'a dit qu'il n'aimait pas l'apparence de ma jambe. Il a été direct et franc. Tant mieux. Je préfère la franchise aux entourloupettes de politesse. Et tant pis parce que, comme résultat, je suis terrorisée. Ça fait un an que je vis la moitié du temps avec la peur au ventre et l'autre moitié avec une insouciance qui me permet d'oublier. Ce soir, j'ai l'impression, non, j'ai la certitude, qu'il n'y en aura plus de ces moments d'oubli. La peur est en train de devenir une compagne de tous les instants.

Saurai-je la vaincre si Gilles m'annonce qu'il ne peut rien pour moi ?

Je n'ai pas osé demandé ce qu'il voulait dire exactement en affirmant qu'il n'aimait pas l'apparence de ma jambe. Je n'ai surtout pas demandé qu'il me fasse la liste exhaustive des possibilités et j'ai apprécié que Thomas ne se mêle pas de la conversation. Je crois que je n'avais pas envie d'entendre le mot cancer. *Peut-être parce que je pressens qu'il finira bien par apparaître, ce maudit mot, un jour ou l'autre, dans une quelconque conversation et que j'ai inconsciemment décidé que le plus tard serait le mieux. Mais est-ce aussi inconscient que je me plais à le dire?*

J'écris ces mots et j'imagine sans difficulté la tête que Thomas ferait s'il venait à les lire. Il ne serait pas d'accord. Il dirait que je mets encore une fois la charrue devant les bœufs. Aurait-il raison? Dans un sens, oui. Tant qu'on n'aura pas les résultats des examens, tout reste permis. Même l'espoir le plus extravagant. Parce que c'est vraiment ce que je pense. L'espoir est devenu pour moi une extravagance de dernière instance. C'est moche d'en être là. Et c'est curieux de constater à quel point je me sens la tête froide. Une fois le premier choc passé quand Gilles me parlait, j'ai ressenti un véritable bloc de glace s'infiltrer dans ma poitrine. Peut-être est-ce là un réflexe de survie. En tout cas, ça m'a permis d'être stoïque devant Thomas qui, lui, a viré au blanc d'un seul coup. Pauvre Thomas! Il revenait de loin et c'est en partie ma faute. J'aurais dû lui en parler avant. Il devait être autant déçu par mon silence qu'inquiété par les propos de Gilles. Je ne le sais pas. Il ne m'en a pas parlé. Mais quand il conduit les mains rivées au volant, le regard fixe, c'est qu'il est profondément meurtri ou triste. Et jamais je ne l'ai vu aussi taciturne, aussi hermétique que tout à l'heure quand nous sommes revenus chez nous. Dès notre arrivée à la maison, il s'est installé devant la télévision avec une bière froide. C'est évident que je l'ai blessé. Ce n'est vraiment pas ce que je recherchais, mais c'est ce que j'ai semé en me taisant aussi longtemps. Je m'en veux. Jamais je n'ai voulu faire de mal à Thomas. Mais encore là, je crois que l'instinct de survie a eu le dessus sur le bon sens le plus élémentaire et le respect que j'aurais dû avoir envers lui.

Et voilà où j'en suis. Froide, le cœur sec, comme si les émotions n'avaient plus leur place dans mon existence. Il ne reste que la peur qui me tord l'estomac. Mais je dois le reconnaître, ce n'est pas l'anxiété dévorante qui m'a accompagnée au cours des derniers mois. Présentement, la peur, je la ressens vraiment comme un phénomène physique, bien tangible. Rien à voir avec les sentiments. Ça doit être ce qu'on appelle le trac. Mais le reste, mes habituels larmes et tremblements intérieurs, est absent. Ça ne me ressemble pas. Comme si j'étais en train de me faire des réserves au cas où le pronostic serait mauvais. Des réserves de larmes et de tremblements de l'âme.

Chapitre 6

Montréal, fin juillet 2004

« *Emporte-moi,*
Que le vent gonfle la voile,
Et qu'à l'heure des étoiles,
Nous soyons très loin de tout.
Emporte-moi,
Que le flot berce mes rêves
Et qu'à l'heure où tout s'achève
Il ne reste rien que nous. »

EMPORTE-MOI, ALAIN BARRIÈRE, INTERPRÉTÉ PAR ALAIN BARRIÈRE

L'intensité de la douleur de l'autre matin n'était pas revenue. Elle s'était plutôt transformée en un élancement sourd et constant franchement pénible. Néanmoins, en vingt-quatre heures à peine, Jeanne s'y était habituée comme elle s'était accoutumée, au fil des mois, à se mouvoir différemment, à apercevoir une bosse sur le côté de sa jambe, chaque jour quand elle s'habillait, à taire le fait qu'elle ait mal. Il n'y avait peut-être que le soir, au moment où elle se glissait sous les couvertures, où l'élancement se faisait plus présent. Heureusement, la noirceur de la chambre camouflait ses grimaces de douleur et Thomas ne se doutait de rien.

Malgré les événements des derniers jours, Jeanne jugeait que c'était parfait ainsi.

Pourtant, la discussion qui avait finalement suivi la

visite au cabinet de Gilles avait confirmé que son mari avait été profondément blessé par son silence. Jeanne s'était excusée, s'était maladroitement expliquée. Thomas avait longuement réfléchi, puis il avait admis qu'il pouvait peut-être comprendre car lui aussi était terriblement inquiet et l'inquiétude pouvait amener toutes sortes de réactions.

La soirée s'était terminée dans les larmes partagées.

Et c'étaient justement ces quelques larmes de Thomas qui avaient convaincu Jeanne de ne pas parler. Voir son mari pleurer à deux reprises, en quelques semaines à peine, avait suffi pour qu'elle choisisse de passer sous silence le mal qu'elle éprouvait. À ses yeux, ce n'était pas la même chose que de mentir par omission comme elle l'avait fait depuis un an.

À la clarté des derniers événements, se taire, c'était simplement ne pas se lamenter.

Ils avaient traversé la fin de semaine loin des amis et des enfants, ressentant l'un comme l'autre le besoin impulsif d'un peu de temps à eux. Juste quelques jours pour oublier les déceptions et s'ajuster à une nouvelle réalité. Juste un trop court moment d'exclusivité amoureuse pour y puiser la force d'affronter les épreuves qui risquaient de survenir.

C'est pourquoi, quand Mélanie avait appelé pour les inviter à venir se baigner, Thomas avait gentiment décliné l'invitation. Le sourire un peu las que Jeanne lui avait lancé l'avait conforté dans sa décision. Visiblement, elle non plus n'avait pas envie de sortir. Entre eux, il n'était pas toujours nécessaire de préciser les choses.

Quant à Josée, malgré ses protestations véhémentes, Jeanne avait réussi à la garder à distance. Non, ils ne feraient pas le voyage à cause de sa jambe qui restait enflée et non, elle n'avait pas envie de voir qui que ce soit pour le moment. Néanmoins, elle avait suivi ses conseils et un médecin s'occupait d'elle. Pour l'instant, il n'y avait rien à ajouter. Elle n'avait surtout pas dit que c'était Gilles qu'elle avait consulté. Josée le connaissait bien et elle aurait tout de suite sauté aux conclusions. Toutefois, la sollicitude bruyante de son amie, son insistance affectueuse l'avaient grandement irritée. Jeanne avait presque raccroché au nez de Josée en lui soulignant que l'amitié c'était aussi apprendre à se montrer discret en certaines circonstances. Au silence qui avait suivi ses propos, Jeanne avait compris qu'elle venait de la blesser. Une de plus! Elle avait donc promis de lui donner des nouvelles dès qu'elle en aurait elle-même en lui demandant, cependant, de ne pas ébruiter la nouvelle. Jeanne exigea même que Josée promette de ne pas parler de ses petits problèmes pour l'instant. À personne!

— Je ne veux pas inquiéter nos amis. Ni même mes enfants! Probablement que ce n'est pas grave, de toute façon. C'est uniquement une petite douleur agaçante et persistante qui me fait annuler notre voyage. Sinon, nous aurions été de la partie, tu peux en être certaine. Je regrette infiniment! Nous nous reprendrons, c'est promis.

Et le lundi était arrivé. Le beau temps persistait même si Jeanne s'en apercevait à peine.

Assise sur une chaise roulante inconfortable stationnée dans un recoin du cagibi qu'on osait appeler salle d'attente, Jeanne claquait des dents tellement elle était nerveuse. Pourtant, à l'extérieur, le thermomètre frôlait les trente degrés et il n'était pas encore onze heures.

« C'est probablement à cause du *scanner* », se répétait Jeanne pour s'en convaincre.

Depuis toujours, elle avait la phobie des espaces clos. Quand elle avait vu l'espèce de cylindre qui allait l'avaler, elle avait eu un geste de recul. Elle n'y arriverait jamais. Elle avait dû faire un effort surhumain pour se coucher sur la table de métal, pour ne pas bouger et ne pas se laisser aller à la panique. Elle en était ressortie épuisée et tremblante. Elle n'avait pas arrêté de trembler depuis.

Et Thomas n'avait rien fait pour l'aider à se détendre !

Exaspérée de le voir tourner comme un ours en cage, elle l'avait finalement expédié à la cafétéria pour qu'il lui trouve quelque chose à manger. Maintenant que les prises de sang étaient faites, que le maudit *scanner* était passé, elle pouvait manger. Pourtant, elle n'avait pas faim. Elle espérait que la jeune fille à l'air revêche qui lui avait indiqué l'endroit où se changer viendrait la chercher pour les radiographies avant que Thomas ne revienne. Le café et le muffin avaient servi de prétexte pour se soustraire à l'anxiété de son mari et elle ne voulait surtout pas être obligée de tout dévorer pour donner le change et avoir bonne conscience.

Cette réaction de la part de Thomas la surprenait un peu, d'ailleurs. Jusqu'à maintenant, son mari s'était toujours montré maître de lui en toute circonstance. Son flegme proverbial était même un sujet de blague entre copains. Mais depuis leur visite au cabinet de Gilles, Thomas avait laissé tomber le masque. Il était visiblement bouleversé et ne cherchait pas à le cacher. Et, ce, même s'il continuait d'affirmer qu'il ne fallait pas s'en faire avant d'avoir les résultats. À un point tel que Jeanne avait l'impression qu'il y croyait à peine. C'était peut-être pour cette raison qu'elle avait réussi à passer outre sa propre inquiétude pour soutenir Thomas. Durant la fin de semaine, elle s'était appliquée à ne manifester qu'une sereine détermination.

— Tu vas voir, ça va aller!

Elle avait dû répéter cette petite phrase au moins cent fois en deux jours! En pure perte! Ce matin, Thomas avait bu une cafetière pleine à lui seul. Ce qui avait eu pour résultat de le transformer en un paquet de nerfs incapable de rester assis plus de deux minutes en ligne.

— Jeanne Lévesque! Madame Jeanne Lévesque, s'il vous plaît!

Jeanne échappa un soupir de soulagement en levant la main. Non seulement Thomas n'était pas revenu mais quand il serait là, le supplice serait terminé et ils pourraient retourner à la maison.

Il ne resterait plus que l'attente.

Il ne resterait plus, peut-être, que quelques heures à cet espoir absurde, faisant encore penser à Jeanne que ce n'était que trois fois rien.

À quatre heures, cet après-midi, elle avait rendez-vous au cabinet de Gilles.

À quatre heures, cet après-midi, elle en saurait un peu plus, à défaut de tout savoir.

À cette pensée, Jeanne sentit son estomac se contracter.

Elle n'eut pas le loisir de pousser sa réflexion plus loin puisqu'une radiologiste venait la chercher. C'était une femme d'à peu près son âge au sourire avenant. À part la jeune préposée à la radiologie, Jeanne n'avait rencontré que des gens sympathiques, ce matin.

— On est prête ?

Jeanne répondit à son sourire.

— Ai-je le choix ?

Cette banale interrogation était devenue son leitmotiv. La radiologiste lui tapota gentiment l'épaule tout en dirigeant la chaise vers l'autre bout du corridor.

— Allons ! Ce n'est qu'une petite radiographie.

— Oh ! Ce n'est pas la radiographie… C'est plutôt ce qu'on va découvrir qui me fait peur. Si vous saviez à quel point j'ai peur !

Avec les étrangers, Jeanne avait toujours eu de la facilité à échanger. De confesser l'angoisse qui lui tordait l'estomac lui fit un bien immense. Avec Thomas ou les enfants, elle n'aurait jamais osé.

— Je comprends, fit la femme en poussant une lourde porte. Voilà, on y est !

Elle aida Jeanne à se relever de la chaise roulante tout en continuant de parler.

— Je vais être franche avec vous : je n'aimerais pas ça, moi non plus. Mais dites-vous bien qu'il passe ici des dizaines de personnes dans votre cas. Des dizaines à chaque semaine ! C'est beaucoup. Vous voyez que vous n'êtes pas la seule ! Ça ne change rien à votre situation, mais parfois ça aide de savoir qu'on n'est pas la seule à vivre des inquiétudes. Et maintenant, grimpez là-dessus ! Ne faites pas de saut, c'est un peu froid.

La radiologiste s'activa quelques instants autour de Jeanne avant de lui placer la jambe dans un angle qui la fit grimacer.

— Je sais, c'est inconfortable. Mais comme vous l'avez si bien dit tout à l'heure : je n'ai pas le choix.

Puis, elle disparut derrière un mur vitré.

— Trois radios de face, deux de côté et c'est fini. Je vais compter. À trois, vous retiendrez votre souffle.

Ce fut à ce moment qu'on frappa à la porte.

— Zut !

La radiologiste glissa la tête dans la pièce.

— Si vous êtes capable de garder la pose sans trop souffrir, ne bougez pas ! Je reviens dans deux ou trois secondes.

Assise sur la table, appuyée sur ses deux bras en extension derrière elle, Jeanne poussa un soupir d'agacement. Pourquoi fallait-il que ça tombe toujours sur elle ? La pose était franchement déplaisante, mais comme la technicienne lui avait parlé de quelques secondes seulement, Jeanne s'obligea à ne pas bouger.

Elle regarda autour d'elle. C'était une salle de radiologie semblable aux autres. Puis, machinalement, son regard se porta sur sa jambe, attiré par le halo de lumière intense qui la frappait. Mis ainsi en évidence, son genou lui sembla disproportionné. Même la peau avait un aspect insolite, une transparence qu'elle n'avait pas remarquée avant cet instant et qui semblait augmenter la teinte rougeâtre de l'enflure. Elle n'osa y toucher. Comme si ce genou hideux ne lui appartenait pas et qu'il serait déplacé d'y porter la main. C'était sa jambe, mais elle ne la reconnaissait pas. La douleur était toujours présente, mais Jeanne eut brusquement la curieuse impression de la ressentir par personne interposée.

Quand la technicienne revint, Jeanne fixait toujours son genou. Elle leva la tête et fut tentée de demander l'avis de la radiologiste. Des cas comme le sien, elle devait en voir régulièrement. Mais au moment où elle allait ouvrir la bouche, Jeanne figea. Dans le fond, valait mieux s'abstenir. La technicienne n'était pas là pour poser un diagnostic même si elle en était fort probablement capable. Plutôt que se faire servir une réponse vague et sans signification, Jeanne préféra se taire et laisser une dernière chance à l'espoir. Elle se contenta d'articuler :

— Je n'ai pas bougé d'un poil !

La radiologiste lui adressa un grand sourire dans lequel Jeanne puisa une espèce de fierté puérile qui, néanmoins, la réconforta.

— Parfait, approuva la femme en retournant derrière le mur vitré. Je compte jusqu'à trois et vous retenez votre souffle. Ça ne sera plus très long.

Lorsque Jeanne ressortit de la salle de radiologie, Thomas l'attendait, un sac dans une main et un grand café dans l'autre. Il se releva précipitamment.

— Je crois bien que j'ai bu presque tout le café, fit-il penaud en lui tendant le gobelet de carton. Par contre, le muffin est intact et il semble très bon. Aux bleuets, comme tu les aimes.

Était-ce le calme de la technicienne ou son sourire chaleureux qui avaient rassuré Jeanne ? Un peu des deux, probablement. Toujours est-il qu'elle tendit la main vers le sac, tout frissonnement disparu.

— Miam ! Je crois que finalement, j'ai faim !

Puis, elle leva les yeux vers Thomas et lui sourit.

— Et maintenant, à la maison ! Il me tarde d'être dans mon jardin !

L'après-midi passa sans que ni l'un ni l'autre n'osent reparler des examens. Thomas se contenta d'une salade pour le repas et Jeanne ne mangea qu'une pomme. Ils jasèrent de la température qui était exceptionnelle depuis une semaine, du bout des mots, évitant volontairement l'essentiel. Ils avaient trop peur.

Puis Jeanne s'installa sur une chaise longue, à l'ombre du gros érable, et ferma les yeux tandis que Thomas se réfugiait sur la terrasse avec un livre qu'il feignait de lire. Jeanne n'en était pas dupe; elle-même aurait été incapable de s'intéresser à quoi que ce soit. Les mots *Cancer et tumeur, tumeur et cancer* n'arrêtaient pas de tournoyer dans sa tête, l'empêchant d'aligner deux pensées cohérentes.

Les tremblements étaient revenus, happant le cœur au passage. Jeanne se sentait fébrile.

Qu'allait-elle apprendre dans quelques heures? Que ses jours étaient comptés ou que toute cette histoire n'avait été qu'une belle frousse?

Ou peut-être n'apprendrait-elle rien du tout. On avait vu une bosse près du genou, soit. Cependant, on ne savait pas exactement ce qu'il en était. Auquel cas, il faudrait intervenir, cela semblait évident. Finalement, Jeanne en était de plus en plus convaincue, elle n'échapperait pas au bistouri.

Elle passa l'après-midi à échafauder des scénarios qui se répétaient à l'infini.

Au bout du compte, ce ne serait peut-être qu'un kyste. On allait l'enlever et dans quelques jours, quelques semaines à peine, on n'en parlerait déjà plus. Peut-être même, si les billets n'étaient pas vendus, que Thomas et elle pourraient faire le voyage avec Josée et Marc. Pourquoi pas? Avec de bons, de très bons médicaments contre la douleur, ce serait peut-être possible et l'opération pourrait avoir lieu uniquement à leur retour. De toute façon, avec les listes d'attente dont on parlait dans les hôpitaux, le nom de Jeanne Lévesque ne sortirait probablement du chapeau que dans quelques mois !

Mais c'était peut-être aussi une déformation de l'os provoquée par de l'arthrose. Ce serait plus grave, sans être dramatique. Jeanne n'y connaissait pas grand-chose, mais elle avait déjà entendu parler de genou artificiel. Ce serait peut-être son cas. Et là encore, Thomas et elle pourraient peut-être faire le voyage en Mongolie en attendant l'intervention.

Ou alors, ce serait peut-être une tumeur. Maligne ou pas, cela ne faisait pas une grande différence dans l'esprit de Jeanne. Pour elle, une tumeur serait toujours une tumeur et même si elle était bénigne, elle aurait l'impression de vivre avec sursis, une épée de Damoclès pendue au-dessus de sa tête. C'est à ce moment de sa réflexion que le visage émacié de sa mère se posa en filigrane dans sa pensée. Jeanne secoua lentement la tête en un long geste de négation.

« Mon Dieu, je Vous en supplie ! Tout, mais pas ça. »

Jeanne n'avait jamais été une fervente pratiquante mais à quelques reprises, au cours de sa vie, elle s'était surprise à prier. Comme aujourd'hui, alors que les événements dépassaient son entendement et qu'elle n'avait plus aucun contrôle. Il y avait tellement de peut-être dans toutes ses hypothèses.

Alors, pour faire disparaître l'image de sa mère, Jeanne reprenait tout à zéro. Finalement, ce n'était qu'un kyste, sans gravité et…

— Jeanne ? Il faudrait penser à partir.

Elle s'était assoupie. Son nom, prononcé par Thomas avec

une infinie gentillesse la ramena tout doucement à la réalité. Elle ouvrit les yeux. Accroupi près de sa chaise, Thomas la contemplait avec un regard amoureux. Ce regard rempli de tendresse qu'il ne gardait que pour les occasions d'exception.

— Je t'aime, murmura-t-il la gorge enrouée par l'émotion. Et rien ni personne, jamais, n'y changera quoi que ce soit.

Jeanne se contenta d'enfouir son visage dans le cou de son mari pour cacher l'émoi qui piquait le bord de ses paupières. Il n'y avait rien d'autre à faire. Entre eux, ce serait toujours une question d'amour.

Gilles les attendait. Au sourire qu'il affichait, Jeanne osa croire que le pire n'était peut-être pas à envisager. Néanmoins, elle s'assit sur le bout du fauteuil, incapable de se décontracter.

— Voilà, commença le médecin que Jeanne avait beaucoup de difficulté à considérer comme un homme réfléchi.

Gilles était un séducteur de la pire espèce. Ses conquêtes étaient innombrables. Pour Jeanne, c'était ridicule, immature et elle aurait toujours une certaine hésitation à le prendre vraiment au sérieux. Pourtant, Thomas n'avait peut-être pas tort quand il disait de leur ami qu'il était le meilleur médecin en son domaine. Certains de ses articles avaient été publiés dans des revues médicales prestigieuses.

— Voilà, répéta Gilles, étranger à l'analyse que Jeanne venait de lui faire subir. Au niveau de la jambe, c'est très net. Tant le *scanner* que la radio montrent une masse bien délimitée. Une forme qui ne laisse aucun doute : il s'agit bien d'une tumeur.

— Maligne ? interrompit précipitamment Jeanne qui n'avait pu retenir le mot.

— On ne le saura qu'après une biopsie. Mais laisse-moi terminer. La bonne nouvelle, c'est qu'il ne semble pas y avoir d'autres tumeurs au niveau des os. C'est une excellente nouvelle. Je dirais même que cela laisse sous-entendre que c'est peut-être bénin. Toutefois, le *scanner* nous a laissé voir une certaine ombre au niveau du poumon droit. Comme tu as travaillé toute ta vie dans la poussière et l'humidité, ce n'est peut-être qu'une tache sans gravité. Ça arrive, tu sais. Mais on ne prendra aucune chance. Voici donc ce que je te propose : je vais demander à Jean-Marc de t'opérer dès qu'il a une place libre.

— Jean-Marc ?

— Jean-Marc Lafontaine. C'est un orthopédiste. Un excellent orthopédiste.

Jeanne semblait déçue, légèrement décontenancée.

— Pourquoi pas toi ?

— Les os, ce n'est pas dans ma compétence. Je n'interviens qu'en cas de tumeur au niveau de l'abdomen. Par contre, je reste ton médecin traitant et toutes les décisions se prendront avec mon accord.

Jeanne dessina une grimace de désappointement.

— Je vois.

— Ne crains rien, Jean-Marc est un as ! Donc, je reprends. Jean-Marc t'opère dès que possible et on fait l'analyse de la tumeur. Si elle est bénigne, on enlève la masse et par acquit de conscience, juste pour prévenir, on fera un peu de radiothérapie par la suite. Par contre, si elle est maligne, on étendra notre investigation et par la suite, on ajoutera de la chimiothérapie pour traiter cette ombre au poumon droit. Dans le meilleur des cas, dans quelques mois tu seras en rémission, donc potentiellement guérie. Dans le pire, l'ombre au poumon persistera et on opérera à nouveau pour l'enlever, en espérant que ce sera suffisant. Mais je serais le premier surpris qu'on soit obligés d'en arriver là.

« En espérant que ce sera suffisant… »

Ce souhait avait atteint Jeanne avec une brutalité qui lui fit sursauter le cœur et escamotait la dernière tirade de Gilles. On y était. La peur qui avait prolongé les silences de la dernière année avait repris possession de tout son être. Jeanne se sentait aspirée dans une tornade qui ne lui laissait aucune chance pour reprendre pied.

Cancer…

Gilles n'avait pas eu à prononcer son nom pour que Jeanne sente son haleine fétide.

Elle ferma les yeux une fraction de seconde pour se ressaisir. Trop de questions tourbillonnaient dans son esprit pour qu'elle arrive à se calmer. Et il y avait surtout ces deux mots que Gilles avait prononcés. Deux mots porteurs d'images insoutenables, deux mots qu'elle avait cherché à mettre en veilleuse tout au long de sa vie.

Chimiothérapie, radiothérapie…

Ces mots, Jeanne les connaissait fort bien. C'étaient eux qui auraient dû guérir sa mère. Mais ils ne l'avaient pas fait. Tout ce qu'ils avaient réussi à offrir n'avait été que mensonge et illusion. Une chimère qui avait entretenu l'espoir insensé d'une famille, celui de voir Béatrice s'en sortir. Elle s'était pliée avec conviction à tous ces traitements inutiles. Et à cause d'eux, les derniers mois de son existence avaient été un véritable calvaire.

Était-ce là ce que Gilles lui proposait ?

Était-ce là tout ce que Gilles avait à proposer ?

Jeanne ouvrit les yeux et se redressa imperceptiblement sur sa chaise.

—J'ignore si je te l'ai déjà dit, commença-t-elle lentement, mais ma mère est décédée d'un cancer. J'avais tout juste treize ans. Mais je m'en souviens très bien. Je me rappelle surtout combien elle a souffert. Et pas seulement à cause de son cancer. Les traitements aussi ont été une source de douleurs, de malaises épouvantables. Et tout ça pour quoi ? Pour rien. Absolument rien. La maladie a continué son œuvre, implacable, invincible. Six mois plus tard, ma mère mourait. Six mois qui nous ont paru très courts, à mon père et à moi, mais qui ont dû sembler une éternité à ma mère. Alors, si c'est tout ce que tu as à me proposer, je te réponds : très peu pour moi.

Jeanne avait parlé d'une voix sourde et décidée. Thomas, tête penchée, l'avait écoutée sans avoir l'air surpris par ses propos. C'était une discussion qu'ils avaient déjà eue ensemble. La qualité de vie jusqu'au bout. Ils en avaient même souvent discuté avec leurs amis Josée et Marc. Acharnement thérapeutique, euthanasie, suicide assisté… C'étaient là des sujets à la mode, proposés par quelques cas soumis aux tribunaux. En ces occasions, Jeanne s'était toujours affichée en ardent défenseur de la qualité de vie. Elle savait de quoi elle parlait, argumentait-elle lorsque venaient des désapprobations. Et Thomas était d'accord avec elle. Cependant, il ne croyait pas qu'ils en étaient arrivés là. Malgré cela, par respect pour Jeanne, il choisit de ne pas intervenir, de ne pas s'immiscer dans une discussion que Gilles allait sûrement poursuivre. Il n'était pas concerné. Du moins, pas directement même s'il avait mal jusqu'au plus profond de son cœur.

Gilles aussi avait observé un moment de silence après l'exposé de Jeanne. Il s'attendait à cette réaction. Ils étaient légion, les patients qui réagissaient comme Jeanne venait de le faire. Mais il savait également qu'une fois le choc initial passé, la majorité d'entre eux choisissait de prendre le pari de la vie. Par la suite, ces patients-là affrontaient les traitements avec une détermination qui frôlait le courage à l'état brut. Il espérait que Jeanne ferait partie de cette catégorie.

—Je te comprends, Jeanne, enchaîna-t-il. Je comprends très bien que tout cela te fasse peur. C'est normal. Mais je tiens quand même à préciser que les choses ont changé depuis le décès de ta mère. Les espoirs de rémission à long terme et de guérison totale sont passés, dans bien des cas, de dix ou vingt pour cent à plus de soixante et parfois même à plus de quatre-vingts pour cent. Il ne faudrait surtout pas que tu bases ta décision sur ce que ta mère a vécu. La science a beaucoup évolué depuis.

Malgré son air douteux, Jeanne buvait les paroles de Gilles. Et s'il avait raison? Tout son être, cœur et raison confondus, ne demandait qu'à le croire.

Ce fut à cet instant qu'elle osa un regard vers Thomas. Il la dévorait des yeux. Jeanne se sentit chavirer. Au-delà de sa peur, il y avait aussi Thomas qu'elle aimait du plus profond de son être. Pour lui, pour leur vie à deux qui était ce qu'il y avait de plus important pour elle, Jeanne trouva l'énergie de tracer un pâle sourire. Elle tendit le bras et spontanément leurs doigts s'entremêlèrent. Alors, elle revint à

Gilles qui semblait les observer avec envie. Jeanne inspira profondément à deux reprises, expira bruyamment.

— Maintenant, Gilles, tu vas reprendre depuis le début. Quelles sont mes chances d'en sortir sans y laisser trop de plumes ? Quelles sont les probabilités que je puisse guérir ? Et n'essaie pas de lénifier les choses sous prétexte que je suis une amie. Je veux la vérité, rien que la vérité. C'est à ce prix que je pourrai prendre les bonnes décisions. D'accord ?

Gilles apprécia le timbre de voix de Jeanne. Aussi calme et décidé que tout à l'heure, il y avait en plus une pointe de curiosité qui lui sembla de bon augure.

— D'accord. Mais d'abord, laisse-moi te dire une chose. Je n'ai jamais menti à aucun de mes patients et je n'ai pas l'intention de commencer avec toi. Je sais bien que je donne toutes les apparences d'un homme un peu frivole, inconstant. Notre amitié fait en sorte que tu en as été un témoin privilégié. Mais en ce qui a trait à mon métier, je suis d'une rigueur irréprochable. Tu peux me faire confiance. Nous devrons apprendre à nous faire confiance mutuellement, conclut-il en appuyant sur les syllabes des mots *nous devrons*.

Petit à petit, de mot en mot, Jeanne commençait à comprendre pourquoi Thomas avait toujours parlé de son ami avec respect malgré une vie en apparence dissolue. Quand Gilles eut fini de parler, Jeanne se tenait bien droite sur sa chaise et elle plongea son regard dans le sien.

— Je vois que nous parlons le même langage. C'est bon signe. Et comme il semblerait que nous devrons nous rencontrer souvent, sache que tu as toute ma confiance… même si je suis sceptique devant ta vie un peu libertine. Tant qu'à être francs, on va l'être jusqu'au bout. Et maintenant, reprends depuis le début. Je veux envisager la situation sous un autre angle avant de décider quoi que ce soit. J'ai peut-être d'horribles souvenirs sur le sujet mais, toi, tu possèdes l'expertise et c'est à elle que j'ai envie de m'en remettre dans un premier temps. Vas-y ! Je t'écoute.

Se penchant au-dessus de son bureau, les avant-bras appuyés sur l'acajou du meuble et les mains jointes en pyramide, Gilles fit ce que Jeanne lui demandait. Il procéda par la négative, éliminant d'emblée toute forme d'arthrite ou d'arthrose. Puis il parla de la tumeur, ajoutant à ses explications quelques termes médicaux, plus techniques, que Jeanne risquait d'entendre autour d'elle. Il s'adressait directement à elle, la regardant droit dans les yeux, faisant abstraction de la présence de Thomas. Ce que Jeanne apprécia, il le vit à sa façon de l'écouter.

Quand vint le moment de quitter le bureau, Jeanne tendit ses mains pour emprisonner celles de Gilles dans les siennes et elle les serra très fort.

— À partir de tout de suite, fit-elle avec une visible émotion, toi et moi, on fait équipe. Tu pourras dire à ton orthopédiste, ce Jean-Marc Lafontaine, que le plus tôt sera le mieux. Je suis comme ça. Quand je ne peux pas éviter le pire, je préfère que tout se fasse le plus vite possible. Je sais bien qu'il y a de longues listes d'attente et…

Gilles l'interrompit aussitôt.

— Oublie les listes d'attente. Dans les vrais cas d'urgence, on peut toujours trouver une solution plus qu'acceptable. Tu es une amie et je considère que ton cas est justement un cas d'urgence, ajouta-t-il sans la moindre réserve, laissant sous-entendre que les délais ne s'appliqueraient pas à elle. Je t'ai dit que j'appelais Jean-Marc aujourd'hui et ça sera fait. Tiens-toi prête. Et je le répète : Jean-Marc est un as. Il va tout faire pour te redonner une jambe en parfait état de fonctionnement. C'est un artiste en son genre.

À ces mots, Jeanne eut un sourire sarcastique.

— Tiens ! Lui aussi... comme l'opérateur de la *pépine*.

Malgré lui, Thomas esquissa un sourire à l'instant même où Gilles soulevait un sourcil perplexe.

— Pardon ? demanda-t-il curieux.

— Laisse tomber, fit Jeanne en haussant les épaules. *Inside joke*... Un peu d'humour noir... Merci pour tout. J'attends ton appel.

Sur le chemin du retour, Jeanne et Thomas n'échangèrent aucune parole. L'un comme l'autre, ils avaient à s'adapter. L'un comme l'autre, chacun pour soi, ils avaient à assimiler les paroles de Gilles.

Ce fut au moment où ils tournaient le coin de leur rue que Jeanne rompit le silence.

— J'aimerais parler aux enfants. Il est temps qu'ils sachent ce qui m'arrive. Et je voudrais que ce soit toi qui les appelles. Moi, je risquerais de me mettre à pleurer et ce n'est pas ce que je veux. Demande-leur de venir *bruncher* dimanche prochain. À onze heures, pour que Sébastien ait le temps de revenir de Québec.

Puis, alors que l'auto s'engageait dans leur entrée, elle ajouta :

— Dis-leur aussi que je veux qu'ils viennent seuls, sans conjoints. Ce n'est peut-être pas gentil, mais c'est ainsi que je veux que les choses se passent. Et dis à Sébastien d'être très discret vis-à-vis mon père. Pour le moment, il croit que je souffre d'un peu d'arthrite et c'est bien comme ça. Maintenant, je vais voir au souper. Tu viens m'aider?

Sans attendre de réponse, Jeanne ouvrit la portière et se tourna lentement pour en sortir en grimaçant d'impatience.

Reviendrait-il ce temps béni où elle sautait vivement hors de la voiture?

Elle n'en savait rien.

En fait, elle ne savait pas grand-chose. Sinon qu'elle avait la sensation de voir sa vie lui échapper. Et cette douleur sourde qui battait au creux de son âme était peut-être encore plus obsédante que ce genou qui élançait en permanence, maintenant.

Elle agrippa l'appuie-bras pour s'aider à se relever. Elle fit un pas de côté, plaça une main contre la vitre et claqua la portière avec colère.

C'était injuste. La vie était injuste.

Elle aurait voulu marcher dignement, la tête haute, et remonter l'allée qui menait au perron de sa maison d'un pas assuré. Mais même ce geste de fierté enfantine lui était refusé. Elle claudiqua jusqu'à la marche qui menait au perron, des larmes d'exaspération aux yeux, et se dépêcha d'entrer pour se soustraire au regard de Thomas.

Elle ne voulait surtout pas qu'il la voit pleurer.

À la façon un peu brusque dont elle prépara le souper, Thomas comprit qu'à l'inquiétude se greffait une grande fureur. Jeanne n'avait pas accepté ce qui lui arrivait et il partageait ce refus d'une réalité si différente de ce qu'ils avaient espéré. Comment faire, à travers la maladie, pour concilier leurs rêves et un quotidien transformé? Mais au même instant où il formulait cette question, Thomas admettait qu'elle était prématurée. Le quotidien n'était peut-être bouleversé que pour un temps limité. Qu'en savait-il ? Pas plus lui que Jeanne ne pouvaient prévoir de quoi demain serait composé. Pour l'instant, il ne pouvait qu'être présent, attentif à la colère de Jeanne et à ses inquiétudes. Ce ne serait pas difficile puisqu'il les partageait. Ce serait, pour les quelques semaines à venir, une nouvelle façon de dire à Jeanne qu'il l'aimait. Être à son écoute plus que jamais pour l'aider à traverser ce contretemps. Car c'est ainsi qu'il désirait envisager cet imprévu : un contretemps. Il ajusterait les termes plus tard, au besoin. En attendant, il ne voulait voir qu'un voyage annulé et une intervention qui permettrait à Jeanne de soulager sa douleur. Pourquoi aller plus loin puisque personne, pour l'instant, ne savait s'il faudrait, un jour, aller plus loin.

Ce fut dans cet état d'esprit qu'il respecta le désir de Jeanne qui, malgré une soirée particulièrement chaude et humide, avait demandé qu'il fasse du feu dans la cheminée. Elle s'installa dans son fauteuil préféré et passa de nombreuses heures à regarder valser les flammes.

Thomas passa dix fois, mille fois devant l'embrasure, espérant que Jeanne lui fasse signe. Devant son silence boudeur, il resta à l'écart. Il comprenait que Jeanne avait besoin de faire la paix avec elle-même, avec la vie. Elle avait mal. Dans sa chair et dans son âme. Il la connaissait trop bien pour ne pas savoir interpréter les regards angoissés qu'elle posait un peu partout autour d'elle et les grimaces de douleur qu'elle faisait en cachette. Néanmoins, il n'irait pas audevant d'elle pour lui offrir son aide. Il s'était trop souvent mesuré à la fierté absolue qui était sienne pour ne pas en tenir compte. Toutefois, quand elle se mettrait à parler, à trop parler, les mots se précipitant hors de ses lèvres, bousculés par un sentiment d'urgence, il serait là pour elle. Depuis qu'il la connaissait, les mots jetés à la hâte, pêle-mêle, avaient toujours été son appel à l'aide. Quand ils venaient, Thomas savait qu'il pouvait intervenir sans la brusquer, la blesser.

Depuis toujours, ils savaient pouvoir compter l'un sur l'autre comme ils savaient respecter les silences et les retraits de l'autre.

Mais ce soir, les mots en bousculade ne venaient pas. Comme si les émotions de Jeanne étaient taries et qu'un peu surprise, elle contemplait un grand vide en elle qui n'appelait ni confidence, ni propos décousus.

Ce vide ressemblait à un immense désert glacial et lui tenait lieu de cœur. Malgré une très belle soirée d'été, lourde d'un trop-plein de soleil emmagasiné, la chaleur dégagée par la flambée ne l'incommodait pas. Au contraire, Jeanne y réchauffait ce long frissonnement de l'âme qui semblait ne jamais vouloir finir. Elle aurait aimé se recroqueviller dans le fauteuil comme elle avait l'habitude de le faire quand elle devait réfléchir. Malheureusement, sa jambe le lui interdisait. Elle l'avait appuyée sur un tabouret et évitait soigneusement de la regarder. La pulsation de douleur qui irradiait jusqu'à sa cuisse était bien suffisante pour ne pas l'oublier.

Durant un long moment, Jeanne concentra son attention sur les flammes. Elle admira les volutes orangées qui s'enroulaient langoureusement les unes aux autres, léchant le bois, essayant de s'échapper par le grillage du foyer. Elle s'émerveilla des tisons rougeoyants qui multipliaient les braises à l'infini. Comme lorsqu'elle était enfant, elle inventa une ville de lumière cachée sous les bûches incandescentes et s'imagina qu'elle pouvait y pénétrer pour découvrir un univers fabuleux, fait de tunnels émaillés de clair-obscur et d'embrasement.

C'est alors qu'elle se sentit aspirée par le temps. Du souvenir d'un feu de camp alors qu'elle était chez les guides à un pique-nique avec quelques amis, Jeanne retrouvait son enfance, à l'époque où, avec ses parents, elle parcourait le monde. C'était la période de l'après-guerre, temps béni de paix en de nombreux endroits de la planète. Elle avait connu l'Égypte, le Brésil, la Belgique. Elle avait vécu au Caire, à Buenos Aires, à Bruxelles. Elle s'y était fait des amies avec qui elle avait correspondu pendant des années. Puis l'adolescence avait éteint peu à peu cette passion de l'écriture, avait refroidi l'ardeur des amitiés d'enfance et Jeanne avait cessé de correspondre avec ses amies. Le temps de créer un nid à Québec, de pleurer sa mère, de nouer de nouvelles amitiés, de penser à quoi ressemblerait l'avenir et Thomas était apparu dans sa vie. Depuis ce jour, les émotions comme les gestes avaient coulé de source à ses côtés. Pas une fois, depuis, Jeanne n'avait regretté le choix de ses dix-neuf ans.

Et dire que c'était si loin tout ça !

C'est en se revoyant au matin de son mariage que Jeanne eut une brutale prise de conscience. Si forte qu'elle en était douloureuse. Mais qu'est-ce qui lui prenait de revoir son enfance comme ça ? La vie était-elle en train de lui faire signe ?

Faisait-on, comme on le prétend, une rétrospective de sa vie au moment où on la quittait ? Comme elle le faisait présentement mais avec une lucidité impitoyable en prime, faisant ressurgir les moments d'importance, les bons comme les inavouables ? Y avait-il ce chemin de lumière irrésistible que l'on emprunte sans regret ?

Un chemin qui ressemblerait peut-être à cette ville de tisons qu'elle imaginait sous les bûches...

Jeanne ferma les yeux un instant, le cœur battant la chamade. Son âme pressentait-elle quelque chose qu'elle-même ignorait encore ? Quelque chose qu'elle voulait délibérément ignorer...

Le reflet dansant des flammes persistait à travers ses paupières closes et petit à petit, ce jeu entêté des lueurs et des ombres arriva à l'apaiser. Elle prit une longue inspiration tremblante qui balaya ses dernières hésitations, ainsi qu'un souffle léger balaie d'invisibles poussières.

Non, elle n'avait rien choisi d'escamoter. La peur qu'elle ressentait était normale et ne se portait nullement garante de ses choix. L'inquiétude teintait peut-être ses réflexions, guidait certains gestes, mais elle ne l'empêcherait pas d'aller au bout de ce qu'elle croyait essentiel.

Et l'essentiel était de continuer à vivre. C'était maintenant très clair dans son esprit.

Quand elle ouvrit les yeux et retrouva le décor rassurant de son salon, Jeanne ressentit un long moment de bien-être. Elle venait de comprendre qu'elle n'était pas prête à abdiquer. Au-delà des souvenirs pénibles qu'elle gardait de la maladie de sa mère, il y avait sa propre vie, ses choix et ses priorités. Il y avait Thomas et leur famille qu'elle ne voulait pas perdre à cause de la peur obnubilante de trop souffrir ou de souffrir inutilement.

Ce fut aussi à ce moment qu'elle sut ce qu'elle dirait à ses enfants.

Elle leur demanderait de la soutenir par leur respect et leur discrétion. Elle leur demanderait d'attendre qu'elle leur fasse signe avant de se manifester. Cela leur serait difficile, elle en était consciente, mais il n'y avait qu'elle qui pourrait livrer ce combat.

Personne ne pourrait se mettre à sa place. Personne n'aurait à subir les nausées et les malaises à sa place. Car il y en aurait, de cela aussi elle était convaincue. Alors, il n'y avait qu'elle qui pouvait savoir quand elle aurait envie de parler aux autres. Et ses enfants faisaient partie de ces autres. Toutefois, ils pourraient être assurés qu'elle leur communiquerait les moindres améliorations, les plus infimes sujets de réjouissance. Qui n'a pas envie de partager ses joies et ses victoires?

S'ils l'aimaient vraiment, Olivier, Mélanie et Sébastien allaient accepter ses exigences sans le moindre commentaire. Voilà! C'était ce qu'elle avait envie de leur dire.

Ensuite, elle les prendrait contre elle comme lorsqu'ils étaient petits. La chaleur humaine, celle que l'on a envie de recevoir autant que celle que l'on peut offrir, n'a pas d'âge. Elle est de tous les combats, de toutes les réjouissances.

Cette chaleur-là est l'amarre qui nous retient parfois ou le port d'attache que l'on veut retrouver.

Et le port d'attache de Jeanne, c'était sa famille.

Mais pour Thomas, il en allait tout autrement. À lui,

c'était maintenant, tout de suite, qu'elle voulait parler. Avant qu'il ne soit trop tard et que l'apaisement lucide qu'elle ressentait présentement se soit envolé. Elle connaissait trop bien son fichu caractère en dents de scie. Demain, dans une heure peut-être, l'abattement serait probablement de retour. Et c'est alors qu'elle aurait besoin de Thomas à ses côtés. Un Thomas solide, constant, équilibré. Un Thomas amoureux.

Aussi vite qu'elle le pouvait, Jeanne s'extirpa du fauteuil en jetant un dernier regard aux flammes qui s'éteignaient lentement dans le foyer. Puis, elle se dirigea vers la cuisine.

« Pauvre Thomas ! songea-t-elle en constatant qu'il était déjà dix heures trente. Il a dû trouver la soirée pas mal longue. »

Elle le retrouva sur la terrasse où il s'était réfugié, conscient que Jeanne n'était pas disposée à partager ses réflexions. Il avait allumé quelques bougies qui éclairaient faiblement son visage. Bien calé dans sa chaise, les pieds appuyés sur une autre, il fixait le jardin envahi par le dessin des ombres que la lune, presque pleine, se plaisait à esquisser. La rosée, tombée avec la brunante, intensifiait le parfum des fleurs qui se propageait jusque sur la terrasse, même au-delà. De quoi contribuer à renforcer la sensation de bien-être qui avait curieusement envahi Jeanne depuis quelques instants. Elle demeura immobile sur le pas de la porte, humant à petites inspirations silencieuses l'odeur subtile des roses qui lui parvenait, se demandant à quoi pensait Thomas. Elle se tint ainsi un bref moment, figée et silencieuse, le temps de se redire que l'homme assis dans l'ombre était le sien. Que pour lui autant que pour elle,

Jeanne Lévesque avait décidé de se battre pour ne perdre aucune goutte de ce bonheur qui était le leur. Voilà ce qu'elle allait lui dire avant que le courage ne lui manque et qu'elle soit tentée de reculer. Elle allait même ajouter qu'elle n'avait que trop tardé à agir. Elle fit le dernier pas qui la séparait de la porte moustiquaire.

— Thomas ?

Même s'il était resté immobile, Thomas avait senti la présence de Jeanne dans son dos. Il attendait qu'elle l'interpelle pour se retourner. Au ton très doux que Jeanne avait employé, il devina que l'instant était fragile et les intentions précaires. Il tourna lentement la tête vers elle.

— Bonsoir. Viens, viens t'asseoir, la soirée est magnifique.

Jeanne échappa un soupir en laissant son regard s'égarer dans la cour.

— Magnifique, oui, tu as raison. Et dire que je ne l'ai pas vue…

Jeanne avait ouvert la porte moustiquaire et passait de la cuisine à la terrasse.

— En fait, c'est tout l'été que je n'ai pas vu, cette année, constata-t-elle en se tirant une chaise. J'espère que l'an prochain, ce sera mieux.

Thomas était déconcerté par le timbre de voix de Jeanne. Sa femme semblait particulièrement calme. Presque sereine. Il n'osait donner suite à ses propos, espérant qu'elle le ferait d'elle-même. Jeanne avait parlé de l'an prochain et son cœur s'était mis à battre un peu plus vite.

— J'ai réfléchi, poursuivit Jeanne comme si elle avait compris que Thomas n'attendait que cela. J'ai tout mélangé : souvenirs, craintes et désirs. Ce qui domine, finalement, c'est mon envie de continuer ce qu'on a commencé ensemble. Gilles a raison en disant que la médecine a fait des bonds prodigieux depuis trente ans. Alors, même si je suis affreusement angoissée devant ce qui m'attend, je crois que je vais essayer de me battre. On verra bien ce que ça va donner.

Un silence tout léger se posa entre Thomas et Jeanne. Il n'osait toujours pas parler. Son cœur battait trop fort, trop vite devant l'espoir retrouvé. En même temps, il se sentait démuni devant cette quiétude que Jeanne dégageait. Il ne s'attendait pas à cette attitude. Jeanne lui semblait à la fois très vulnérable et incroyablement forte dans sa fragilité. Elle regardait droit devant elle et, malgré la noirceur qui les enveloppait, à peine trouée par la flamme vacillante des bougies, Thomas vit qu'elle fixait intensément ses rosiers. Il esquissa un sourire. Ces tout petits arbustes fleuris et si lourdement odorants devaient avoir eu, eux aussi, un pouvoir de persuasion sur Jeanne. Ce fut quand elle poursuivit qu'il comprit qu'il ne s'était pas trompé.

— J'ai peur Thomas. J'ai peur de la douleur. Je n'ai jamais été très courageuse face à elle. Rappelle-toi quand j'ai accouché, combien j'avais peur de souffrir, le nombre de fois où j'ai demandé s'il était temps d'avoir l'épidurale... Alors je vais avoir besoin de toi. Je vais avoir besoin de ta force. Quand je douterai, car je sais que je vais tout remettre en question plusieurs fois, je veux que tu me rappelles la douceur de cette soirée. Je veux que tu me parles de nos enfants et de nos projets. Si l'hiver est là quand je voudrai tout lâcher, redis-moi la beauté des fleurs et la douceur de leur parfum. Sans toi, je n'y arriverai pas. Je le sais, je me connais.

— Je serai là, ma douce. Je suis là.

— Je le sais. Je n'ai jamais douté de la sincérité de l'amour qui existe entre nous. Et c'est pour lui aussi que j'ai choisi de donner une chance à la vie. Peut-être bien, après tout, que je vais vaincre ce cancer. Car je sais qu'il s'agit d'un cancer. Et ce n'est pas une simple intuition. Mais si j'arrive à en venir à bout, j'aurai l'impression d'avoir pris ma revanche sur lui. À mes yeux, ce sera aussi une façon de venger maman. Cela aussi, ça a joué dans ma décision, tu sais.

— Alors, nous nous battrons ensemble.

Tout en parlant, Thomas s'était levé de sa chaise et, contournant la table, se plaça derrière Jeanne, posant les mains sur ses épaules. D'un geste lent et enveloppant, il commença à masser son cou et son dos. Ce fut à ce moment qu'il comprit que malgré le ton employé, Jeanne était angoissée, tendue comme les cordes d'un violon. Alors il prendrait la relève, comme elle le lui avait demandé. Il serait sa force aux moments de faiblesse, sa persévérance aux moments de découragement.

Portant le regard très loin devant lui, au-delà de la limite des cèdres et du toit de la maison voisine, cherchant peut-être l'étoile qui saurait guider ses mots, Thomas se mit à parler.

— Ensemble. Nous allons vaincre ensemble, ma Jeanne. Promis, jamais je ne te laisserai tomber. Tu es ma raison de vivre. Depuis l'instant où je t'ai croisée dans la salle des pas perdus, au collège, tu fais partie de ma vie et je veux que tu en fasses partie très longtemps encore. Je t'aime et, moi aussi, j'ai besoin de toi. Alors oui, nous nous battrons pour ne rien perdre de ce qui nous appartient. Je ne serai peut-être qu'une ombre dans ta douleur, mais ton angoisse est aussi la mienne. Et ton espoir est notre espoir.

Tandis que Thomas parlait d'une voix grave, empreinte d'émotion, Jeanne avait penché la tête et se laissait aller au réconfort de la caresse sur ses épaules. Pourtant, elle n'avait pas tout dit. Il y avait une autre donnée à l'équation et même s'il était encore tôt pour l'aborder, Jeanne tenait à ce que les choses soient claires entre eux. Après quelques instants, elle posa sa main sur celle de Thomas pour faire cesser le geste et se releva. Repoussant sa chaise, elle vint tout près de lui, passa les bras autour de son cou et plongea son regard dans le sien. Ce qu'elle avait à préciser ne pouvait s'exprimer que dans l'intimité d'un regard amoureux. Durant un long moment, ils se regardèrent intensément, laissant leur âme et leur cœur se rejoindre. Jeanne avait tellement besoin de cette communion entre eux. Elle aurait voulu que tout cela ne soit qu'un mauvais rêve. Dans un instant, elle allait se réveiller auprès de Thomas. Ce serait une nouvelle journée qui commencerait et rien de ce qu'elle avait vécu aujourd'hui n'aurait existé. Ce serait si facile alors d'apprécier l'existence. Mais Jeanne savait qu'elle ne s'éveillerait pas le cœur en chamade, soulagée de constater que toute cette vilaine histoire n'était qu'un rêve. Le cauchemar était réel et pour l'instant, elle ne savait pas quelle en serait la conclusion. Alors elle n'avait pas le choix, elle devait tout prévoir. Même le dénouement le plus sombre.

Du bout de l'index, elle suivit le contour du visage de Thomas. Elle l'avait toujours trouvé beau et encore plus maintenant, depuis qu'il se laissait pousser la barbe.

— C'est mon *look* de retraité, disait-il en riant. Un *look* de paresseux. Fini les corvées!

Jeanne esquissa l'ombre d'un sourire, puis elle déglutit péniblement. Maintenant, c'était maintenant qu'elle devait parler.

— Par contre, Thomas, il y a quelque chose que tu dois savoir, commença-t-elle d'une voix enrouée. Il y aura tout de même une limite à mon acharnement. Je veux que tu me soutiennes, oui, que tu m'encourages, que tu me pousses même au besoin, mais pas à n'importe quel prix. Nous en avons déjà parlé et je veux que tu me promettes de...

Devinant les mots qui allaient suivre, Thomas posa un doigt sur les lèvres de Jeanne pour l'obliger à se taire.

— Tu ne crois pas qu'il est trop tôt pour...

Jeanne se dégagea d'un geste sec.

— Non, Thomas, il n'est pas trop tôt pour envisager le pire, insista-t-elle. Il est là, juste devant moi. J'ai même l'impression qu'il me nargue. C'est un peu pour ça que j'ai dit que j'allais me battre et je vais le faire. Tant qu'il y aura un espoir raisonnable de gagner, je vais lutter. Mais je n'irai pas au-delà de ça. Et je veux que tu me promettes de l'accepter. Là maintenant, ce soir, je veux que tu me promettes d'être avec moi au-delà de la bataille contre la maladie. Quand nous en avons parlé, je ne pensais pas que notre discussion irait plus loin qu'une certaine rhétorique. Aujourd'hui, je suis contrainte de reconnaître qu'il nous faudra peut-être déborder du cadre d'une simple conversation. Je dis bien peut-être. Mais si jamais Gilles en venait à me dire qu'il ne peut plus rien pour moi, il n'est pas question que je survive au jour le jour dans des souffrances inutiles. Ça aussi, je voulais que tu le saches. Quand je te demande de me soutenir, c'est aussi à cela que je fais allusion. Je veux que tu me promettes de respecter mes choix. Pas question pour moi de devenir une illusion de vie. Comme le dit si bien Ferrat, je veux mourir au soleil. Que ce soit demain, dans six mois ou, je le souhaite plus que tout, dans douze, vingt, trente ans...

Pendant que Jeanne parlait, Thomas put lire dans son regard toute l'attente qu'elle mettait dans sa demande. Ces quelques mots avaient creusé un gouffre dans sa poitrine. Depuis l'après-midi, depuis la réaction de Jeanne dans le cabinet de Gilles, Thomas savait que ces mots viendraient. Il espérait que ce serait le plus tard possible. Il espérait tellement qu'ils n'auraient pas à être prononcés. Mais Jeanne voyait la chose autrement. L'assurance de se savoir soutenue serait sa sécurité. Il n'avait donc pas le droit de repousser ces mots en disant qu'ils étaient prématurés. Depuis plus de trente ans, ils vivaient ensemble, partageaient tout et Jeanne venait de lui dire qu'elle voulait être avec lui jusqu'au bout. Pour Thomas, c'était la plus belle preuve d'amour qu'elle pouvait lui donner. Elle lui faisait confiance jusque dans ses choix les plus intimes. Alors il se pencha et après avoir déposé un baiser contre sa tempe, il lui murmura à l'oreille, se faisant violence pour raffermir sa voix :

— Tu sais que tu peux compter sur moi. Je t'aime, Jeanne. Je t'aimerai quoi qu'il arrive. Je t'aimerai au-delà de tes choix.

Jeanne n'avait rien à ajouter. Elle blottit sa tête au creux de l'épaule de Thomas et les larmes qu'elle versa exprimaient son soulagement. Elle pouvait maintenant aller de l'avant et tout tenter pour guérir. Elle irait de l'avant jusqu'à la limite du supportable. Thomas serait là quoi qu'il arrive.

Ce soir-là, ils s'endormirent enlacés, leur souffle emmêlé.

Durant les quelques jours qui suivirent, Jeanne réussit à faire abstraction de toute forme d'angoisse en se plongeant corps et âme dans la préparation du brunch. Les préférences de chacun, les petites surprises, quelques nouveaux plats tirés de livres de recettes qu'elle acheta exprès pour l'occasion. S'occuper le corps et l'esprit lui faisait du bien. Le menu choisi et les achats faits, elle désherba les plates-bandes malgré sa douleur. Le temps passé les mains dans la terre, elle arrivait à oublier. Le samedi fut employé à préparer tout ce qu'elle pouvait cuisiner à l'avance. Le soir, avant de se coucher, elle monta une jolie table dans la salle à manger qui ne servait qu'aux grandes occasions. Ce qu'elle voulait dire aux enfants faisait partie de ce qu'elle appelait une grande occasion. N'allait-elle pas, d'une certaine façon, leur répéter qu'elle les aimait plus que tout et que cet amour serait son viatique, les semaines à venir?

Et le dimanche fut là, enveloppé de brume et de crachin.

Jeanne s'était réveillée très tôt et fut déçue de constater qu'il n'y aurait pas de soleil. Malgré cela, elle se sentait de bonne humeur. Ce matin, sa jambe ne la faisait presque pas souffrir. Gilles n'avait pas donné signe de vie depuis la visite de lundi et Jeanne essayait d'y voir un message encourageant. Ce que son ami avait aperçu sur les radiographies n'était peut-être pas si inquiétant et ils avaient un certain délai devant eux.

Elle se leva tout doucement et quitta la chambre sans faire de bruit. Thomas dormait toujours à poings fermés et Jeanne ne voulait surtout pas le déranger.

Elle ressentait le besoin intense de disposer d'un moment de solitude avant de parler à ses enfants. Le temps de préparer du café et elle s'installait dans un fauteuil du salon. La bruine s'était changée en une petite pluie presque silencieuse qui dessinait des rigoles sur la vitre. Après les deux semaines de canicule qu'ils venaient de connaître à la fin de juillet, cette ondée était la bienvenue pour toute la végétation. Heureusement, cet été, ses plantes étaient particulièrement magnifiques. Cela posait un baume sur tout le reste. Et avec cette pluie chaude qui tombait drue, les fleurs n'en seraient que plus belles. Machinalement, Jeanne porta les yeux vers la fenêtre où l'eau dégoulinait de plus en plus abondante, puis elle regarda autour d'elle. Que faisait-elle là, au salon, alors qu'il y avait la serre ? Depuis le début de l'été, elle n'y avait presque pas mis les pieds. Brusquement, l'odeur de terre humide lui manquait. Elle se releva sans hésitation et attrapant une orange au passage, elle se dirigea vers la serre.

Elle savait par cœur les mots qu'elle voulait dire aux enfants. Depuis maintenant presque une semaine, elle se les répétait inlassablement le soir, avant de s'endormir. Elle allait se les redire encore une fois, assise confortablement auprès de ses cactus et ses bonsaïs, pour être certaine de ne rien oublier et tout irait bien. Elle ne pleurerait pas. Elle serait ferme, voire stoïque, essayant de banaliser l'événement. Après tout, rien n'était encore sûr. Malin, bénin, personne n'en savait rien.

Durant une fraction de seconde, Jeanne regretta même d'avoir convoqué ses enfants. Mais qu'est-ce qui lui avait pris de partir en peur ainsi ? Ce n'était peut-être qu'une fausse alerte. Pourquoi inquiéter tout le monde ? Décidément, il n'y avait qu'elle pour faire des drames où il n'y en avait pas. Pas encore...

Jeanne soupira. À ses yeux, cette décision prise à l'emporte-pièce n'avait plus qu'un avantage, celui de neutraliser les émotions. Puisqu'on ne savait rien, il ne servait à rien de pleurer. Ce serait donc une bonne chose de parler maintenant, elle pourrait le faire froidement.

C'était sans compter la bouffée d'émotion qui l'envahit quand elle aperçut ses trois enfants arrivant ensemble, dans une seule auto. Ils s'étaient donc parlé... Et qu'est-ce que Thomas avait bien pu leur dire quand il les avait invités à venir manger seuls, sans conjoint ?

Mélanie, la plus directe des trois, entra la première. À sa démarche un peu guindée et malgré son sourire, Jeanne devina aussitôt qu'elle était morte d'inquiétude. Elle comprit en même temps que ses belles résolutions venaient de s'envoler. Plus question d'attendre à la fin du repas pour parler et surtout plus question de masquer ses émois. À l'instant, Jeanne n'était plus qu'un cœur pétri d'appréhension et de tristesse. S'il fallait que ce soit grave, très grave !

La peur lui était revenue, intacte, absolue, laissant planer les pires pronostics.

Thomas était venu la rejoindre dans l'entrée. Passant un bras autour de ses épaules, il convia tout le monde à passer au salon. Des mimosas étaient servis...

★ ★ ★

Tiré de l'agenda de Jeanne

Les enfants sont partis depuis plus d'une heure et je suis encore toute tremblante. Tremblante d'émotion. J'ai de merveilleux enfants.

Et le meilleur mari qui soit.

Thomas me connaît mieux que je ne me connais moi-même. Il avait préparé le terrain, j'en suis certaine, car les enfants n'ont pas semblé surpris outre mesure. Ce qui fait que je n'ai pas eu à trop parler. Une chance ! J'avais la gorge nouée par l'émotion. De les voir, tous les trois devant moi, de sentir la chaleur de la main de Thomas, posée sur mon épaule…

Le temps n'existe plus. Ils sont mes enfants, mes bébés. C'est peut-être ridicule de parler ainsi, mais je m'en fous ! Je les aime, j'aime cette vie qui est la nôtre et je vais me battre pour tout garder…

Ils ont facilement compris que c'était moi et, moi seule, qui aurais à vivre les décisions comme les traitements. C'est mon corps qui est malade, non le leur. Je n'ai pas eu à insister. Toutefois, il serait illusoire de croire que je ne les appellerai pas. Mélanie n'a pu retenir une grimace de dérision quand j'ai souligné que je ne leur donnerais que les bonnes nouvelles, les enjoignant de ne pas m'appeler.

— C'est toi qui dis ça ? Allons donc maman ! Tu es la première à prendre le téléphone quand ça ne va pas ou quand ça va très bien. Et tu voudrais nous faire croire que tu préfères notre silence ? Ne me demande pas de feindre l'indifférence, j'en suis incapable.

Je ne me suis pas entêtée. Mélanie a raison. Je suis de celles qui ont besoin d'exprimer leurs émotions. Pourquoi serais-je différente, alors que je vis les moments les plus angoissants de mon existence ? Pour protéger ceux que j'aime? Ridicule. Je ne protégerais personne. À commencer par moi-même. Je sais que j'aurai envie de les appeler. Et je sais aussi que je serais déçue, s'ils ne le faisaient pas. Pourquoi avoir pensé le contraire? La peur me fait sûrement fausser bien des données. Si je ne suis pas assez bien pour répondre, Thomas sera là. Il prendra la relève.

J'ai demandé à Sébastien d'être discret vis-à-vis de son grand-père. Je veux lui parler moi-même et le ferai uniquement quand j'aurai toutes les cartes en main. Là-dessus, je suis catégorique. D'apprendre que je souffre de la même maladie que maman va lui donner un choc. S'il n'en a jamais reparlé, c'est qu'il ne l'a toujours pas accepté. J'en suis certaine. Comment réagira-t-il? Avec son cœur qui a donné des signes d'essoufflement, je n'aime pas ça. J'ignore comment je vais m'y prendre pour lui annoncer la nouvelle. Je verrai en temps et lieu. Cela dépendra en grande partie de ce que j'aurai à lui annoncer...

Toujours cette maudite incertitude. Déjà que l'intervention m'effraie, voilà qu'en plus je ne sais pas ce qui m'attend au réveil.

Et Gilles qui n'a pas appelé...

Ce matin, je percevais le silence de Gilles comme un bon présage, cet après-midi, je ne sais que penser. Il m'a laissé entendre qu'il y avait moyen de contourner les listes d'attente, mais je crois qu'il se faisait des illusions sur son pouvoir décisionnel. Si j'en crois les journaux, j'ai le temps de...

Stop!

Pas de pensée sombre. Je veux me concentrer sur les dernières heures passées en famille. J'ai cru entendre Mélanie *dire à ses frères qu'elle les invitait chez elle ensuite. Ça me fait plaisir de constater qu'ils ressentent le besoin de se retrouver entre eux. Finalement, je n'ai peut-être pas été une mauvaise mère. Même si souvent j'ai eu tendance à me faire des reproches de toutes sortes dès que quelque chose ne tournait pas rond, je crois que l'essentiel de ce que j'ai voulu donner à nos enfants est demeuré intact. Ils l'accommodent à leur sauce, d'accord, mais les valeurs sont foncièrement les mêmes. Comme je l'ai souvent prétendu : on ne peut pas donner ce qu'on n'a pas et à l'impossible, nul n'est tenu. Je les ai aimés et j'ai toujours senti que je devais être à l'écoute. À l'écoute de chacun, pour tenter de répondre à leurs attentes le mieux possible. C'est très simple, mais aussi délicat. Finalement, si j'essayais de faire un bilan, je pourrais affirmer que je crois les avoir suffisamment écoutés pour aujourd'hui bien les connaître.*

Alors que j'écris ces mots, un sourire pointe malgré moi.

Est-ce que je les connais assez pour tenter de deviner à quoi ressemble leur réunion ? Peut-être bien. Je les vois, assis dans le petit salon de Mélanie. C'est elle qui dirige la conversation. De cela, je suis certaine, elle l'a toujours fait. Olivier doit écouter, comme Thomas le ferait, les yeux dans le vague, mais l'esprit vif. Il n'interviendra qu'à la fin de son discours. Puis, Sébastien aura le dernier mot. Enfin, c'est souvent comme ça entre eux. Toutefois, je ne peux savoir ce qu'ils vont dire, sinon qu'ils doivent se demander comment je vis tout cela. L'image que j'ai projetée n'était qu'une demi-vérité et je suis persuadée qu'ils s'en sont rendu compte. Je n'ai jamais été une de ces femmes fortes que l'on se plaît à imaginer aujourd'hui. Je ne suis pas une superwoman *et je ne l'ai jamais été. Tout à l'heure, ils ont eu la délicatesse de ne pas m'interroger sur mes sentiments, ils doivent sûrement se poser des questions présentement. Saurais-je leur répondre ?*

Est-ce que je sais moi-même comment je me sens ?

C'est tellement difficile à décrire ! Je suis à la fois insouciante et en colère. Un instant, je n'y pense pas, la seconde suivante, je tremble de peur devant l'avenir.

Je me vois sur le plus haut tremplin. Ça m'a pris un temps fou à me décider à monter et maintenant que c'est fait, que je suis prête à sauter, on me demande d'attendre un signal qui tarde à venir. Je sens que le courage peut être quelque chose d'éphémère, de très volatile. Je suis sur mon tremplin et je regarde droit devant parce que j'ai peur de regarder en bas. J'ai peur du vertige que je n'ai pas encore, j'ai peur de la chute que j'ai le temps d'imaginer, j'ai peur de la douleur possible quand je vais frapper l'eau.

Si on me demandait comment je me sens, il n'y aurait peut-être qu'une seule chose à répondre.

J'ai peur de mourir...

Chapitre 7

Montréal, août 2004

« Que serais-je sans toi qui vins à ma rencontre,
Que serais-je sans toi qu'un cœur au bois dormant,
Que cette heure arrêtée au cadran de la montre,
Que serais-je sans toi que ce balbutiement. »
QUE SERAIS-JE SANS TOI, LOUIS ARAGON,
INTERPRÉTÉ PAR JEAN FERRAT

S'il est vrai que, lorsque tout semble nous échapper, le moindre événement heureux prend des proportions inouïes, Jeanne aurait été soulagée et réconfortée devant le tableau de ses enfants réunis dans le petit salon de Mélanie. Elle n'avait aucune crainte à se faire, elle pouvait effectivement se targuer de connaître assez bien sa progéniture. En fait, elle pouvait même se flatter de la connaître suffisamment bien pour être capable d'imaginer les gestes comme les émotions sans trop se tromper.

Tel qu'elle l'avait supposé, ils avaient bel et bien envahi le salon de Mélanie. Maxime avait eu la délicatesse de ne pas poser de questions quand Mélanie lui avait demandé de les laisser seuls un moment. Il s'était éclipsé dans leur chambre et avait monté le volume de la petite télévision qui s'y trouvait. Sébastien s'était avachi dans le fauteuil tandis qu'Olivier et Mélanie partageaient le divan.

Il était à peine trois heures, la pluie semblait ne jamais

vouloir s'arrêter et tous les trois avaient déjà une bière à la main. Un petit travers hérité de Thomas. Non que ce dernier soit un grand buveur, loin de là! Malgré tout, il puisait souvent inspiration et détente, réflexion et réconfort au fond de quelques bouteilles brunes. Dès qu'ils avaient été en âge de le faire, les enfants avaient suivi l'exemple sans être inquiétés outre mesure. Aujourd'hui, on pouvait presque parler d'un rituel familial. La bière était de la plupart de leurs rencontres, de leurs festivités.

Pour l'instant, à la lueur de ce que Jeanne venait de leur apprendre, le houblon servait d'exutoire, de catalyseur.

Mélanie tournait inlassablement la bouteille entre ses doigts, la fixant d'un regard vague comme si elle y cherchait une explication ou une réponse.

Sébastien, lui, reniflait et buvait à petites gorgées, refoulant les larmes le mieux qu'il pouvait. Il se doutait bien que la bosse aperçue sur la jambe de sa mère était plus qu'une simple ecchymose, mais jamais il n'aurait pu imaginer que ce pouvait être un cancer.

Cancer...

Au ton que sa mère avait pris pour en parler, il avait vite compris qu'elle avait peur de ce mot. Alors, au-delà de sa propre tristesse, il y avait Jeanne. Jeanne qui n'avait rien dit, à personne. Était-ce la peur qui l'avait paralysée ou avait-elle tout simplement cherché à les protéger?

Quant à Olivier, il prenait de longues gorgées, le regard perdu dans le carré de ciel qu'il apercevait par la fenêtre. À le voir, nul n'aurait pu imaginer le chagrin qui lui étreignait le cœur comme une main d'acier froide et brutale.

Tous les trois, chacun à sa façon, étaient convaincus qu'ils devaient encaisser le coup rapidement pour y réagir adéquatement. Cela faisait partie de l'éducation qu'ils avaient reçue. Ne pas se laisser abattre, réagir, trouver la solution. Leur mère aurait besoin d'eux, c'était indéniable, leur père aussi, et dans un avenir rapproché. Cependant, ils savaient très bien qu'ils devraient respecter leur intimité. Jeanne et Thomas étaient leurs parents, soit, d'excellents de surcroît, mais ils étaient d'abord et avant tout un couple. Ils avaient cette chance d'avoir des parents toujours amoureux l'un de l'autre, même après toutes ces années. La richesse de leur vie familiale en était teintée, enrichie, mais parfois, cela rendait les interventions plus difficiles, délicates.

Mélanie en était à cette réflexion, repoussant sa douleur pour se concentrer sur les besoins de ses parents. Les larmes viendraient plus tard. Pour l'instant, elle voulait trouver une façon de faire comprendre à leurs parents qu'ils étaient là, qu'ils partageaient leur inquiétude et voulaient les aider, sans pour autant envahir ce qu'ils considéraient comme leur espace vital. Comment dire, comment faire ? Mélanie l'ignorait. Jusqu'à ce jour, Thomas et Jeanne n'avaient pas eu besoin de l'aide de leurs enfants. Ils étaient encore jeunes, en santé. Apprendre que sa mère souffrait peut-être d'un cancer avait été tel un pavé jeté dans la mare. Malgré le fait qu'elle soit plutôt décidée, voire parfois autoritaire, Mélanie se sentait hésitante, troublée et en même temps terriblement inquiète. Cette sensation lui était étrange. Cette retenue, cette perplexité ne correspondaient pas à ses émotions habituelles. Mais la situation n'avait rien d'habituel. Alors que dans la majorité des cas Mélanie était encline aux réactions rapides, aujourd'hui, elle était indécise, le cœur embarrassé d'inquiétude et de colère.

En réalité, Mélanie était un curieux mélange des personnalités de ses frères, sinon de la famille entière. Réfléchie comme Thomas, elle avait une mentalité analytique aussi bien structurée que celle d'Olivier. Toutefois, cet esprit cartésien était atténué par une sensibilité aussi marquée que celle de Sébastien. De sa mère, elle avait hérité la droiture et la générosité. Fonceuse, têtue et persévérante, elle n'acceptait cependant pas facilement les avis contraires aux siens, surtout quand elle était persuadée d'avoir raison, ce qui arrivait au moins deux fois sur trois !

Mélanie était de ces êtres qui semblaient taillés à même un bloc de granit.

Toute la famille s'y était frottée à un moment ou à un autre. Olivier plus que les autres, étant lui-même quelqu'un qui aimait les analyses claires et les décisions pratiques.

Néanmoins, après s'être heurté régulièrement à la personnalité de Mélanie, Olivier avait pris l'habitude de la laisser parler en premier. Cela avait évité nombre de confrontations inutiles. Quant à Sébastien, c'était depuis toujours qu'il s'en remettait à sa sœur pour beaucoup de choses. À croire qu'il avait appris, bébé, qu'il ne servait à rien d'argumenter avec une jumelle qui avait presque tout appris avant lui.

Aujourd'hui encore, Olivier comme Sébastien attendaient donc que Mélanie prenne la parole avant de s'exprimer. Par habitude, bien sûr, par respect des procédures qui avaient cours entre eux, mais cette fois-ci, pour Olivier, il y avait davantage. Malgré certaines apparences qui avaient toujours laissé croire qu'il était plutôt réservé, pour ne pas dire indifférent, Olivier était blessé, peiné que sa mère n'ait pas songé à le consulter. Il était médecin après tout. Il n'y avait que l'urgence implicite de la situation qui l'avait convaincu de se joindre aux autres chez Mélanie. S'il s'était écouté, il se serait réfugié chez lui, auprès des siens. Auprès de ses fils, pour être précis. Car chez lui aussi, certaines émotions négatives, de plus en plus insoutenables, encombraient l'atmosphère. Il y avait des tensions entre Karine et lui. Beaucoup de tensions. Pourtant, il aimait sa femme, leurs enfants, la vie qui était la leur. Néanmoins, sa profession était pour lui une grande passion. De là les reproches, parfois les accusations et avec Julien et Alexis qui grandissaient, il était de plus en plus difficile de camoufler certaines situations. Olivier le regrettait infiniment, mais que pouvait-il faire d'autre, sinon être présent le plus souvent possible ? Ce qu'il cherchait à faire avec sincérité. Malheureusement, chaque fois qu'il tentait un rapprochement, qu'il faisait des efforts louables pour être plus présent, qu'il projetait une sortie en famille, une urgence venait tout bouleverser. Olivier n'y pouvait rien, il était incapable de refuser quand un patient avait besoin de lui. Et cela, Karine semblait ne pas le comprendre. C'est pour cette raison qu'il avait proposé un voyage en Provence, pour se rapprocher de sa femme et tenter de recoller les pots cassés avant qu'il ne soit trop tard. Il voulait fuir au loin pour ne pas courir le risque d'être dérangé ! Mais voilà ! Ce projet-là aussi risquait de tomber à l'eau. Sans sa mère pour garder les enfants, il ne voyait pas comment il donnerait suite à ses bonnes intentions.

Olivier tressaillit quand la voix de Mélanie brisa le silence un peu singulier où il était en train de s'enliser, à la fois très proche et très loin de sa mère.

— Je ne sais pas si vous êtes comme moi, commença Mélanie d'une voix songeuse qui ne lui ressemblait pas, mais j'ai l'impression d'avoir reçu un coup sur la tête. Maman, malade...

Un silence lourd de sous-entendus se posa en maître sur la pièce comme pour montrer l'étendue d'une catastrophe que nul n'avait prévue. Jeanne malade c'était, jusqu'à ce jour, impensable. Personne ne pouvait donc imaginer comment elle devait se sentir. Les regards jetés par ses frères confirmèrent qu'ils pensaient comme elle. Mélanie reprit alors la parole.

— Il va falloir réagir, faire quelque chose, c'est certain, mais j'avoue que je ne sais pas trop comment. Papa et maman sont si... comment dire, si unis. Par moments, j'ai l'impression que l'expression *ne faire qu'un* a été inventée pour eux. C'est un peu pour ça, je crois, qu'il va falloir intervenir sur le bout des pieds. Avez-vous des idées ? Des suggestions ?

Olivier et Sébastien échangèrent un regard qui disait leur perplexité. Si Mélanie n'avait aucune idée, comment pouvait-elle croire qu'ils en auraient ? Après tout, c'était elle, la fille, celle qui par définition aurait dû savoir ce qui convenait à leur mère. Olivier se décida finalement à parler.

— Et si on ne faisait rien, justement ? Je crois que...

Mélanie leva les yeux au plafond et changea de position sur son siège. C'était bien là une réponse à la Olivier.

— Comment peux-tu te montrer aussi indifférent ? lança-t-elle vivement en interrompant son frère.

Contrairement à Mélanie, Olivier ferma les yeux d'exaspération, avant de revenir à sa sœur pour la dévisager sans amabilité.

— Laisse-moi finir, bon sang! Cette manie que tu as de sauter aux conclusions trop vite et d'interrompre les gens. Je ne suis ni indifférent, comme tu as eu la gentillesse de le souligner, ni égoïste, crois-moi! Par contre, je suis convaincu qu'il est nettement trop tôt pour intervenir auprès des parents. Présentement, ils n'ont pas besoin de nous. Être envahis n'est certainement pas ce qu'ils souhaitent le plus.

— Je ne suis pas d'accord, coupa sèchement Mélanie. Quand on traverse des épreuves, la présence des gens qui nous sont chers est importante. Sans les envahir, comme tu dis, je crois qu'il faut envisager une présence relativement constante à l'hôpital. À tour de rôle, justement pour leur laisser une certaine intimité. Comme ça, si papa veut se retirer, il n'aura pas à laisser maman toute seule et courir après l'un d'entre nous, non plus. Et en attendant l'opération, il faudrait les visiter plus souvent. Leur faire sentir qu'on est là en cas de besoin.

— C'est ça! Avec un peu de chance, maman va s'imaginer qu'on la croit mourante. Trop en faire ne vaut guère mieux que pas assez! Moi, je propose qu'on laisse porter les choses. Au moins pour l'instant.

— Pas du tout! Tu feras bien ce que tu voudras mais moi, je vais y aller. Je vais les voir régulièrement. Au moins une fois par semaine. Ils ne verront pas vraiment la différence si j'augmente la fréquence de mes visites. Quant à toi... Fais donc ce que tu veux! De toute façon, si tu n'y vas pas, là non plus, ils ne verront pas une grande différence. Tu n'y vas jamais.

— C'est méchant ce que tu viens de dire.

— Pas du tout ! C'est une simple constatation.

Le ton avait monté. Olivier et Mélanie se regardaient maintenant en chiens de faïence, loin des émotions qui avaient engendré la discussion. En fait, quand le ton montait chez les Vaillancourt, c'était toujours entre Mélanie et Olivier. Habituellement, personne n'intervenait, sachant à l'avance que les choses finiraient par rentrer dans l'ordre. Cet après-midi, il en allait tout autrement et Sébastien ne put se retenir.

— Ça suffit, vous deux !

Des trois enfants, il avait été le seul à ne pas être vraiment surpris par l'annonce de leur mère. Il s'y attendait. Ce qui ne voulait pas dire qu'il acceptait la chose avec détachement. Bien au contraire. Lui, cela faisait au moins un mois qu'il s'inquiétait. L'image du genou de sa mère, enflé et violacé, ne l'avait pas quitté. Ajoutées à cela l'indisposition de son grand-père avec qui il partageait son quotidien et sa relation tumultueuse avec Manuel, surtout depuis qu'il lui avait annoncé le report de leur projet de maison de quelques mois, il n'en fallait pas plus pour qu'il sorte de ses gonds.

— Ça suffit, répéta-t-il.

Sébastien avait les yeux embués. Chaque fois qu'il était en colère ou inquiet, les larmes lui montaient aux yeux. Il détestait cette sensibilité qu'il n'arrivait pas à camoufler, mais c'était plus fort que lui. Un mot de travers, une parole blessante ou un élan d'indignation et les paupières débordaient. S'essuyant rageusement le visage du revers de la main, il poursuivit.

— Vous rendez-vous compte de ce que vous êtes en train de dire, de faire? Ça n'a aucun sens de s'engueuler comme vous le faites. On dirait que maman n'a plus aucune importance dans tout cela.

Sébastien venait d'exprimer une vérité qui toucha autant Olivier que Mélanie. Une fois encore, ils en étaient venus à oublier ce qui les opposait, cherchant, l'un comme l'autre, à avoir le dernier mot. Mélanie avait baissé les yeux et contemplait les plis de sa jupe, alors qu'Olivier avait détourné la tête et semblait observer avec grand intérêt la toile d'araignée des fils électriques qui passaient à hauteur de fenêtre.

— Mettons que c'est l'inquiétude qui vous rend agressifs et on n'en parle plus, poursuivit Sébastien, encouragé par le silence qui avait succédé à ses paroles. Si vous continuez à vous crêper le chignon, moi je m'en vais. Vous ferez bien ce que vous voudrez, visite ou pas visite, ça ne me regarde pas. Par contre, je suis persuadé que maman n'a surtout pas besoin d'avoir des enfants qui se disputent à son propos. D'autant plus que cette chicane est totalement inutile. J'estime qu'Olivier a raison pour l'instant.

Mélanie et Olivier s'étaient tournés vers lui avec une symétrie qui aurait pu être drôle en d'autres circonstances. Mais comme Sébastien n'avait pas le cœur à rire, il renifla un bon coup et se dépêcha d'expliquer ce qu'il voulait dire, avant que l'un ou l'autre ne se décide à prendre la parole. C'est alors qu'il se tairait et le regretterait par la suite, comme trop souvent dans sa vie, quand il repensait à certaines discussions où il n'avait pas eu le courage de dire ce qu'il pensait vraiment.

— Oui, je crois que c'est Olivier qui a raison, répéta-t-il en fixant Mélanie. Présentement, les parents n'ont pas besoin de nous. Pas vraiment, en tout cas. Avez-vous remarqué les regards qu'ils échangeaient pendant que maman nous parlait ? Pour ma part, je vais me contenter de téléphoner un peu plus souvent et prendre des nouvelles régulièrement, sans plus. Par contre, quand maman sera à l'hôpital, c'est certain que j'irai la voir. Plus tard, si elle a besoin de chimiothérapie, ce sera sûrement différent. Ce sera difficile pour tout le monde, à commencer par maman. C'est probablement à ce moment-là qu'on pourra intervenir. Mais encore là, je n'en suis pas certain. De toute façon, ce sera à eux de nous dire de quoi ils ont besoin. Pas à nous de décider à leur place. On a juste à leur faire savoir qu'on est disponibles, tous les trois, et c'est tout. Qu'est-ce que vous en pensez ?

Olivier se tourna franchement vers Sébastien qui, lui, n'avait d'yeux que pour Mélanie. Olivier était certain que la lueur qu'il voyait briller dans le regard de son frère en était une d'excuse. Sébastien regrettait peut-être déjà d'avoir pris les devants, alors qu'habituellement il se contentait de suivre. Il regrettait peut-être ses paroles.

Peut-être.

Olivier ne le savait pas.

Il savait si peu de choses de ce frère arrivé trop tard dans sa vie pour devenir un complice. Il l'avait regardé grandir de loin sans vraiment le comprendre, le trouvant agaçant dans sa différence. Comment Sébastien pouvait-il se laisser mener par le bout du nez par une sœur qui avait le même âge que lui ? Pourquoi ne protestait-il jamais ? Cette question était restée un mystère. Les discussions familiales, les disputes habituelles entre enfants l'avaient régulièrement confronté à Mélanie, jamais à Sébastien. À un point tel qu'Olivier en était venu à considérer que son frère n'avait pas d'échine, pas de personnalité propre.

Sébastien n'était que l'ombre de Mélanie. On ne tient pas compte d'une ombre.

D'autant plus que Sébastien n'aimait rien de ce qui avait de l'importance pour Olivier. Ni les sports, ni les automobiles, ni les virées entre copains. Quand il avait quitté la région de Montréal pour s'installer à Québec chez leur grand-père, c'est à peine si Olivier s'était aperçu de son absence, tellement ils avaient vécu loin l'un de l'autre. Son allégeance sexuelle, sortie au grand jour, n'avait fait que confirmer ce qu'il pensait de son frère : Sébastien n'était qu'une pâte molle.

Mais voilà que ce même Sébastien venait de lui donner raison, au détriment de ce que Mélanie avait proposé. À moins que sa mémoire ne le trompe, c'était une première.

Ce fut à cet instant que Sébastien se tourna vers lui, soutenant franchement son regard. Olivier crut y percevoir une forme de sollicitation. Après tout, Sébastien restait Sébastien. Vraisemblablement, il avait besoin d'une approbation. Pourtant, au lieu d'en être agacé, Olivier était curieusement ému. Pour une première fois, il ressentait une certaine connivence entre Sébastien et lui. Le temps de s'y faire et Olivier admettait qu'il trouvait cela plutôt normal, agréable. Imperceptiblement, il redressa les épaules, répondant à l'interrogation de Sébastien par un grand sourire.

— Je suis d'accord avec tout ce que tu viens de dire, Sébas. À l'âge de nos parents, ils sont encore très capables de vivre sans nous, *à fortiori* de prendre toutes les décisions qui les concernent. Ce qui ne veut pas dire de les laisser tomber pour autant.

Tout en parlant, Olivier épiait la réaction de Mélanie du coin de l'œil. Déjà que le ton avait monté entre eux, il s'attendait à la voir exploser. Il n'en fut rien. Mélanie resta songeuse un moment encore, toujours concentrée sur les plis de sa jupe, puis, levant la tête, elle promena son regard d'Olivier à Sébastien. Un demi-sourire flottait sur son visage.

— Ben là... Si vous vous liguez tous les deux contre moi, murmura-t-elle visiblement amusée, je n'ai plus qu'à m'incliner.

Ce fut à cet instant précis que le téléphone sonna. Mélanie claqua la langue d'agacement. Qui donc avait le culot de venir les déranger alors que le moment était presque magique ? Elle était tellement heureuse de voir ses frères faire front commun qu'elle en avait presque oublié que c'était contre elle qu'ils se liguaient ! Elle allait commenter vertement l'importunité de cet appel quand elle entendit la voix de Maxime qui leur parvenait de la chambre.

— Mélanie, c'est pour toi !

Elle se releva brusquement en soupirant d'impatience. Cet après-midi, il y avait décidément trop d'émotions pour réagir autrement. Mélanie avait l'impression d'être assise sur une fourmilière et elle avait les nerfs à fleur de peau !

Quand elle revint de la cuisine, où était le second téléphone, son visage n'exprimait plus la moindre exaspération. L'appréhension marquait maintenant ses traits.

— C'était papa, expliqua-t-elle aussitôt d'une voix ébréchée. Maman est en train de faire sa valise. Ils viennent de recevoir un appel de Gilles, leur ami médecin. Il y a eu une annulation. Je n'ai pas trop compris ce que papa a essayé de m'expliquer, il était passablement énervé, mais il y a eu une annulation à cause d'une grippe ou quelque chose du genre. Bref, maman va être opérée demain matin.

Sur ce, Mélanie éclata en sanglots, à l'instant où Sébastien se levait pour venir la rejoindre. Il passa un bras autour de ses épaules.

Olivier était déjà debout.

— Et quoi d'autre ?

Mélanie haussa les épaules, renifla.

— Rien ! Ou plutôt si ! Maman demande simplement qu'on pense à elle, mais elle ne veut surtout pas nous voir. Ni ce soir, ni demain matin.

Un silence éloquent tissa sa trame de sentiments variés entre eux. Mélanie reprit après quelques instants.

— Maman fait dire que ça serait trop dur de rester calme si nous sommes là. On va attendre qu'ils nous appellent. Papa m'a promis de le faire dès qu'il serait en mesure de nous donner des nouvelles.

La voix de Mélanie avait retrouvé une partie de son assurance. Plus besoin de chercher ce qu'il fallait dire ou faire, Jeanne avait décidé pour eux.

Elle promena son regard de Sébastien à Olivier, avant de revenir à Sébastien. À sa façon, elle venait de reconnaître qu'elle se rangeait à l'opinion de ses frères parce que, finalement, c'était eux qui avaient eu raison.

Et ce fut exactement ce qu'ils comprirent.

À partir de cet instant, l'attente commença sans la moindre arrière-pensée. Chacun pour soi, chacun selon ce qu'il était. Dans leur famille, les grandes émotions se vivaient souvent enveloppées de pudeur.

Olivier quitta rapidement l'appartement de Mélanie. Ses fils lui manquaient.

Sébastien fit deux appels à Québec pour prévenir qu'il prolongeait son séjour à Montréal de quelques jours. Son grand-père ne fit aucun commentaire. Manu se permit un long soupir contrarié avant de déclarer qu'il comprenait.

Mélanie chercha réconfort auprès de Maxime et se mit à parler sans arrêt, comme l'aurait fait Jeanne en de pareilles circonstances, avant de revenir au salon pour se blottir dans les bras de Sébastien, pendant que Maxime préparait un souper frugal.

Tous les trois, quelques heures plus tard, ils eurent de la difficulté à trouver le sommeil au moment où, à quelques rues de là, Thomas aussi s'apprêtait à passer une nuit particulière. Par contre, lui, il n'avait même pas l'intention de monter jusqu'à sa chambre. Il savait qu'il serait incapable de fermer l'œil.

Quand il était revenu de l'hôpital, il avait trouvé refuge dans la serre. Il y était toujours. L'odeur des fleurs, c'était l'odeur de Jeanne. Depuis les tout premiers jours où ils s'étaient rencontrés, et ce, bien avant qu'il ne sache qu'elle voulait être horticultrice. Assis dans la noirceur, entouré des plantes que Jeanne préparait pour l'automne, il sentait presque sa présence.

La pluie avait cessé, mais la chaleur persistait. Une fine vapeur montait de la terre détrempée, dessinant des volutes dans les rayons de la lune qui n'était plus qu'un quartier laiteux se faufilant d'un nuage effiloché à un autre. Surplombant la haie, quelques étoiles brillaient au-dessus de l'horizon, lui rappelant cette soirée où Jeanne lui avait demandé d'être à ses côtés quoi qu'il arrive. Il y avait à peine six jours de cela. C'était déjà toute une éternité.

Machinalement, en entrant dans la maison, Thomas avait ouvert une bouteille de bière qu'il tournait et retournait entre ses doigts sans la boire.

Il n'avait pas faim, il n'avait pas soif.

Tant qu'il ne saurait pas ce qui se passait vraiment dans le corps de Jeanne, il n'aurait ni faim ni soif.

Pourtant Jeanne, elle, semblait détendue, sereine. En un sens, pour elle, l'attente avait cessé. De tout son être, Jeanne était déjà engagée dans la bataille.

Elle avait même eu l'air soulagé quand Gilles avait appelé. Elle était installée à la table de la cuisine, devant son ordinateur, quand le téléphone avait sonné. Thomas avait pris l'appel. Une main suspendue en l'air, Jeanne écoutait. Il n'avait pas eu besoin de lui dire qu'elle était attendue à l'hôpital, elle l'avait deviné. Sans hésiter, elle avait éteint l'ordinateur et l'avait placé sur un coin de la table basse du salon.

— Quand je serai assez bien, tu me l'apporteras à l'hôpital, avait-elle dit très calmement. J'aimerais aussi que tu préviennes les enfants. Je crois avoir entendu qu'ils allaient tous chez Mélanie. Dis-leur que je ne veux pas qu'ils se déplacent. Ça me rendrait trop nerveuse de les voir. On les appellera quand tout sera fini.

Puis elle était montée à leur chambre pour prendre un

bain et faire une petite valise. Ils étaient partis peu après.

De la même façon, toujours aussi calme, elle n'avait pas voulu que Thomas passe la soirée avec elle.

— Va souper, lui avait-elle dit quand l'infirmière était venue la prévenir qu'elle aurait à recevoir quelques soins préparatoires dans la soirée. Ça ne sert à rien que tu restes ici. Par contre, j'aimerais que tu sois là demain matin. Si ça ne te dérange pas de te lever à l'aube, bien entendu.

Thomas ne s'était pas donné la peine de lui répondre et s'était contenté de l'embrasser longuement, passionnément.

Puis il avait repassé le seuil de l'hôpital, seul, le sac à main de Jeanne pressé contre la poitrine. « Aucun objet personnel ou de valeur dans la chambre », lui avait-on dit. Jeanne avait donc retiré son alliance et sa montre, les avait déposées dans son sac qu'elle avait confié à Thomas.

Depuis cet instant, il avait la sensation que la vie s'était arrêtée. Elle reprendrait son cours après, quand ils sauraient, quand il aurait remis l'alliance au doigt de Jeanne.

Présentement, il entendait son cœur battre à grands coups sourds, presque douloureux. Il se demanda s'il continuerait de battre si jamais…

Thomas se releva d'un bond, s'interdisant de poursuivre une réflexion qui n'avait aucun sens pour l'instant. Il déposa la bouteille de bière sur la table. Il savait que ce soir, il ne la boirait pas. En la déposant sur la petite table que Jeanne avait installée dans un coin de la serre, il devina, dans l'ombre, le casse-tête inachevé qui attendait une âme charitable pour être terminé. La dernière fois où Jeanne et lui y avaient consacré quelques heures, ils parlaient encore joyeusement du voyage en Mongolie.

Hier, Marc et Josée étaient partis sans eux...

Il regarda autour de lui.

Malgré la noirceur à peine trouée par les reflets de la lune, on voyait que la serre était bien rangée. En un sens, elle ressemblait à Jeanne. Ordonnée, pratique, avec un brin de folie suggérée par les potées fleuries disposées un peu partout sur les tables. Les taches pâles, presque diaphanes, dessinées par les fleurs donnaient une certaine légèreté à la pièce. Une délicatesse qui toucha Thomas et lui donna envie de sortir du marasme où il était en train de s'enliser.

Le feuillage des chrysanthèmes en pots luisait dans la pénombre, en attendant que Jeanne leur fasse un petit coin dans les plates-bandes. Serait-elle assez remise pour pouvoir le faire, cette année ? Comme s'il répondait à quelqu'un, Thomas haussa les épaules. Il ne le savait pas. Cependant, il savait fort bien que si Jeanne était en forme, elle aimerait que ses plantes soient robustes, pleines de vie quand viendrait le temps de les transplanter.

Et comme depuis deux semaines, elle avait à peine mis les pieds dans la serre...

Spontanément, Thomas s'approcha de la porte pour faire de la lumière. Les néons crachotèrent un peu, puis envahirent l'espace, le faisant cligner des yeux avant qu'un doux ronronnement se fasse entendre. Thomas leva la tête. C'était la première fois qu'il prenait conscience que les néons faisaient autant de bruit.

Puis, lentement, il regarda autour de lui encore une fois. Ici, c'était le domaine de Jeanne et durant un court instant, il eut l'impression d'usurper des droits qui ne lui appartenaient pas. Lui-même, il détestait que quelqu'un entre dans son bureau. De nouveau, il haussa les épaules, se traitant mentalement d'idiot. Il savait que Jeanne ne verrait pas la situation du même œil que lui. Jeanne c'était la générosité faite femme, c'était le partage et l'amitié. Bien au contraire, elle apprécierait que Thomas se soit occupé de ses plantes, même si elle retrouvait la serre dans un ordre différent du sien. La seule chose que Jeanne détestait, c'était qu'on la regarde travailler.

Attrapant par le coin un des gros livres qui s'alignaient dans l'étagère appuyée contre le mur de pierre de la maison, Thomas s'installa sur une des chaises d'osier et se mit aussitôt à le feuilleter. Par chance, il connaissait le nom de la plante. Il n'aurait pas à passer le livre au peigne fin.

L'aube le retrouva, toujours occupé à soigner les plantes de Jeanne. Après les chrysanthèmes, il avait vu aux bonsaïs, selon les directives d'un second livre. Puis il était passé aux cactus, aux potées fleuries…

Ce fut un rayon de soleil, posé en biais sur le feuillage d'un gros hibiscus, qui lui fit lever la tête. Ce fut ce même rayon de soleil qui lui rappela qu'on était déjà lundi et que dans quelques heures, Jeanne serait opérée. À cette pensée, le cœur de Thomas fit un bond et s'affola.

Sans prendre la peine de ranger sécateur, ficelle et arrosoir, Thomas se précipita à l'étage pour prendre sa douche. Curieusement, il n'était pas fatigué. Seuls ses yeux injectés de sang évoquaient la nuit sans sommeil. Il fit rapidement sa toilette, il voulait arriver à l'hôpital avant le réveil de Jeanne, avant qu'on ne l'assomme de calmants en prévision de l'intervention.

Malheureusement, elle était déjà engourdie par la médication quand il entra dans la chambre. Son regard était confus, sa voix hésitante. Quand elle posa les yeux sur Thomas, il eut l'impression qu'elle n'était là qu'à moitié et il dut faire un effort vertigineux pour ne rien laisser voir de sa détresse. L'opération était déjà un risque. Le médecin en lui ne le savait que trop bien. D'autant plus que Gilles avait parlé d'anesthésie générale, car personne ne savait exactement ce qu'ils allaient trouver. Une seule certitude: le docteur Lafontaine allait procéder à l'ablation de la tumeur qui semblait s'être fixée sur le fémur. Pour le reste...

Thomas ferma les yeux un instant, tellement l'incertitude et l'angoisse l'étourdissaient. En lui, il y avait surtout l'homme, le mari, l'amant, celui qui tremblait pour celle qu'il aimait. Impulsivement, il prit une main de Jeanne, l'embrassa et la tint serrée entre les siennes.

Il ne lâcha cette main qu'à l'instant où la civière passa les portes du bloc opératoire qui se refermèrent avec un bruit d'expiration.

Thomas se retrouva dans la salle d'attente sans trop savoir comment il y était parvenu. Ils étaient plusieurs à attendre. Pourtant, il était encore très tôt. À peine sept heures. Instinctivement, Thomas repéra une chaise dans le fond de la salle et il s'y dirigea sans regarder autour de lui. Il ne voulait surtout pas se sentir obligé d'engager la conversation avec des inconnus. Pourtant, il était conscient qu'il partageait les mêmes craintes, les mêmes espoirs que tous ces étrangers.

Puis, il pensa aux enfants. Il se demanda s'ils étaient réveillés, sans pour autant avoir envie de les appeler. Malgré le profond attachement qu'il éprouvait pour eux, entre

Jeanne et lui, c'était une question d'amour, d'abord et avant tout. Les enfants avaient été le complément à cet amour et non son aboutissement. De toute façon, il n'avait nul désir de parler. Il savait qu'Olivier discuterait médecine et pronostic, preuves à l'appui, pour se donner toutes les bonnes raisons d'espérer. Sébastien bavarderait parce qu'il se sentirait obligé de meubler le silence et Mélanie parlerait tout court pour contrer son anxiété. Thomas ne se sentait pas la force de leur tenir compagnie.

Plus tard, il les appellerait plus tard, quand il aurait des détails à donner.

L'attente fut longue. Plus de trois heures.

Puisqu'il était médecin, Gilles lui avait proposé d'assister à l'intervention, mais Thomas avait refusé. Il préférait ronger son frein plutôt que de voir le scalpel ouvrir la chair de Jeanne. L'image qu'il n'avait aucune difficulté à élaborer mentalement suffisait, à elle seule, à le faire frissonner.

Quand il aperçut enfin Gilles dans l'embrasure de la porte, il se leva brusquement comme mû par un ressort. D'un geste de la main, son ami lui faisait signe de le suivre dans le couloir. Sans trop savoir pourquoi, Thomas perçut cette exigence comme une manifestation de mauvais augure. Si Gilles cherchait un peu d'intimité, les nouvelles n'étaient pas aussi bonnes qu'elles auraient pu l'être. À moins qu'il ne veuille tout simplement pas troubler l'intimité de tous ces gens qui attendaient. Peut-être...

Thomas rejoignit Gilles en quelques longues enjambées.

Son ami avait les traits tirés. D'un geste machinal, il triturait entre ses doigts le casque qui avait dû protéger ses cheveux pendant l'opération. Le masque qui avait recouvert sa bouche durant l'intervention pendait sur sa poitrine.

Gilles soutint le regard de Thomas durant un bref moment, puis il esquissa un sourire un peu triste.

— Voilà, c'est fait. Jeanne est présentement en salle de réveil. Tu pourras la voir dès que je t'aurai parlé. Permission spéciale parce que tu es médecin. Lafontaine a fait des merveilles. Dans deux jours, Jeanne pourra recommencer à marcher avec une canne. Par contre, la tumeur était maligne, nous en sommes persuadés, Lafontaine et moi. En fait, il y avait trois tumeurs agglomérées et pas très belles à voir, ce qui ne laisse aucun doute. On va quand même attendre les résultats du labo, n'est-ce pas, mais je suis certain à 99% de ce que j'avance. Je regrette tellement.

Il y avait une pointe d'excuse dans la voix de Gilles, comme s'il y était pour quelque chose. Thomas eut le curieux réflexe de lui répondre que ce n'était pas grave, de ne pas s'en faire. Quelques mots vagues, plus murmurés qu'articulés. Puis il craqua. Du plus profond de ses entrailles, il sentit monter un long gémissement qui mourut malgré tout presque silencieusement sur ses lèvres. Il enfouit ses mains dans ses poches parce qu'elles tremblaient légèrement.

Ce que Jeanne avait tellement anticipé tout au long de sa vie était devenu réalité.

Jeanne, sa Jeanne avait un cancer.

Thomas avait la gorge nouée, aucune parole n'arrivait à passer le seuil de ses lèvres.

Il inspira profondément tout en détournant la tête. Deux minutes, il avait besoin de deux minutes pour se ressaisir avant de pouvoir parler.

Gilles et lui étaient au bout du couloir où une large

fenêtre quadrillée laissait entrer abondamment le soleil qui, à son tour, carrelait le plancher de tuiles vertes. Involontairement, le regard de Thomas s'y attacha. Par un curieux revirement de l'esprit, Thomas se demanda ce qu'il retiendrait de cet été 2004. La température idyllique ou le cancer de Jeanne ? Aussitôt, il se trouva ridicule d'avoir de telles pensées. Comment pouvait-il se poser une question aussi idiote alors que Jeanne...

Thomas baissa les paupières. Le soleil si beau, si chaud, si agréable cette année lui était subitement intolérable.

Jeanne avait un cancer.

Ce fut à cet instant qu'il sentit un long sanglot monter de sa poitrine, en même temps qu'il s'entendait promettre à Jeanne d'être à ses côtés quoi qu'il arrive.

Il serra les paupières encore plus fort pour obliger les larmes à se retirer avant de déborder. Il n'avait pas le droit de s'apitoyer sur la situation. Se laisser aller n'apporterait aucune solution. De toute façon, la situation ne lui appartenait pas. Elle appartenait à Jeanne et celle-ci avait dit qu'elle voulait se battre. Il n'avait donc pas le choix. Il avait promis de se tenir à ses côtés et c'est exactement ce qu'il allait faire.

Lentement, il reprit sur lui. Il recommença à respirer normalement, parvint à détendre ses poings crispés qu'il sortit de ses poches et petit à petit son cœur accepta de ne plus battre comme un fou. Il revint alors devant Gilles.

— Comment vois-tu la situation ? arriva-t-il à articuler sans que sa voix trahisse le maelström d'émotions qui l'avaient envahi.

Gilles haussa les épaules de dépit. Thomas s'était redressé et il le sentait incroyablement fort. Fort de cet amour qu'il savait entre Jeanne et lui. Ses amis habitaient un monde qu'il avait souvent envié, sans jamais réussir à l'atteindre. Intimidé, il n'osa pas le geste d'amitié, une main sur l'avant-bras ou sur l'épaule. Il se contenta d'un pâle sourire qui, l'espérait-il, saurait dire le soutien, la compréhension.

— Malheureusement, il n'y a pas trente-six solutions... Radio, chimio et quelques prières pour ceux qui y croient. Par contre, comme je l'ai déjà dit à Jeanne, la semaine dernière, à part cette petite ombre au poumon, il ne semble pas y avoir d'autres métastases. On a bien pensé enlever également cette ombre au poumon, Jeanne était intubée pour cette éventualité, mais Lafontaine a préféré attendre que le genou soit guéri. Il dit que Jeanne va suffisamment souffrir sans y ajouter une plaie à la poitrine. La tumeur, les trois tumeurs étaient bien soudées à l'os et Lafontaine estime que Jeanne est chanceuse qu'il ait pu tout enlever sans que le fémur soit trop endommagé, mais c'était majeur comme intervention. Ça été long. On était contents d'avoir opté pour une anesthésie générale. On a quand même discuté quelques instants de la possibilité d'ouvrir aussi la cage thoracique, puis je me suis rallié au point de vue de Lafontaine. De toute façon, l'ombre au poumon est si petite que la chimio a de bonnes chances d'en venir à bout. À part ça, comme je viens de te le dire, il n'y a aucune autre présence de métastases.

— Ce qui ne signifie pas qu'il n'y en a pas en préparation, n'est-ce pas ? l'interrompit Thomas, avide de tout savoir.

Pour aider Jeanne, il devait tout savoir. Savoir ce que Jeanne elle-même n'aurait peut-être pas besoin d'apprendre.

— Effectivement, avoua Gilles un peu à contrecœur. Tu es médecin, je ne peux pas te cacher grand-chose. Par contre, je ne crois pas que ce serait une bonne idée de parler à Jeanne en ces termes. Là, c'est le médecin d'expérience qui te parle. Pour l'instant, on ne voit qu'une ombre au poumon et on s'arrête à ça. Il ne sert à rien d'anticiper les pires pronostics, ce serait malsain. Toutefois, l'ami, lui, sait fort bien qu'il n'a rien à t'imposer. Tu sais ce que tu dois faire avec Jeanne. Ça ne regarde que vous...

— Merci de le dire.

— Je le pense sincèrement. Vous êtes deux êtres à part, vous deux. Ce qui fait que je n'ai pas besoin de te demander si tu préfères parler toi-même à Jeanne, n'est-ce pas? Habituellement, c'est moi qui préviens le patient et si c'est ce que tu préfères, je peux le...

— Je vais parler à Jeanne, affirma Thomas. C'est à moi de lui parler.

— C'est ce que je pensais. Pour les traitements, tu lui diras qu'on va commencer dans moins d'un mois, dans deux ou trois semaines si possible. Le temps que je vérifie les listes et que je lui trouve une place. En attendant, elle est libre de faire tout ce qu'elle veut. Les seules restrictions viendront de sa jambe. C'est à elle de voir jusqu'où elle peut aller. En fait, Jeanne a une santé de fer.

À ces mots, Thomas ne put retenir la moue d'amertume qui lui vint spontanément aux lèvres.

— Justement, parlons-en de la santé de Jeanne! crachat-il avec rudesse. Elle a été si raisonnable tout au long de sa vie que ça en est ridicule. Ça lui a donné quoi de se priver, de manger avec austérité, d'avoir une hygiène irréprochable?

Il y avait tellement d'animosité, de ressentiment dans la voix de Thomas que Gilles ne put s'empêcher de hausser le ton.

— Ça donne peut-être une marge de manœuvre suffisamment importante pour que les traitements soient efficaces et qu'elle guérisse.

Thomas se sentit rougir comme un gamin.

— Tu as raison. Je suis ridicule...

Puis se redressant :

— Est-ce que je peux la voir ?

— Bien sûr ! Suis-moi. Elle est en salle de réveil. Si tout va bien, elle devrait retourner à sa chambre dans une petite heure.

Ce fut au moment où les deux hommes allaient franchir le seuil du bloc opératoire que Thomas posa la main sur le bras de Gilles.

— Merci pour tout. Je sais que Jeanne a une confiance absolue en toi et, ça aussi, c'est important pour un patient.

Gilles avait brusquement l'air mal à l'aise. Pourtant, il appréciait ces quelques mots de Thomas.

— J'aurais préféré n'avoir jamais à intervenir dans votre vie, tu sais, confia-t-il d'une voix troublée. Mais puisque le destin en a voulu autrement... Allez, viens ! Je t'ouvre la porte et tu continues tout seul. Ma journée n'est pas finie. J'ai des patients qui attendent ma visite. Jeanne est installée dans le lit près de la fenêtre...

Thomas entra dans la salle sur le bout des pieds, comme on entre parfois dans une église. Mais contrairement à un lieu de culte où la vie elle-même semble feutrée, une cacophonie de bruits divers, étourdissants, l'accueillit sans ménagement. Il y eut même un éclat de rire qu'il trouva aussitôt déplacé. Puis il comprit et s'en voulut d'être si sévère. Les gens qui s'affairaient ici avaient besoin de croire que la vie était la plus forte. Pour eux, ce n'était qu'un travail et il était bien qu'il en soit ainsi. Quant aux patients, ils étaient encore suffisamment engourdis par les médicaments pour ne pas s'en formaliser.

Une fois cette constatation faite, admise, Thomas se sentit beaucoup mieux. Comme si, lui aussi, venait de souscrire à la vie.

Il repéra Jeanne tout au fond de la salle à huit lits, près de la fenêtre comme Gilles l'avait mentionné. Elle commençait à s'agiter. Près d'elle, une infirmière injectait un liquide dans le tube à perfusion. Thomas s'y dirigea rapidement. La jeune infirmière l'accueillit d'un sourire chaleureux, ayant été prévenue de sa venue.

— Bonjour. Madame Lévesque est en train de se réveiller.

Puis devant le regard interrogatif de Thomas qui jetait un coup d'œil à la poche de soluté, elle ajouta :

— Je viens d'ajouter un peu de morphine à son soluté. Sortir d'une anesthésie comme la sienne est assez éprouvant, pas besoin d'avoir mal en plus.

La jeune femme lissa les couvertures, jeta un dernier regard à la perfusion.

— Voilà. Je vous laisse un instant. En cas de besoin, vous pouvez m'appeler, je ne suis jamais bien loin. De toute façon, je reviens dans quelques minutes.

Sur ce, elle s'éloigna dans un froissement de tissu amidonné.

Prenant une profonde inspiration, Thomas baissa les yeux. Jeanne était toujours branchée au respirateur et son visage était bouffi. Il eut peine à la reconnaître. Puis elle fit une petite grimace de douleur qui lui arracha un sourire ému. C'était bien sa Jeanne. Il posa délicatement la main sur la sienne et il sentit son cœur se gonfler de tendresse, malgré le déchirement qu'il éprouvait.

Depuis l'instant où Gilles lui avait appris que la tumeur était maligne, Thomas se demandait quand et comment il allait l'annoncer à Jeanne. Ce ne sont pas là des paroles faciles à prononcer. De la voir si fragile, si démunie, branchée à toutes sortes de machines qui semblaient la maintenir en vie ravivait cette sensation d'embarras, de malaise devant une vérité qui serait difficile à dire. Peut-être devrait-il attendre à demain ?

Se sentant malhabile et angoissé, Thomas assistait, impuissant, au réveil de Jeanne, à demi penché au-dessus du lit. Elle semblait souffrir, elle qui avait si peur de la douleur. Instinctivement, dans les dernières vapeurs de l'anesthésiant, elle essayait d'atteindre le tube du respirateur qui encombrait sa gorge. Retenant la main de Jeanne qui cherchait à attraper l'attirail qui l'agaçait, Thomas leva la tête et chercha l'infirmière du regard. Celle-ci se dirigeait justement vers eux.

— Alors ?

— Je crois que le tube l'incommode.

L'infirmière se pencha vers Jeanne, consulta un tableau électronique que Thomas aurait été bien en peine de décrire, revint à Jeanne.

— Oui, vous avez raison. Elle cherche à respirer par elle-même. C'est bon signe. J'appelle le médecin. En attendant, essayez de lui parler, de la ramener pour de bon parmi nous en lui promettant que l'inconfort cessera bientôt. Je reviens dans un instant.

Thomas reporta les yeux sur Jeanne. Il se souviendrait longtemps de ces quelques instants en tête-à-tête avec Jeanne. Ils furent les plus doux, les plus faciles de toute sa journée. S'accroupissant près du lit, il posa la tête contre celle de Jeanne et se mit à lui parler comme il savait si bien le faire quand venaient les moments d'intimité entre eux. Il raconta le soleil qui brillait encore et toujours. Il lui parla des oiseaux qui avaient accompagné le lever du jour. Il lui rappela l'odeur des roses et l'amour qu'il avait pour elle.

Tous ces mots un peu fous, échevelés, amoureux étaient porteurs de tout l'espoir dont il était encore capable. Pour Thomas aussi, l'attente venait de prendre fin. Désormais, la bataille de Jeanne serait sa bataille. Il ne restait plus qu'à l'annoncer. Alors, lui qui ne priait jamais, il implora le ciel de lui faire signe quand le bon moment serait venu, il pria Dieu de lui donner les mots capables de dire sans blesser.

Pendant ce temps, Jeanne sortait tout doucement des torpeurs nauséeuses de l'anesthésie, portée par le murmure de la voix de Thomas. Elle avait la tête lourde, prise dans un étau, et le corps ankylosé. Elle se demanda pourquoi elle avait la bouche si sèche et la gorge si douloureuse. Aurait-elle pris froid ?

La mémoire lui revint d'un seul coup.

Non, elle n'avait pas pris froid. On était en plein été et c'était un très bel été, particulièrement chaud et ensoleillé. Non, si elle se sentait si mal en point ce n'était pas à cause de la température mais de son opération pour cette bosse au genou.

Jeanne ressentit un bref moment de soulagement. Voilà, c'était fait.

La voix de Thomas lui parvenait, de plus en plus claire, et les mots qu'il murmurait à son oreille prenaient leur sens petit à petit. Malgré la nausée qu'elle ressentait, Jeanne était bien de ces mots un peu fous qui la réchauffaient.

Puis il y eut d'autres voix et Jeanne sentit un mouvement d'air autour d'elle. Ce fut à ce moment qu'elle ouvrit les yeux.

— Bienvenue parmi nous, lui annonça une voix d'homme qu'elle ne connaissait pas. Je vais vous retirer le tube du respirateur, vous n'en avez plus besoin. Je ne vous cacherai pas que ça va être un peu désagréable, mais après vous allez vous sentir de mieux en mieux. On ne devrait plus tarder à vous retourner à votre chambre.

Effectivement, le médecin avait raison, ce fut assez éprouvant de sentir le frottement dans sa gorge quand on lui retira le respirateur mais peu après, Jeanne ressentit un grand bien-être dans le simple geste de pouvoir avaler normalement. Elle glissa alors dans une torpeur bienfaisante qui, l'espace d'une seconde, lui fit penser à l'euphorie qu'elle avait ressentie après ses deux accouchements quand elle se répétait en litanie que c'était enfin fini. Une litanie qui, aujourd'hui, la replongea dans un état de demi-sommeil.

Jeanne ne revint à la réalité qu'une fois installée dans son lit.

La chambre était fraîche. Quelqu'un avait pensé à tamiser la lumière crue du soleil de midi en tirant les rideaux et un ventilateur ronronnait faiblement sur le bureau au pied du lit. Jeanne eut le réflexe de s'étirer longuement, comme elle le faisait chaque matin au réveil, mais une sensation de déchirure lui fit avorter le geste. Sa jambe élançait, encore et toujours, mais d'une douleur nouvelle, différente de tout ce qu'elle avait connu depuis un an. Ce fut malgré tout cette douleur qui lui rappela la dernière pensée qu'elle avait eue avant de s'endormir. En réalité, cette dernière réflexion avait été plutôt une prière pour que la tumeur soit bénigne. Un simple kyste, une bosse sans importance. C'était toujours possible. Personne ne le savait vraiment.

Maintenant, elle pouvait savoir…

Jeanne hésita une fraction de seconde avant d'ouvrir les yeux. Son cœur s'était emballé, lui suggérant de reporter à plus tard, à demain, à jamais… En même temps, elle sentait la présence de Thomas à ses côtés. Thomas qui, lui, devait connaître la vérité…

Jeanne se décida d'un coup, souleva les paupières et tourna la tête vers Thomas qui la regardait dormir.

Elle n'eut pas besoin de demander quoi que ce soit. La réponse était inscrite dans le regard de Thomas qui la couvait tristement des yeux. Elle tendit une main vers lui.

— Quand est-ce que je commence les traitements?

La voix de Jeanne était rauque, déformée, à peine reconnaissable. Mais son regard, lui, était vif, presque dur. Thomas comprit qu'il ne servirait à rien de tergiverser. Jeanne avait tout deviné. Il toussota à deux reprises pour raffermir sa voix.

— Probablement dans deux semaines. Gilles va venir te voir à ce sujet.

Il y eut un silence durant lequel Jeanne regardait fixement devant elle. Un silence tellement lourd que Thomas se remit à parler précipitamment, pour combler le vide, pour repousser les angoisses. Bien maladroitement, il tenta d'imprimer un peu d'enthousiasme à sa voix.

— Pour ce qui est de l'opération, ça s'est très bien passé. Gilles dit que le docteur Lafontaine a fait des merveilles. Tu devrais même pouvoir recommencer à marcher dans deux jours. Ce qui veut probablement dire que tu vas être à la maison avant la fin de la semaine. Dès que tu as fait quelques pas, tu peux partir. C'est merveilleux, n'est-ce pas ? Et devine ce que j'ai fait ! Je t'ai préparé une petite surprise. Tu sais, les chrysanthèmes que tu as plantés dans des pots ? Eh ! bien, figure-toi donc que la nuit dernière, comme je n'arrivais pas à dormir, je me suis permis de…

Jeanne n'écoutait plus. Ce qu'elle voulait savoir avait été dit. Malheureusement, elle n'avait pas entendu ce qu'elle espérait entendre. Les derniers vestiges d'une certaine pensée magique s'étaient envolés.

Thomas continuait de parler et Jeanne regardait fixement devant elle sans manifester la moindre émotion. Elle s'attendait trop à cette éventualité pour être vraiment surprise. Elle se laissa porter par une déception amère, le temps de retrouver de profonds regrets portés par une colère froide quand elle se répéta que c'était injuste, puis elle ferma les yeux en glissant sa main tremblante dans celle de Thomas.

Aussitôt, ce dernier se tut. Ses mots vides n'abusaient personne.

Jeanne poussa un long soupir frémissant, appréciant que Thomas ait compris son envie de silence. Elle avait terriblement besoin de cette solitude un peu particulière qui se vit à deux dans la tranquillité et le respect. Elle savait que

Thomas ne dirait plus rien et c'était ce qu'elle voulait.

Juste sentir la présence de son homme, sa chaleur et rien d'autre. Se réchauffer l'âme auprès d'un amour qui n'a besoin d'aucun mot pour se manifester. Être bien du simple fait de savoir sa main emprisonnée dans celle de Thomas, protégée par celle de Thomas et faire le vide de tout le reste.

Thomas n'osa bouger. Même au bout d'une demi-heure, il était encore immobile, assis tout contre le lit, épiant le visage de Jeanne. Il se demandait seulement si elle s'était rendormie ou si elle cachait son désespoir derrière le paravent de ses paupières closes.

★   ★   ★

Tiré de l'agenda de Jeanne

En tout et partout, ça n'aura duré que trois petites journées. C'est pas beaucoup. Pas même une semaine. C'est fou comme l'existence tient à peu de choses, finalement. La mienne a basculé en trois minuscules journées. Je dirais même en trois insignifiantes journées. Et c'est pour de bon, cette fois-ci. Il n'y a plus d'échappatoire possible, sinon celle de trouver le courage d'affronter ce qui s'en vient. L'espoir qu'il me reste est bien mince. Je m'oblige à dire qu'il est directement proportionnel à la détermination que je saurai démontrer.

Voilà que j'écris ces mots qui me sont venus spontanément et je sens un sourire qui se forme bien malgré moi. Thomas serait fier de moi, j'en suis rendue à penser en termes mathématiques! Mais c'est bien parce que je n'ai pas le choix. Je dois garder la tête froide, ne viser que l'objectif de m'en sortir, sans y mêler toutes ces émotions que je sens à fleur de peau, à fleur de cœur. Si je me laisse emporter par les émotions, je n'arriverai à rien, j'en suis certaine. Je ne veux pas que les gens que j'aime se doutent de ma terreur et de ma colère. Parce que je suis en colère, même si rien n'y paraît. Je ne me comprends plus. J'en veux à l'univers entier pour cette injustice et je n'arrive pas à crier cette rage. Je voudrais détester quelqu'un pour canaliser ma colère, mais je ne déteste personne. J'ai demandé à Thomas de me soutenir et c'est moi qui cherche à le protéger. J'ai l'impression que cette déchirure dans ma vie a déchiré l'essentiel en moi. Je voudrais me cacher dans un petit coin, me rouler en boule en attendant que l'orage s'éloigne, mais je sais que l'orage ne s'éloignera que si je lui fais face.

Suis-je prête à me battre ?

Honnêtement, je l'ignore, même si c'est là l'image que j'essaie de donner à tout le monde. Surtout à Thomas. Je le sens si bouleversé malgré ce petit air brave qu'il affiche. Alors je joue les décontractées, mais sans trop me faire d'illusions. Probablement que je n'ai pas l'air plus finaude que lui ! Car je dois l'avouer : une terreur immense me tord l'estomac. J'ai un trac fou. C'est pour ça que j'essaie de donner le change, mais je ne sais pas vraiment si j'y arrive. Les regards qui se posent sur moi sont tellement difficiles à cerner, à décortiquer. Est-ce de l'inquiétude, de la tristesse ? Probablement un peu des deux. Surtout de la part des enfants. Quand ils sont venus me voir à l'hôpital, ils semblaient retenir leur souffle tellement ils étaient bouleversés. Pour eux, je dois rester forte. Je ne veux pas qu'ils aient de moi la même image que celle que j'ai gardée de ma mère.

Depuis que je sais que la tumeur qu'ils m'ont enlevée était maligne (maintenant, il n'y a plus aucun doute, les résultats sont arrivés ce matin), je n'arrête pas de penser à maman, de me comparer à elle. C'est probablement très dangereux, mais c'est plus fort que moi.

J'ai tellement peur de souffrir.

J'ai tellement peur que ça soit inutile.

Comme dans le cas de ma mère ! Pourquoi est-ce que ça serait différent pour moi ? La médecine a évolué, les pronostics sont nettement plus favorables aujourd'hui, mais une petite voix ne cesse de répéter en moi : « Et puis ? Qu'est-ce que ça change, ma pauvre Jeanne ? On a toujours dit que tu ressemblais à ta mère... »

Et cette petite voix en moi est tellement sarcastique.

S'il fallait que...

Stop !

Il faut que je mette mes peurs de côté. Mes souvenirs aussi. Je dois le faire, je dois me concentrer sur l'objectif, sur l'avenir, en autant qu'il m'en reste un. Chose certaine, je veux guérir et quand je dis ça, il n'y a aucun doute dans mon esprit. Rien d'autre n'a d'importance. Alors, quoi qu'il puisse m'en coûter, je ferai tout ce qu'on me demandera de faire.

Gilles m'a remis une pile de documents à lire. Ils sont sur ma table de nuit. Je n'ai pas trouvé l'énergie nécessaire pour attaquer toute cette lecture. Il va pourtant falloir que je m'y mette. Promis, ce soir, je vais le faire. Avec Thomas. Plus que jamais, j'ai besoin de le sentir tout près de moi.

Gilles m'a aussi donné un numéro de téléphone pour un regroupement quelconque. Non, ce n'est pas vrai, ce n'est pas un regroupement quelconque. C'est un groupe d'entraide pour des gens qui sont dans ma situation. Même si habituellement je suis plutôt encline à parler librement à des inconnus, présentement c'est fort différent. On n'étale pas sa peur de mourir comme on peut parler de ses craintes devant la souffrance. Alors je n'appellerai pas ces gens, aussi compétents puissent-ils être. Plus tard peut-être, on verra, mais pas pour le moment. La présence de Thomas est la seule que je tolère. Et celle des enfants aussi, à l'occasion. Mon univers présent s'arrête à eux. C'est dommage, mais les amis devront attendre. Même si je sais que Josée va être malheureuse d'être tenue à l'écart quand elle reviendra de voyage, je n'arrive pas encore à dire à voix haute ce que je pense dans le secret de mon âme.

Car je suis bien consciente que c'est la peur de mourir qui domine, encore plus forte que la colère, et pour l'instant je suis incapable d'en parler.

Chapitre 8

Montréal, septembre 2004

« Et si tu n'existais pas
Dis-moi pourquoi j'existerais
Pour traîner dans un monde sans toi
Sans espoir et sans regret...
Et si tu n'existais pas
Je ne serais qu'un point de plus
Dans ce monde qui vient et qui va
Je me sentirais perdu
J'aurais besoin de toi. »

ET SI TU N'EXISTAIS PAS, INTERPRÉTÉ PAR JOE DASSIN

L'été était bel et bien fini. En moins d'une semaine, le thermomètre s'était mis à chuter dangereusement, la nuit surtout. En quelques jours à peine, le gros érable avait commencé à jaunir au-dessus des toits et le fusain ailé prenait lentement sa riche teinte de belle pomme mûre. L'automne était arrivé.

En s'éveillant ce matin, Jeanne avait pris une longue, une profonde et réconfortante inspiration en ouvrant les rideaux de sa chambre. Jeanne était bien aise de cet automne qu'elle aimait tant et qui commençait. Le soleil restait de la partie et même si, certains jours, il préférait se promener de nuage en nuage, la pluie se faisait rare et le fond de l'air était encore confortable.

Le docteur Lafontaine avait fait un miracle. L'élancement qui avait tant fait souffrir Jeanne avait disparu et c'est à peine si la cicatrice rosée qui zébrait la peau au-dessus du genou gauche était encore sensible. Depuis quelques jours, elle se déplaçait librement, sans l'aide de sa canne et hier, comble de plaisir, elle avait fait l'épicerie en compagnie de Thomas sans ressentir le moindre malaise. Elle en avait donc profité pour convier les enfants et leur famille à venir souper dimanche prochain, comme elle le faisait si souvent avant.

En apparence, la vie avait repris un cours normal. Une apparence que Jeanne se faisait un devoir de cultiver presque religieusement.

Et si toute cette vilaine histoire était finie ? Et si la tumeur qui avait été supprimée, arrachée, grattée était unique, cela voudrait dire qu'elle était guérie, non ?

Jeanne se sentait si bien, après avoir enduré le martyre pendant plus d'un an, qu'il lui était facile de se laisser porter par ce retour à une vie coutumière. Cette impression de normalité correspondait si bien à ses souhaits les plus chers que la tentation de ne pas regarder plus loin dominait. Elle n'avait plus mal, c'est donc qu'elle n'était plus malade. Gilles devait avoir raison quand il disait que cette ombre au poumon était due à son travail. Trop d'humidité, trop de poussière…

Néanmoins, la semaine prochaine, Jeanne était attendue à l'hôpital pour une série de traitements. Elle se demandait maintenant s'ils étaient encore vraiment nécessaires. Dernier soubresaut d'une volonté fragile, elle hésitait en dépit de ce grand désir de guérison totale et officielle qui la portait. Car ils lui faisaient peur, ces traitements. Elle avait vu sa mère dépérir à vue d'œil quand elle s'y était soumise. En moins de deux semaines, Béatrice Lévesque n'était plus que l'ombre d'elle-même. Alors Jeanne avait peur. Peur d'avoir de nouveau mal, peur de ressembler à sa mère et de se transformer en ombre de vie. C'est pourquoi elle avait demandé à rencontrer Gilles. «Pour discuter de tout cela avant de commencer», avait-elle dit, un peu mal à l'aise d'abuser de ce lien d'amitié qui les unissait. Gilles avait gentiment accepté de la recevoir. Il l'attendrait en fin d'après-midi, à la clinique, avant de se rendre à l'hôpital pour la dernière tournée de la journée.

Alors, pour passer le temps, pour faire disparaître ce grand vertige qui lui soulevait l'estomac quand elle pensait à tout ce qui s'en venait, Jeanne avait décidé de soigner son jardin.

Quand Jeanne pensait à ses fleurs, elle ne pensait à rien d'autre.

Un peu grâce à Thomas, les chrysanthèmes étaient à leur plus beau, garnis de fleurs dans les tons de jaune ocre, de violet ourlé de rose et de blanc crémeux. Il était plus que temps de les installer au jardin. Ce que Jeanne avait fait, le petit déjeuner expédié, émerveillée de pouvoir s'agenouiller sans difficulté.

Puis, vers trois heures, elle avait procédé à un brin de toilette avant de quitter la maison sans dire à Thomas où elle allait. «Quelques courses, avait-elle lancé négligemment pour expliquer son absence. Ça me fait tellement plaisir de pouvoir conduire l'auto toute seule!» Thomas n'avait pas insisté. La bonne humeur de Jeanne était trop réjouissante pour y mettre un bémol.

Ce fut au moment où elle mit les pieds dans le bureau de Gilles, à l'instant précis où leurs regards se croisèrent, que Jeanne comprit le sens réel de sa démarche. Elle tentait le tout pour le tout en offrant un compromis au cancer. «Je fais un bout de chemin et tu fais l'autre», aurait-elle pu lui dire. En venant le rencontrer, elle cherchait une approbation à cette ultime négociation. Car c'était exactement ce qu'elle était en train de faire : elle voulait traiter avec la vie. Ou la mort, elle ne le savait plus très bien.

Elle s'installa sur le bout du fauteuil, fouilla dans son sac à main pour en extraire la liasse de publications que Gilles lui avait remise. Les feuilles étaient toutes écornées d'avoir été souvent consultées. Elle y jeta un dernier coup d'œil. Toute son argumentation s'y trouvait. Puis, après un long soupir, elle leva la tête.

— Voilà! Je ne sais pas vraiment par où commencer... Comme tu peux le constater, j'ai lu scrupuleusement tout ce que tu m'as remis, fit-elle en brandissant les brochures qu'elle tenait toujours dans sa main. Deux fois plutôt qu'une. Seule, à plusieurs reprises, puis avec Thomas pour être certaine d'avoir tout compris. Je crois maintenant que je saisis assez bien les enjeux des traitements que tu as prescrits. Ce qui ne veut pas nécessairement dire que j'y souscris. Je... Mon Dieu que c'est difficile à exprimer!

Dans le regard de Jeanne, il y avait tellement d'hésitation, d'incertitude, d'inquiétude que Gilles ne put s'empêcher de se relever pour venir s'asseoir dans un fauteuil à proximité d'elle.

— Traitement de faveur parce que tu es une amie, fit-il gentiment en serrant sa main au passage. Aujourd'hui, on ne peut plus se permettre la moindre familiarité avec nos patientes et c'est dommage. Mais avec toi...

Sur ces mots, où Jeanne perçut une certaine réprobation, Gilles s'installa confortablement en se calant dans son fauteuil.

— Et maintenant, vas-y franchement, conseilla-t-il. Dis-moi tout ce que tu as sur le cœur, car j'ai l'impression qu'il y en a beaucoup. Je sais que ce n'est pas facile, mais si tu veux que je t'aide, il n'y a pas d'autre solution. Parle-moi comme tu te dis les choses à toi-même. Ferme les yeux s'il le faut et oublie que je suis là. J'ai l'impression que tu es terrorisée. Si c'est le cas, dis-la cette peur. Crie-la si ça peut te faire du bien. Mais il faut qu'elle sorte.

Un long silence succéda à ces quelques mots. Tout comme Gilles l'avait suggéré, Jeanne avait fermé les yeux. Elle avait laissé tomber les feuilles sur le bureau et avait croisé les mains sur ses cuisses. Gilles remarqua qu'elles tremblaient.

— Est-ce que je me trompe en disant que tu as peur ? suggéra-t-il plus qu'il ne le demanda, tout en parlant d'une voix très douce, très calme, devant le silence persistant de Jeanne.

— Tu ne te trompes pas, avoua-t-elle enfin. J'ai très peur. Je n'ai jamais été très courageuse devant la douleur.

Jeanne avait toujours les yeux fermés. Le soleil de quatre heures entrait par une fenêtre placée derrière elle et il traçait des rayures sur son dos en suivant le dessin du store de bois. Elle en sentait la chaleur et cela l'aidait à se détendre.

— Tu crois vraiment que tu n'as pas de courage ? poursuivit Gilles sur le même ton. Pourtant, chère Jeanne, tu as enduré ce que peu de gens auraient enduré. Ton genou devait faire atrocement mal et tu ne t'es jamais plainte. La peur guidait peut-être ta façon d'agir, mais il y avait aussi une forme de courage dans tout ça.

Jeanne resta silencieuse un moment comme si elle soupesait les paroles de Gilles en se référant à l'expérience passée.

— C'est vrai, admit-elle enfin. Dans le fond, tu as peut-être raison. Le courage, c'est comme tout le reste, on dirait bien que ça s'apprend.

Ce fut alors que Jeanne ouvrit les yeux et tournant la tête, elle plongea son regard angoissé dans celui de son ami.

— Et mourir, Gilles? Crois-tu qu'on peut apprendre à mourir?

Tandis que Jeanne parlait, deux grosses larmes avaient débordé de ses paupières et coulaient le long de ses joues sans qu'elle cherche à les essuyer. Gilles comprit alors que jusqu'à maintenant, Jeanne n'avait partagé sa hantise de la mort avec personne. Pas même avec Thomas. Le sujet était encore au-delà de la zone interdite. Il aurait pu s'écrier qu'il ne fallait pas parler ainsi, qu'il était trop tôt pour envisager la mort, que ses chances de rémission étaient excellentes. Oui, il aurait pu dire toutes ces choses parce qu'elles étaient vraies et qu'elles repoussaient l'impensable jusqu'à un avenir hypothétique, incertain. Pourtant, il n'en fit rien. Jeanne n'avait pas besoin d'être rassurée par quelque pronostic pragmatique. Si Jeanne parlait de la mort avec autant d'angoisse dans la voix, c'est qu'elle avait besoin d'être rassurée relativement à celle-ci. Juste au cas où... Parce que malgré tout, on parlait de cancer, ici, et que cela sous-entendait également une éventuelle dimension d'irrévocable. Il répondit donc simplement :

— Oui, Jeanne, mourir, ça s'apprend. J'ai vu des tas de gens apprivoiser la mort et arriver à la considérer comme une conclusion tout à fait normale. On apprend à mourir comme on a autrefois appris à vivre.

Ces mots aussi n'étaient que la plus stricte vérité. Jeanne dessina alors un sourire fragile, un peu lointain. Lentement, elle passa la main sur son visage, renifla.

— Merci. Merci pour ton honnêteté. Je... Si jamais il le fallait, je repenserai à ce que tu viens de me dire. Ça m'a fait du bien d'entendre qu'on peut peut-être arriver à accepter.

— Mais encore faut-il qu'on en soit rendu là ! répliqua Gilles avec un peu plus de vigueur dans la voix. Si tu veux mon avis, je ne crois pas que ce soit ton cas.

Jeanne s'était redressée imperceptiblement dans le fauteuil.

— D'accord, oui, tu as raison. Mais j'avais quand même besoin de savoir...

Elle inspira profondément comme si elle avait manqué d'air.

— Allons-y donc pour les traitements. Ça aussi, ça me fait terriblement peur, tu sais. Surtout à cause de ma mère. Comme je te l'ai dit l'autre jour, non seulement la chimio n'a rien donné dans son cas, mais en plus ça l'a détruite. Non, non, ne m'interromps pas, fit-elle en levant le bras, voyant que Gilles s'apprêtait à lui couper la parole. Je t'assure que ce n'est pas un mauvais tour de ma mémoire. Maman était une force de la nature, crois-moi, enjouée, vive, énergique. J'aurais aimé que tu puisses la connaître. Ma mère était une femme exceptionnelle. Même l'opération qu'elle avait subie pour enlever les tumeurs au poumon ne l'avait pas affectée. Une semaine après, elle revenait à la maison, prête à reprendre sa vie où elle l'avait laissée, débordante d'énergie. Quant aux traitements, contrairement à moi, ils ne lui faisaient pas peur. C'était sa police d'assurance, comme elle le disait en riant. Elle avait même hâte de commencer pour que ce cauchemar soit derrière elle. C'est là que tout a basculé. Je te jure, Gilles, que la chimio a tué ma mère avant même que la mort ne l'emporte. En quelques semaines, elle s'était transformée en zombie, amaigrie, chauve, constamment à bout de souffle. Elle était tellement malade, Gilles. Tellement fatiguée. Un rien l'épuisait. En quelques semaines, elle a été clouée au lit pour ne plus en ressortir, sauf pour retourner à l'hôpital. C'est là qu'elle est morte, le corps ravagé par la douleur, les nausées. Je ne veux pas vivre ça, Gilles. C'est pourquoi j'ai bien étudié la documentation que tu m'as donnée. À première vue, il semblerait que la radiothérapie soit moins éprouvante. Alors si on essayait de commencer par ça ? Après tout, c'est toi qui l'as dit : il n'y a aucune métastase ailleurs et cette ombre au poumon n'est peut-être pas grand-chose. Je ne l'ai pas rêvé, n'est-ce pas ? Tu as bien dit que mon travail dans l'humidité et la poussière pouvait être la cause de cette ombre, non ?

Jeanne avait parlé d'une seule traite, reprenant à peine son souffle. Quand elle se tut enfin, le visage de Gilles s'était refermé, durci. Il savait qu'il allait crever la bulle d'espoir de Jeanne, mais il n'avait pas le choix.

— Oui, c'est vrai, je l'ai dit. De toute l'amitié que j'ai pour toi, j'espérais sincèrement avoir raison. Mais c'était avant l'intervention.

— Qu'est-ce que ça change ?

— Ça change tout, ma pauvre Jeanne. Maintenant qu'on sait que la tumeur à la jambe était maligne, les risques que l'ombre au poumon soit une métastase sont réels. J'irais même jusqu'à dire à peu près certains. Si l'ombre n'était pas aussi petite, j'irais jusqu'à recommander une seconde intervention le plus rapidement possible.

— Une autre... Pas question ! Pas... pas pour l'instant, du moins.

À ces mots, devant la perspective d'une autre intervention, Jeanne éclata en larmes.

— J'en ai assez, finit-elle par dire d'une voix rauque. J'en ai assez.

Gilles avait tendu le bras et il serrait la main de Jeanne avec affection.

— Je sais. Je peux comprendre. Ça n'a rien de bien drôle ce que tu vis. C'est pourquoi on va tenter l'impossible pour l'éviter, cette opération. Et cet impossible, c'est un traitement de chimio et un de radio combinés. On n'a pas le choix, Jeanne, je regrette. Crois-moi, s'il y avait une autre alternative, je serais le plus heureux des hommes. Je sais à quel point ces traitements-là peuvent être difficiles à supporter. Mais là encore, ça varie énormément d'une personne à l'autre. J'ai même vu des patients qui n'avaient aucune nausée et d'autres qui gardaient tous leurs cheveux ! Et je ne dis pas ça pour te rassurer. C'est vrai !

Jeanne avait brusquement l'air absente. Du revers de la main, elle avait essuyé son visage.

— Je vois.

Puis elle tourna le regard vers lui. Un regard étrange, fait d'acceptation et de colère.

— En fait, ce que tu es en train de me dire, c'est que je n'y échapperai pas. On n'a pas le choix.

Jeanne semblait tellement désemparée que Gilles sentit l'obligation d'exagérer son enthousiasme.

— Malheureusement, c'est ça. Mais ce n'est qu'un mauvais moment à passer en route vers la guérison.

Tout en parlant, Gilles s'était relevé et tendait maintenant la main à Jeanne pour qu'elle puisse en faire autant. Il ne voulait pas que Jeanne se sente mal à l'aise de l'avoir dérangé pour si peu. Il souhaitait qu'elle perçoive sa visite ici comme importante, essentielle et que le lien de confiance entre eux reste entier !

Quand Jeanne fut debout, il passa amicalement son bras autour de ses épaules et la serra tout contre lui.

— Par contre, tu as bien fait de venir me voir.

Jeanne laissa fuser un ricanement sarcastique en s'arrachant à l'étreinte de Gilles.

— Je t'ai fait perdre ton temps, oui ! Moi et mes peurs ! Je ne sais pas comment je vais pouvoir passer à travers tout ça. Je n'arrive pas à me raisonner. Un jour, ça va, le lendemain, je suis à plat.

— D'abord, il faut que tu saches que tu ne m'as pas fait perdre mon temps. Je suis ton médecin, Jeanne, et si tu sens le besoin de parler, je sers aussi à ça. Mets-toi dans la tête que je suis ton *punching ball* émotif et frappe ! Ensuite, c'était important que tu me dises ce que ta mère a vécu. L'idéal serait de savoir quel médicament lui a causé tant de problèmes, mais c'est impossible. Le dossier de ta mère ne doit plus exister. Toutefois, la pharmacologie a beaucoup évolué en trente ans. Je parierais que ce qui a rendu ta mère malade n'est plus sur le marché.

Gilles parlait avec chaleur et conviction. Il y croyait aux possibilités de guérison de Jeanne. Il avait vu tellement de cas, tout au long de sa carrière, qu'il savait que sa patiente avait en mains tous les atouts. Il ne restait plus, maintenant, qu'à la convaincre qu'elle était capable de se battre pour que sa foi en la guérison soit à la hauteur. Car Gilles savait fort bien que la volonté avait aussi un grand rôle à jouer dans ce processus de guérison. Il avait été à même de le constater tant et tant de fois. Sans laisser à Jeanne le temps de répliquer, il enchaîna, toujours sur le même ton :

— Crois-moi, rien ne peut prédire que tu vas vivre ce que ta mère a vécu. Ce qui ne m'empêchera pas d'être excessivement vigilant. Ce qui veut aussi dire que tu m'appelles dès que tu crois que quelque chose ne va pas. N'importe quoi !

— N'importe quoi ? Tu ne sais pas à qui tu t'adresses, mon pauvre Gilles ! Au cas où tu ne le saurais pas, j'ai une petite tendance à l'hypocondrie !

— Je crois que je l'avais deviné, répondit-il malicieux.

Le ton de la conversation venait de changer et s'il ne s'était retenu, Gilles aurait poussé un soupir de soulagement. Jeanne semblait nettement plus décontractée qu'à son arrivée. Parfois, il suffit de parler pour remettre les choses en perspective. Il lui tendit la main.

— Malgré cette certaine prédisposition à l'exagération, promets-moi d'appeler, d'accord ?

— D'accord. Et merci de m'avoir reçue. Je sais que ton temps est précieux.

— Le temps de tout le monde est précieux, Jeanne. Pas plus le mien que celui des autres.

— C'est vrai. Tu as raison.

Tout en parlant, Jeanne avait ébauché un petit sourire moqueur.

— Sais-tu que tu es plus sérieux que ce que je croyais ? Le don Juan cache bien son jeu. Allez, je te laisse vaquer à tes occupations.

Puis, le visage redevenu grave, elle ajouta :

— Seras-tu là, mercredi prochain ?

— Je serai là. Je suis toujours présent lors du premier traitement.

— Tant mieux... Alors à mercredi. Oh ! J'y pense. J'aimerais que cette discussion reste entre nous, d'accord ? Thomas ne sait même pas que je suis ici. Il y a encore certaines choses que je veux tirer au clair avant d'en parler. Disons qu'avec toi, c'est pas pareil. Après tout, ça fait partie de *la job* ! On va dire que tu es la voix de ma conscience !

— Pas de problème, Jeanne. Thomas est peut-être mon meilleur ami mais, toi, tu es ma patiente. Et ça, pour moi, vois-tu, c'est sacré. Ce qui se dit ici ne sort jamais d'ici.

— Merci.

En quittant le bureau de Gilles, Jeanne se sentait beaucoup mieux. Elle avait récupéré tous ses papiers et elle se promettait de les relire avec un regard neuf. Bien sûr, la peur ne s'en irait pas par magie, d'un simple claquement des doigts. Elle continuerait de rôder, sournoise, prête à se manifester à la moindre occasion. Jeanne se connaissait bien, il y aurait encore de ces moments d'abattement. Mais aujourd'hui, elle avait compris qu'elle ne serait plus seule pour affronter ses démons. Elle savait que Gilles serait là si jamais elle n'était pas prête à parler à Thomas. Parce que

Thomas, elle l'aimait trop pour s'habituer facilement à voir de la tristesse dans ses yeux.

Et malheureusement, depuis quelque temps, elle avait l'impression qu'il n'y avait que cela dans le regard amoureux qui se posait sur elle.

Dans une des brochures, il était dit qu'il fallait apprendre à vivre avec son cancer. C'était exactement ce qu'elle allait essayer de faire. Sa conversation avec Gilles lui avait redonné un peu de vigueur. S'il était vrai que l'on pouvait apprendre à mourir, elle arriverait assurément à apprendre à se battre ou à vivre différemment.

Avant d'entrer chez elle, Jeanne fit un détour par le centre commercial. Question de donner une certaine cohérence à son escapade et d'acheter une bouteille de champagne. Brusquement, elle avait envie de fêter avec Thomas. Une soirée en tête-à-tête, comme il y avait longtemps qu'ils ne l'avaient fait.

Un genre de soirée qu'ils n'auraient peut-être pas l'occasion de répéter avant un certain temps.

À cette pensée, l'estomac de Jeanne se contracta. Elle fut même tentée de rebrousser chemin. Puis elle repensa à Gilles et à tout ce qu'ils avaient dit. Alors, elle redressa les épaules et poursuivit d'un pas décidé vers l'entrée du centre commercial.

C'est tout de suite qu'elle allait commencer à apprendre à faire face à sa maladie. Ce soir, elle avait envie d'un moment heureux avec Thomas et elle irait jusqu'au bout de son idée.

— Et sus au cancer, murmura-t-elle en poussant la porte de la SAQ.

Jeanne choisit alors le meilleur champagne qu'ils avaient

sur les rayons. Un brut rosé qui ressemblait à celui qu'ils avaient bu à leur mariage.

Le repas du dimanche fut lui aussi, à sa manière, une sorte de fête.

Jeanne affichait un air détendu qu'elle était loin de ressentir, mais cela fut suffisant pour donner le ton à la rencontre. Ils étaient tous là : les trois enfants, les conjoints et les deux petits-fils qui s'agrippaient à elle un peu plus souvent que d'habitude. Olivier avait dû leur parler. Aux yeux de Jeanne, le seul qui manquait à leur petite réunion familiale, c'était son père. Pourtant, il était peut-être celui qu'elle avait le plus hâte de voir. Malheureusement, il s'était dit trop fatigué pour entreprendre le voyage jusqu'à Montréal. Jeanne le regrettait, car elle savait qu'il était grand temps de lui parler, de tout lui confier.

Il était temps d'aller chercher auprès de lui ce courage qui lui faisait encore cruellement défaut par moments.

Son père était probablement le seul être sur terre qui pourrait vraiment comprendre ses craintes, car il était le seul à partager ses souvenirs.

Néanmoins, en attendant de faire cette escapade vers Québec, cet après-midi, elle avait la chance d'avoir tous les siens auprès d'elle et cela comblait une grande partie de ses attentes. On aurait dit un réveillon !

Olivier était arrivé les bras chargés de gerberas en s'excusant d'être aussi banal. Jeanne le rassura en lui disant que ces fleurs aux couleurs magnifiques étaient ses préférées et c'était vrai... après les roses.

Mélanie avait cuisiné quelques douceurs pour ses parents en disant que c'était plus facile de faire des recettes pour quatre et de partager par la suite. Jeanne n'avait rien pu rétorquer, puisqu'elle était d'accord avec elle.

Puis Sébastien était arrivé, en retard comme toujours, avec un assortiment coûteux de ses produits de toilette préférés pour qu'elle puisse se dorloter. Jeanne avait rougi de plaisir. Son fils la connaissait bien. Jamais elle n'aurait poussé la folie à s'offrir un tel cadeau. Pourtant, elle adorait les crèmes et huiles parfumées!

La bière avait coulé abondamment, le vin avait suivi, faisant briller les regards, déliant les langues. On s'était taquinés, on avait bien ri, on avait longuement parlé de tout et de rien. Puis le repas avait suivi, parfait comme toujours quand Jeanne se donnait la peine d'ouvrir ses livres de recettes. La salle à manger vibrait de conversations et de rires et Jeanne était heureuse. Cela lui rappelait le temps où les enfants étaient encore à la maison et qu'il lui arrivait parfois de dire, les bras levés au ciel, que sa demeure était un asile de fous. Puis Thomas avait proposé un cognac et tous l'avaient suivi au salon, alors que Jeanne desservait.

— Pas question de m'aider, avait-elle précisé en voyant Mélanie qui tentait de se relever du fauteuil où elle venait de se laisser tomber. Ça va plus vite quand je suis toute seule dans la cuisine. Donnez-moi quelques minutes et je reviens me joindre à vous.

Sur ce, elle s'esquiva rapidement, avant d'entendre les habituelles protestations. Jeanne avait toujours détesté qu'on la regarde travailler!

Elle venait tout juste de refermer le lave-vaisselle et s'apprêtait à nettoyer les comptoirs quand Mélanie se pointa à la cuisine. Jeanne leva les yeux.

—J'ai presque fini, lança-t-elle machinalement quand elle vit Mélanie qui la rejoignait en deux enjambées. C'est gentil d'être venue, mais encore quelques secondes et je...

—Je ne suis pas ici pour te voler ton sacro-saint torchon, l'interrompit la jeune femme en riant. Par contre, je vais te demander de le déposer quelques instants, ajouta-t-elle en ôtant la serviette humide des mains de sa mère. Allez, hop! Dans l'évier, la guenille! Et toi, tu viens avec moi. Il faut que je te parle.

Mélanie avait pris sa mère par la main et l'entraînait vers la serre. Jeanne pensa aussitôt que sa fille voulait l'entretenir des traitements qui commenceraient dans quelques jours. Elle était même surprise qu'aucun des enfants n'ait effleuré le sujet pendant le souper. Elle s'y attendait et avait prévu le coup. À force d'y penser, elle avait réussi tant bien que mal à se blinder dérisoirement le cœur pour pouvoir en parler sans émotion, si jamais les enfants abordaient la question. Curieusement, personne n'en avait parlé et finalement, cet état de choses avait soulagé Jeanne.

La nuit était tombée. Une nuit noire, opaque, sans lune ni étoiles. Jeanne s'approcha de la petite table en osier où le casse-tête attendait toujours et elle alluma la lampe chinoise qui s'y trouvait. Comme clarté, cela suffirait amplement. Elle ne voulait surtout pas des néons qui seraient trop indiscrets en cas de discussion plus difficile.

Alors, prenant une profonde inspiration, elle se tourna franchement vers Mélanie qui était restée en bas des trois marches qui donnaient accès à la cuisine.

—Alors, ma grande? Quel est ce sujet dont tu voulais m'entretenir? Comme je te connais, tu dois avoir quelques conseils à me donner! C'est ça?

Mélanie avait froncé les sourcils. Tant à cause du ton employé par Jeanne, qui lui semblait un peu agressif, que de l'embarras où la plongeaient les propos de sa mère.

— Des conseils? Quels conseils?

C'est en apercevant une lueur de tristesse dans le regard de Jeanne que Mélanie comprit tout à coup où voulait en venir sa mère. Elle s'approcha d'elle en tendant les mains.

— Je parie que c'est à cause de tes traitements qui vont commencer! Pauvre maman, ça t'inquiète, n'est-ce pas? Malheureusement, je n'ai pas de formule magique ni de conseils à te donner. J'espère seulement que ça ne sera pas trop difficile pour toi. J'espère aussi que tu ne feras pas comme pour la vaisselle! Ne te gêne pas pour demander de l'aide si tu vois que tout semble t'échapper. Papa a beau faire de son mieux, le travail de maison n'est pas son fort.

À ces mots, Jeanne esquissa un sourire. Mélanie avait raison.

— C'est vrai que Thomas n'est pas très doué pour s'occuper d'une maison.

Puis brusquement, son visage redevint sérieux.

— Mais tout s'apprend, ma belle. Il y a quelqu'un qui m'a dit ça, il n'y a pas très longtemps et j'ose croire qu'il a raison. Normalement, on devrait arriver à s'en sortir, ton père et moi. Néanmoins, je te remercie et si je vois que c'est trop dur, je t'appelle à la rescousse, promis. Maintenant, qu'est-ce que tu avais de si important à me dire que tu devais le faire ici, dans la serre?

Mélanie redressa les épaules.

— Je suis enceinte, maman.

Elle était toute souriante, les joues rosies par l'émotion et les yeux brillants de joie.

— Maxime et moi, on ne voulait pas en parler avant le quatrième mois. Comme on a été déçus trois fois, on s'est dit que cette fois-ci, on en parlerait uniquement quand on serait certains que tout se passait normalement. Mais toi, c'est pas pareil. Je n'aurais pas pu garder un secret comme celui-là sans t'en parler. Voilà, c'est ce que j'avais à te dire. Je suis enceinte de cinq semaines.

Jeanne resta un moment silencieuse, savourant à son tour la joie que faisait naître en elle l'annonce de cette maternité. Puis elle prit le visage de sa fille entre ses mains et plongea son regard dans le sien.

— J'ai l'intuition que cette fois-ci sera la bonne, ma grande. Je sens que ça y est. Ne me demande pas pourquoi, je serais bien en peine d'expliquer d'où me vient cette conviction. Mais c'est un fait, je ne ressens aucune inquiétude. Toutes mes félicitations, Mélanie. Et n'aie pas peur, je vais me taire. Même si je suis une bavarde impénitente, quand on me demande de garder un secret, je sais le faire. Permets-moi seulement de mettre ton père dans la confidence. Avec les moments difficiles que nous vivons, j'avoue qu'une raison de se réjouir ne sera pas de trop.

— Comment, une raison ?

Mélanie s'emportait déjà, vive et décidée selon son tempérament habituel.

— Tu te trompes, ma pauvre maman ! Tu avais déjà une raison de te réjouir : ta guérison prochaine. Maintenant, tu en as une seconde : le bébé. Tu vas voir ! Dans huit mois, on va célébrer tous ensemble la naissance du plus beau bébé de la terre !

Alors que Mélanie lui parlait, Jeanne aperçut la silhouette

d'Olivier qui s'était approché de la porte de la serre, pour aussitôt faire un pas en arrière, voyant que sa mère n'était pas seule.

— Olivier ?

Jeanne déposa un long baiser sur la joue de Mélanie, lui fit un clin d'œil complice pour qu'elle se taise puisqu'elle ne voulait pas ébruiter la nouvelle, puis se tourna vers la porte.

— Olivier ? répéta-t-elle.

— Oui, je suis là.

Olivier sortit de l'ombre, posant un regard inquisiteur sur sa sœur.

— Je ne veux pas vous déranger. Je venais simplement te…

Mélanie marchait déjà vers lui.

— C'est beau, Olivier. Je te laisse maman à toi tout seul ! On avait quelques secrets de filles à se confier, mais c'est fini.

— Oh ! Des secrets de filles !

Il y avait de la moquerie dans la voix d'Olivier, ce qui fit sourire Jeanne. Mais aussitôt que Mélanie eut disparu dans la cuisine, le sourire s'effaça. Jeanne remarqua alors que son fils avait l'air particulièrement fatigué. Soudainement, elle revit le repas où son aîné avait été plutôt taciturne. Il ne parlait jamais beaucoup, mais ce soir, il s'était surpassé. Était-ce l'inquiétude devant les traitements qui l'avait rendu si silencieux ? Jeanne alla aussitôt au-devant de confidences qui peut-être ne viendraient pas autrement. Elle n'avait jamais aimé forcer les aveux, mais avec Olivier, il n'y avait souvent pas d'autre façon d'agir.

— Tu me sembles fatigué. Des problèmes ?

Comme Jeanne l'espérait, Olivier hésita à peine avant de répondre.

— Oui et non. Disons que je passe des moments plus difficiles. Le travail est exigeant, surtout depuis que je fais des visites à domicile. Alors Karine me reproche de plus de plus de ne jamais être à la maison. Ça crée des tensions et il arrive que le ton monte entre nous deux.

— Ouais... Effectivement, ça ne doit pas être facile. Ces visites à domicile sont-elles vraiment obligatoires?

Olivier dessina une moue amère.

— Tu parles comme Karine. Non, elles ne sont pas obligatoires, si tu veux la vérité toute nue, bien froide. Par contre, je dirais qu'elles sont nécessaires. La population vieillit, maman. Mes patients sont de plus en plus âgés. Pour eux, se déplacer pour rencontrer le médecin, c'est pénible, parfois même impossible.

— Ouais... J'avoue que vu sous cet angle... Dans le fond, c'est tout à ton honneur, cette façon d'agir. Tu aimes ton travail, n'est-ce pas?

Jeanne était fière de son fils. Quand elle lui avait demandé s'il aimait son travail, Olivier avait redressé les épaules.

— Oui, j'aime ce que je fais, maman. Et je suis heureux de voir qu'il y a quelqu'un qui comprenne, répondit Olivier sur un drôle de ton, à la fois amer et généreux. Ce n'est pas pour me sauver de la famille que j'agis comme ça, bon sang, c'est pour faire mon métier le mieux possible! Si on essayait juste un instant de comprendre ce qui me pousse à...

C'est en écoutant son fils parler que Jeanne se rappela le voyage dont il avait parlé. Indiscutablement, il était fatigué, épuisé même. Il méritait sûrement des vacances. Avec tout ce qu'elle avait vécu depuis un mois, elle l'avait complètement oublié.

— Dis donc, toi, interrompit Jeanne, tu ne devais pas prendre des vacances ? Il me semble que tu avais même parlé d'un voyage.

À ces mots, Olivier se mit à rougir, visiblement mal à l'aise. Il ne pouvait quand même pas dire à sa mère que c'était à cause d'elle qu'il pensait annuler le voyage. Pourtant, il y tenait à ces deux semaines, seul avec Karine. À ses yeux, ce voyage aurait pu faire toute la différence entre eux.

— Oui, on en a parlé, Karine et moi. Mais avec les garçons, j'ai vite compris que c'était compliqué. Alors...

— Alors rien du tout... Ce voyage, il était important, oui ou non ?

Olivier soutint le regard de sa mère, ignorant où elle voulait en venir.

— Il était important, oui, admit-il enfin. J'aime Karine, maman. Je crois qu'il est grand temps qu'on pense un peu à nous. Elle n'a pas tout à fait tort, tu sais. De là, l'idée d'un voyage. Je me disais qu'en étant assez loin, on ne serait pas dérangés et on pourrait...

— Et tu comptais sur moi pour garder les enfants, coupa Jeanne une seconde fois. C'est bête, mais je l'avais oublié, ce qui n'est pas très gentil de ma part.

— Voyons, maman. Avec ce...

— Pas d'excuse, je suis fautive. Oui, ce que je vis est éprouvant. L'opération n'a pas été un moment particulièrement agréable et les traitements qui s'en viennent me donnent un trac fou, mais ce n'est pas une raison pour que la terre cesse de tourner. Si tu avais quelqu'un pour s'occuper des deux mousses, est-ce que tu le ferais, ce voyage?

— Oui, c'est sûr! Mais je ne vois pas comment...

— Et si je demandais à Madeleine de garder Alexis et Julien?

— Madeleine?

— Oui, Madeleine et Roger Paquet, nos voisins. Si je me souviens bien, vous adoriez vous faire garder par eux quand vous étiez petits!

À ces mots, Olivier étira un large sourire.

— Et comment! Ils sont tellement gentils. Et tu crois qu'ils pourraient peut-être garder mes fils?

— J'en suis certaine! Madeleine adore les enfants. Tu sais, ce n'est pas par choix qu'ils n'en ont pas eus. Madeleine m'a souvent dit qu'elle aurait aimé avoir une grande famille. Aujourd'hui, elle m'envie d'être grand-mère. Alors, qu'est-ce que tu en penses?

Curieusement, le sourire d'Olivier s'était rapidement éteint, au fur et à mesure où Jeanne parlait.

— L'idée de confier les enfants à Madeleine est excellente. Mais, il y a toi! Je ne peux pas m'en aller au bout du monde pendant que tu...

— Oublie ça, veux-tu! Ta famille a plus d'importance que moi. Pense à tes deux garçons, pense à ta femme et quand tout ira bien chez vous, tu songeras à ta mère. De toute façon, tu ne pars pas pour un an, mais pour deux petites semaines. En attendant, parle de ma proposition à Karine et si elle est d'accord, je contacterai Madeleine. Moi, je ne serai peut-être pas d'une grande utilité, je n'en ai pas la moindre idée, mais ton père ne sera pas loin. Si les petits s'ennuient, ils pourront quand même venir ici faire des petites visites. Qu'est-ce que tu en dis?

Visiblement, Olivier était ému.

— J'en dis que tu es unique! Je venais te voir pour te saluer avant de partir parce qu'il est tard et que Julien doit se coucher pour l'école demain et toi, tu as trouvé le moyen de me faire raconter ma vie.

Jeanne allait répliquer que c'était parfois salutaire de s'occuper des autres pour oublier ses propres tracas quand, depuis la cuisine, retentit la voix de Sébastien.

— Maman?

Jeanne éclata de rire.

— Je suis dans la serre, Sébas!

Puis, tout en faisant un sourire de connivence à Olivier, elle ajouta à voix basse:

— Ce n'est plus une serre, ici, c'est un confessionnal!

Et haussant le ton:

— Bon, maintenant, va coucher ton fils. J'attends ton appel demain. Si Karine est d'accord, je demanderai à Madeleine si elle est disponible. Et surtout, n'oublie pas que je t'aime.

— Moi aussi, je t'aime, maman.

Olivier allait tourner les talons quand il se ravisa et, s'approchant impulsivement de Jeanne, il la prit dans ses bras et l'embrassa dans le cou.

— Je t'en supplie, fais tout ce que le médecin va te demander, lui murmura-t-il à l'oreille. Il faut que tu guérisses. On a encore besoin de toi.

Venant d'Olivier, ces quelques mots touchèrent Jeanne d'un direct au cœur. Elle leva les yeux vers lui et remarqua son regard embué. Elle fut sur le point de dire qu'ils devraient se voir plus souvent pour apprendre à mieux se connaître, tous les deux. Apercevant Sébastien dans l'embrasure de la porte, elle se contenta de l'embrasser sur la joue. Olivier n'aurait pas apprécié que son frère soit témoin d'un semblable épanchement du cœur.

— À bientôt, mon grand. Embrasse les garçons pour moi.

Tout en saluant Olivier, Jeanne avait fait signe à Sébastien de la rejoindre.

— Je ne veux pas vous déranger, fit ce dernier en suivant son frère des yeux, les sourcils froncés. Je peux revenir...

— C'est beau, Sébas, je partais justement. Je te laisse maman à toi tout seul, ajouta Olivier en souriant, reprenant à son profit les quelques mots de Mélanie.

Puis, se retournant une dernière fois vers Jeanne, il lui lança gentiment, en prenant Sébastien comme témoin :

— Et toi, tu fais tout ce qu'on te dit de faire, même si c'est pénible ! Et ne vous gênez surtout pas, papa et toi, pour demander de l'aide en cas de besoin. D'après mes souvenirs, notre père n'est pas le meilleur cuisinier en ville !

— Oui, oui, promis. Avec toute l'aide que vous nous proposez, Mélanie et toi, on va finir par y prendre goût et vous allez en payer le prix ! Faites attention à ce qu'on ne devienne deux vieux encombrants, ton père et moi ! Allez, file maintenant, et n'oublie pas de m'appeler demain !

Puis Jeanne se tourna vers Sébastien, un large sourire éclairant son visage. La présence des enfants, leurs confidences avaient fait reculer le spectre des traitements de quelques pas. Dans l'immédiat, Jeanne se sentait bien.

— Viens t'asseoir Sébas. Tu as bien quelques minutes à

me consacrer... Ça m'a fait plaisir de voir Manuel, ce soir. Ça faisait plusieurs mois qu'il n'était pas venu à la maison.

Sébastien répondit à sa mère par un sourire, évitant de donner suite à ses propos. En fait, si Manu avait brillé par son absence tout au long de l'été, c'était en grande partie à cause de l'attitude de Thomas quand ils avaient parlé de la maison. Manu s'était mis en tête que son orientation sexuelle était à l'origine d'un rejet qui ressemblait un peu trop à celui essuyé chez ses propres parents. Sébastien avait dû déployer des trésors de persuasion pour amener son ami à réviser son jugement. Aujourd'hui, Manu ne s'était décidé qu'à la toute dernière minute et il l'avait fait sous une pluie de menaces! Donc, lorsque Sébastien entendit la remarque de Jeanne sur ce sujet, il préféra éluder la vérité.

— Tu sais, maman, Manu est passablement occupé. Garçon de café, c'est exigeant, surtout l'été. Mais on devrait se reprendre durant l'hiver. Ne t'inquiète pas, tu vas nous voir plus souvent.

L'excuse étant valable, Jeanne n'insista pas.

— Tant mieux. Alors? Quoi de neuf, Sébas?

— Bof! Pas grand-chose. Peut-être une proposition de travail, mais tant que tout n'est pas complété, je préfère ne pas en parler. Mais ce n'est pas pour ça que je voulais te voir. C'est à propos de grand-père.

À ces mots, Jeanne se redressa aussitôt sur sa chaise.

— Quoi grand-père? demanda-t-elle d'une voix inquiète. Mon père ne va pas? Il me semblait pourtant, l'autre jour au téléphone, qu'il était assez en forme. Sa voix était bonne, assurée, énergique. Je sais bien qu'il n'est plus très jeune, pourtant, malgré l'avertissement du printemps dernier, j'avais l'impression qu'il allait bien. Je me trompe?

— Non, tu as raison. Grand-père se porte relativement bien. Il a jardiné une partie de l'été, il voit à ses affaires tout seul, sans problème. Le problème, en fait, c'est toi.

— Moi? Pourquoi moi? Lui aurais-tu parlé de ma santé?

— Non, justement. Je n'ai rien dit, comme tu me l'avais demandé. Par contre, je suis certain que grand-père se doute de quelque chose. Il m'a fait plusieurs fois la remarque que tu n'es jamais là quand il essaie d'appeler. Et ça, vois-tu, ça ne te ressemble pas. Il trouve cela insolite. C'est l'expression qu'il a employée, insolite. Alors, il est inquiet. Je ne pouvais toujours pas lui dire que tu étais à l'hôpital, ou chez le médecin, ou trop fatiguée pour prendre le téléphone. Tu m'en aurais voulu. Pourtant, à le voir se morfondre, ce n'est pas l'envie de désobéir qui m'a manqué. Va falloir que tu te décides, maman.

— Je le sais bien, reconnut Jeanne en soupirant. J'ai conscience qu'il faudrait que je lui parle. Maintenant qu'on sait exactement de quoi je souffre, tu as raison, je dois aller à Québec. Promis, Sébas, je m'occupe de papa le plus vite possible. En fin de semaine prochaine, tiens. Je l'appellerai demain matin pour annoncer notre visite.

Sébastien semblait soulagé.

— Merci, c'est gentil. Je suis certain qu'il va apprécier, même si ça va lui faire de la peine.

De la peine? Jeanne resta silencieuse un moment. Son cœur s'était mis à battre rapidement. En pensée, elle revit le sourire de son père et celui, pratiquement délavé, de sa mère. Elle croyait s'être cuirassée contre les émotions, elle n'avait pas imaginé qu'un de ses enfants la précipiterait au cœur de ses peurs les plus absurdes. Sa cuirasse était aussi fragile qu'une tunique de papier.

— Non, Sébas, reprit-elle enfin, évitant de regarder son fils. Ce n'est pas de la peine qu'il va avoir, ton grand-père. C'est beaucoup plus que ça. Je vais le replonger dans ses pires souvenirs. Là où je me tiens moi-même en équilibre précaire. Il a perdu une femme qu'il aimait à cause du cancer et maintenant, c'est sa fille unique qui est atteinte du même mal. C'est pour cette raison que j'ai tant tardé à me confier à lui. Pourtant, il est peut-être le seul à pouvoir comprendre mes peurs parce qu'il est le seul à partager les souvenirs que j'ai de maman.

Même si Jeanne avait parlé d'une voix relativement détachée, les mots, eux, disaient toute son inquiétude, toute sa détresse. Sébastien se releva alors de sa chaise et vint s'asseoir sur le plancher de dalles, la tête appuyée sur les genoux de sa mère.

— Nous aussi, on est là, maman, fit-il d'une voix grave qui, curieusement, avait repris ses intonations d'enfant. Ton mari, tes enfants… On t'aime, tu sais. On ne peut peut-être pas partager tes souvenirs, mais on peut regarder l'avenir avec toi. C'est là que tu dois porter ton regard, maman, devant, loin devant. Si la douleur, c'est ton corps à toi qui va la subir, le reste on le vit avec toi. On vit les mêmes peurs et les mêmes espoirs que toi. Ne l'oublie jamais.

Jeanne avait posé une main sur la tête de Sébastien. Tout doucement, elle caressait ses cheveux bouclés qu'il portait mi-longs, comme Thomas au même âge. Les larmes coulaient sur le visage de Jeanne, mais ces quelques larmes n'étaient pas douloureuses. Elles étaient apaisantes.

— Merci, Sébas, articula-t-elle enfin d'une voix chavirée. Merci d'être là. Merci de me rappeler que vous êtes là. Ces dernières semaines, j'étais tellement centrée sur moi-même que j'en avais un peu oublié à quel point vous êtes formidables. Tous les trois, chacun à votre façon, vous venez de me le rappeler. Promis, je ne l'oublierai plus. Jamais.

Tandis que Jeanne et Sébastien vivaient un moment d'intense communion, Thomas se retrouvait seul au salon avec Manu qui s'était installé à deux mètres de la télévision, sur un tabouret, pour suivre le *match* de football des Alouettes. Visiblement, le jeune homme n'avait pas envie de discuter avec lui. Il l'avait même évité tout au long de la soirée. Maintenant que tous les autres étaient partis, Thomas prenait conscience de la froideur qui existait entre eux. Il ne se sentait pas à l'aise, seul avec Manuel dans une pièce où l'animosité dominait. Si Thomas n'appréciait pas le jeune homme, ce dernier semblait éprouver des sentiments identiques à son égard.

Sans dire un mot, contrarié, Thomas se releva et se dirigea sans hésitation vers la serre. Jeanne et Sébastien devaient s'y trouver.

La pluie s'était mise à tomber. En entant dans la cuisine, Thomas s'arrêta un moment pour écouter le crépitement des gouttes qui tombaient dru sur le toit de la serre. Il aimait ce bruit monotone, le trouvait rassurant.

Il prit soudainement conscience du silence qui enveloppait la serre. Seul le son assourdi de la télévision lui arrivait par vagues plus ou moins bruyantes. Il s'approcha de la porte qui donnait sur le domaine de Jeanne. Un halo de lumière jaunâtre enveloppait la mère et le fils qui était toujours assis à même le sol, la tête appuyée sur les genoux de Jeanne. Thomas les contempla un long moment, silencieux. Puis, le cœur comblé par cette image qui le reliait si fort à leur vie familiale, celle pour laquelle ils avaient vécu tous les deux, Jeanne et lui, à travers l'amour qu'ils éprouvaient, il se retira sur la pointe des pieds. Jeanne et Sébastien n'avaient nul besoin de lui.

Quand il revint au salon, Manuel n'avait pas bougé d'un poil. Il avait l'air tellement absorbé par la partie de football que Thomas se réinstalla dans son fauteuil sans parler. Pourtant la posture de Manuel, épaules courbées et bras ballants entre les jambes, interpellait grandement cette sensation de plénitude qui l'avait envahi au moment où il avait surpris Jeanne et Sébastien. L'image que Manuel projetait, alors qu'il regardait banalement la télévision, était celle d'un homme accablé. Brusquement, Thomas fut peiné pour Manuel, sans raison autre qu'il était chez lui et qu'il faisait partie de sa famille. Thomas était un homme foncièrement juste. Ce Manuel qu'il avait jugé indigne de son fils était le même que Sébastien avait choisi. Il devait l'admettre et l'accepter. Ce qu'il avait appelé intérieurement de la froideur n'était peut-être que de l'embarras après tout. Et lui, l'imbécile, il n'avait rien fait pour l'aider. Au contraire, il l'avait délibérément ignoré, se sentant tout aussi mal à l'aise.

Thomas se sentait mesquin, ce qui ne lui était pas arrivé souvent. Habituellement, il était plutôt ouvert sans pour autant être exubérant. Il trouva cette sensation désagréable.

Se décidant d'un coup, il s'avança sur le bout du fauteuil et, adoptant une pause semblable à celle de Manuel, il lança :

— Avec tout ce monde, on n'a pas eu l'occasion de jaser beaucoup, ce soir. Votre projet de maison, ça tient toujours ? Je sais bien qu'on ne vous en a pas reparlé, Jeanne et moi, mais les circonstances nous ont un peu bousculés. Ce qui ne veut pas dire que j'ai oublié. J'aimerais bien que tu m'en reparles.

Manuel prit un certain temps avant de se retourner, comme s'il le faisait à contrecœur. Pourtant, lorsqu'il le fit, il affichait un sourire. Thomas tenta d'y répondre, même s'il doutait de la spontanéité du geste. Pourquoi, pourquoi n'arrivait-il pas à se fier à Manuel ? Même son sourire, présentement, lui semblait étudié, forcé. Un peu comme le sien, finalement. Pourtant, tant et aussi longtemps que cet homme serait dans la vie de son fils, il devrait lui ouvrir sa porte. Aussi bien s'y faire tout de suite. Il prit une profonde inspiration, comme on le fait avant de se jeter à l'eau.

— Alors, cette maison ? lança-t-il le plus joyeusement possible. Le projet tient-il toujours ? Pour nous, les prémices d'un engagement se sont quand même modifiées. J'espère que vous en êtes conscients. Mais le projet reste intéressant. Alors ? J'écoute !

★ ★ ★

TIRÉ DE L'AGENDA DE JEANNE

La pluie qui a commencé à tomber dimanche continue de le faire sans arrêt depuis. Deux longues journées grises qui rendent l'atmosphère un peu plus lourde. Qui me rendent le cœur de plus en plus lourd ! L'échéance approche. Demain, je dois me présenter à l'hôpital pour les traitements. Demain...

C'est à la fois très loin et trop proche. Les heures tombent au compte-gouttes, mais mon cœur, lui, court au galop.

C'est un peu pour ça que j'ai profité de cet après-midi de pluie pour relire tout ce que j'ai écrit depuis un an. Ça fait passer le temps et ça m'occupe l'esprit. J'en avais besoin.

Je me suis vite rendu compte que l'agenda que j'ai tenu tout au long de ma vie, me contentant de compiler les événements qui me semblaient importants, y apportant parfois quelques réflexions, s'est transformé en véritable journal intime. Pourquoi ?

La peur est-elle l'unique déclencheur ? Est-ce elle qui m'a rendue si volubile ? L'incertitude et l'angoisse obsessionnelle devant une maladie qui est devenue réalité auront eu raison de mes habituelles rigueurs.

Par contre, si j'essaie de rester froide devant l'évidence, écrire était peut-être la seule façon de me confier. Moi qui parle si difficilement à ceux qui me sont proches et si facilement aux étrangers, j'ai utilisé l'écran de mon ordinateur comme s'il était cet inconnu silencieux capable d'écoute sans riposte ni jugement. C'est bien dit, mais quand même ! Il me semble que ce n'est pas suffisant pour justifier ce changement dans mon écriture. Il y en a eu de ces événements tragiques tout au long de ma vie. Des événements qui auraient pu me pousser à me confier, justement, et je ne l'ai jamais fait auparavant. Jamais. Ni quand Mélanie a eu la méningite, ni quand Olivier a eu un accident d'auto, ni quand... À quoi bon ressasser tous ces moments de grande inquiétude face aux miens ? Il suffit de me rappeler qu'ils ont été là et que l'envie d'écrire mes émotions face à eux n'est jamais venue. Il a fallu que la peur d'une maladie m'affectant moi, et moi seule, survienne pour que je sente ce besoin de dire les choses comme je les vivais. Suis-je à ce point égoïste ? Pour moi, pour ma petite personne, la manie de tout noter s'est transformée en besoin d'écrire vraiment. Cependant, je dois l'avouer, ces quelques heures devant l'ordinateur me font un bien fou. C'est inouï de voir à quel point ces minutes d'écriture que j'arrache au quotidien me sont devenues essentielles ! Elles me permettent de débroussailler mes pensées, comme j'aime à débroussailler mes plates-bandes. Les deux gestes découlent d'un même plaisir d'apporter un peu d'ordre et de beauté autour de moi. C'est peut-être pour ça que maintenant, j'écris un peu n'importe quand. Avant, je le faisais rigoureusement tous les vendredis. Pas question de remettre au lendemain. Pauvre Thomas ! Combien de fois a-t-il dû attendre que j'aie fini avant de partir l'appareil vidéo pour visionner le film que nous avions choisi ! Ça ne devait pas toujours être facile de m'endurer ! La retraite aura eu ça de bon : je suis moins téteuse que je l'ai été. Tant mieux, car je me doute que l'avenir immédiat ne ressemblera pas à ce que j'ai cherché à établir autour de moi par le passé. Il va falloir que j'apprenne à vivre au jour le jour, sans horaire préalable. J'ignore comment mon corps va réagir aux traitements. Il y aura peut-être des journées d'enfer, peut-être pas. Moi qui aime planifier soigneusement les événements et même le cours normal de mes journées, je n'aime pas cette sensation de voir tout m'échapper. Finalement, quand je m'arrête pour y penser, je déteste les incertitudes en tous genres, alors que j'apprécie les imprévus qui pimentent le quotidien. C'est probablement pour ça que j'ai tant changé durant la dernière année. Même si mon attitude peut sembler ambivalente, moi, je m'y retrouve. Proposez-moi une sortie, un voyage de dernière minute et j'accepterai de bon cœur de tout bouleverser. Confrontez-moi à une inquiétude, à une douleur inopinée et je me transformerai en autruche pour ne rien voir, je m'attacherai à mon quotidien pour me sécuriser. Décidément, je suis très compliquée! Je me répète: pauvre Thomas!

Comment arriverons-nous à survivre aux semaines qui viennent? J'ai relu ce que Gilles m'a donné et j'ai la nette impression que je ne suis pas plus avancée. J'ignore ce qui m'attend. Par contre, je sais que mon seuil de tolérance à la douleur est fort bas et que ça risque de tout bouleverser dans ma vie. Pourtant, je n'ai pas le choix de faire face à ce qui s'en vient. Je veux guérir. Là-dessus, je n'ai aucun doute. Et Gilles semble si confiant...

Alors je vais serrer les dents et je vais foncer. Droit devant, comme l'a si bien dit Sébastien. Pour célébrer la naissance du bébé, comme le croit Mélanie. Et parce qu'ils ont encore besoin de moi, comme me l'a confié Olivier. Pour eux, pour moi, pour la vie, je vais me battre.

Comme je le répétais ad nauseam quand j'étais en train d'accoucher, la douleur et les malaises que je vais connaître seront des précurseurs de vie. De ma souffrance naîtra une vie toute neuve. La mienne. Une vie où chaque jour aura son importance parce que je sais maintenant à quel point tout ça peut être éphémère.

Faire place à la vie par la souffrance.

Je ne dois pas oublier ces quelques mots.

Je vais de ce pas les dire à Thomas pour qu'il puisse me les répéter. Je sais que j'en aurai besoin. Je sais que je vais avoir terriblement besoin de lui.

Chapitre 9

Montréal, début octobre 2004

« Pour avoir si souvent dormi, avec ma solitude
Je m'en suis fait presque une amie, une douce habitude...
Je ne sais vraiment pas jusqu'où ira cette complice
Faudra-t-il que j'y prenne goût ou que je réagisse
Non, je ne suis jamais seul, avec ma solitude. »
MA SOLITUDE, GEORGES MOUSTAKI

Le cercle infernal des malaises que Jeanne avait tant appréhendés n'avait guère tardé à se manifester. Quelques jours avaient suffi pour faire apparaître des nausées matinales.

— C'est normal d'avoir des nausées, surtout le matin, avait dit Gilles. Je suis navré, ma pauvre Jeanne. Voici une prescription. Ça devrait te soulager. À prendre tous les jours, avant les repas, pour calmer les maux de cœur.

Jeanne avait regardé Gilles d'un air sceptique et avait reporté son voyage à Québec d'une semaine, espérant que le médicament serait efficace et lui permettrait de faire la route sans encombre. Malheureusement, son scepticisme était fondé et la suite des événements lui avait donné raison. Le médicament n'avait rien calmé et des vomissements réguliers avaient suivi à très court terme.

Alors, à l'angoisse qu'elle ressentait, s'était ajoutée une énorme déception. Celle de ne pas s'être confiée à son père.

Pourquoi avait-elle tant tardé à lui parler ? Jeanne comprenait aujourd'hui que c'était ridicule d'avoir cherché à le protéger. Le devoir qu'elle avait de dire la vérité, surtout à un homme de la trempe de son père, devint alors une urgence à ses yeux. Elle n'avait plus le droit de se taire, mais elle ne voulait pas, non plus, lui annoncer par téléphone qu'elle combattait un cancer. Après tout, il avait quatre-vingt-quatre ans !

Mais où puiser la force pour faire le trajet jusqu'à Québec alors que, par moments, elle avait de la difficulté à se déplacer banalement d'une pièce à l'autre chez elle ? Sans parler des indigestions qui survenaient sans préavis.

Ses émotions remontèrent alors à la surface pour s'installer à fleur de peau, son agressivité surtout. Elle en voulait à la vie de se montrer si indifférente à ses désirs. À ses moindres désirs ! Elle ne demandait pas grand-chose ! Elle voulait tout simplement se rendre à Québec pour voir son père ! Était-ce trop demander ?

Seule la présence et le soutien de Thomas l'avaient empêchée de tout laisser tomber. Le matin où elle avait lancé son verre de jus à travers la cuisine, le jour où elle avait envoyé valser les coussins dans le salon, accrochant au passage une statuette de Ladro offerte en cadeau à leur mariage, il l'avait prise dans ses bras sans un mot, se contentant de la serrer très fort contre lui. Quand elle s'était calmée, il avait ramassé les dégâts sans le moindre reproche, avec une patience infinie.

Jeanne se ressaisissait alors et les larmes étaient souvent l'expression de ses excuses.

D'autant plus que rien ne ressemblait à ce qu'elle avait

prévu. À commencer par l'horrible machine qui l'avalait tous les matins pour le traitement de radiologie, avec son rayon de lumière qui la fouillait, qui traquait le mal jusque dans ses entrailles, brûlant la peau au passage. Sa terreur des espaces clos venait à bout de ses intentions les plus sincères. Chaque jour, elle ressortait de l'hôpital épuisée.

Était-ce à cause de cela qu'une incroyable fatigue s'était emparée d'elle si rapidement? Jeanne l'espérait de tout son cœur. Tout et n'importe quoi pour éviter de croire que la maladie gagnait sur elle. Tout pour ne pas se répéter inlassablement qu'elle ressemblait à sa mère.

N'empêche que de jour en jour, Jeanne sentait son énergie diminuer, jusqu'au matin où elle rencontra Gilles, à sa demande, dans une petite salle d'examen de l'hôpital pour faire le point avec lui.

— Comme ma mère, avait-elle alors déclaré en regardant son ami droit dans les yeux. Je ne vois pas ce qui justifie de…

— C'est normal d'être fatiguée, lui avait-il rétorqué, l'interrompant précipitamment. Tout ce que tu ressens est normal et cela ne veut absolument pas dire que tu ressembles à ta mère. Profites-en pour faire la sieste. Profites-en pour te gâter. Chanceuse!

Gilles cherchait-il à dédramatiser la situation? Peut-être bien, après tout. Pourquoi pas? Tous ces malaises étaient potentiellement normaux, Jeanne en convenait. N'empêche qu'elle avait vu une ironie macabre dans les quelques mots de Gilles. Comment pourrait-elle se trouver chanceuse alors qu'elle portait un cancer en elle et que le temps lui était peut-être compté? Elle avait cependant obéi à la suggestion de son ami et s'était installé une chaise longue dans la serre pour dormir l'après-midi, immédiatement après ce qui lui tenait lieu de dîner, parce que ses paupières étaient si lourdes qu'elles fermaient toutes seules. Puis elle n'avait pas eu le choix d'ajouter une autre sieste, un peu avant le souper, tellement elle avait du mal à se tenir debout.

Heureusement, depuis une semaine, Mélanie leur laissait régulièrement des plats prêts à mettre au four. Jeanne aurait bien voulu s'en passer, mais le simple fait de penser à préparer un repas lui faisait monter le cœur au bord des lèvres. Quant à Thomas, il avait fini par admettre qu'il détestait cuisiner. Réchauffer les petits plats de sa fille lui convenait à merveille. En quelques instants, la maison embaumait les casseroles et les rôtis, les légumes et les tartes aux fruits. Néanmoins, même si les mets qui se succédaient, variés et abondants, étaient tous plus appétissants les uns que les autres, Jeanne y touchait à peine et encore, elle le faisait par pure reconnaissance. Elle avait perdu l'appétit et croyait sincèrement qu'elle n'aurait plus jamais faim de sa vie. D'autant plus que les aliments n'avaient aucun goût. Ce qu'elle portait à sa bouche n'était somme toute qu'une suite insignifiante de textures différentes invariablement insipides.

Et à quelques jours de là, ce fut le moment du coucher qui fut devancé de quelques heures. Désormais, Bernard Derome, qui avait repris du service à Radio-Canada, lisait les nouvelles sans Jeanne. Tôt en soirée, de plus en plus tôt, Jeanne montait se glisser sous les couvertures pour n'en ressortir que le lendemain, s'arrachant du lit tout juste à temps pour être à l'heure à l'hôpital où elle était attendue, cinq jours par semaine, pour la radiologie et le mercredi, vers dix heures, pour la chimiothérapie.

Elle détestait toujours autant le tunnel de la mort, comme elle avait spontanément baptisé l'appareil à radiologie, mais ce n'était rien à côté des aiguilles qui s'enfonçaient dans son bras le mercredi matin. Chaque fois, elle regardait d'un mauvais œil l'intraveineuse qui était censée lui redonner la santé. Elle avait la sensation très vive que c'était un poison qu'on lui distillait ainsi, goutte à goutte. Si elle était ici pour guérir, jamais elle ne se sentirait si faible, elle en était convaincue. Pourtant, Gilles ne semblait pas inquiet.

— Tu n'as pas tort de parler de poison. La substance que l'on injecte est effectivement une sorte de poison pour tuer le cancer. C'est un peu normal qu'il t'affaiblisse au passage. Ton système immunitaire est mis à rude épreuve. Ne t'inquiète pas, c'est temporaire.

— Ne t'inquiète pas ? Facile à dire, ça ! Je commence à en avoir assez !

— Je comprends, mais il n'y a pas d'autre solution.

— Oh si, il y en a une autre ! Je peux tout laisser tomber, Gilles.

Jeanne avait l'impression qu'une lutte à finir s'était engagée entre Gilles et elle. Malgré tout, elle lui faisait toujours confiance. C'était probablement pour cela qu'elle n'avait pas encore abdiqué.

— Donne-moi encore quelques semaines, Jeanne, implora Gilles. C'est tout ce que je te demande. Quelques semaines pour être bien certain qu'on a tout éliminé.

— Éliminé ! Qu'est-ce qu'on en sait ? Fatiguée comme je me sens, je ne dois pas combattre très fort.

— Quelques semaines encore, allez, s'il te plaît !

Jeanne avait accepté, un peu à contrecœur. Plus les jours passaient et moins elle voyait l'utilité des traitements. En trois petites semaines, elle ne se reconnaissait plus. Elle se sentait malade comme jamais elle ne l'avait été auparavant. Ses nuits étaient ponctuées de rêves absurdes où sa mère tenait souvent le premier rôle. Sa vie n'était plus qu'une routine infernale dont elle ne voyait pas la fin.

Et le voyage à Québec n'avait toujours pas été fait ! Jeanne doutait qu'elle puisse l'entreprendre un jour. Pourtant, il lui fallait prévenir son père et elle ne voulait toujours pas le faire par téléphone. Pas plus qu'elle ne voulait s'en remettre à Sébastien. Pour elle, la situation virait lentement au cauchemar. Un mauvais rêve qu'elle vivait tout éveillée, les yeux grands ouverts sur sa réalité, ne distinguant plus le jour de la nuit, elle qui dormait presque tout le temps. Dans son cas, il n'y avait plus de réveil sécurisant.

Pourtant, en ce début d'octobre, la température offrait une douceur d'été. Le jardin flamboyait d'ocre et de feu, mais Jeanne ne savait plus l'apprécier. Et dire qu'un an plus tôt, elle supervisait les travaux de construction de sa serre ! Chaque fois que Jeanne y repensait, elle ressentait un malaise indéniable. Car finalement, c'étaient ces travaux qui avaient reporté aux calendes grecques son intention de se présenter au centre de conditionnement physique. Si elle y était allée, on aurait probablement demandé un examen, à cause de son genou qui faisait mal. Et si on avait diagnostiqué son cancer plus vite, on aurait opéré plus vite et peut-être que la tache au poumon n'aurait pas eu le temps d'apparaître et que... Invariablement, la réflexion de Jeanne s'arrêtait là. Il n'y avait que des suppositions dans toute cette histoire. Pour l'instant, plus les jours passaient et plus elle était persuadée qu'elle y laisserait sa peau. On ne pouvait être aussi épuisée qu'elle l'était, aussi nauséeuse malgré les médicaments, sans qu'il y ait quelque chose d'inhabituel.

— Lâche pas, Jeanne, lui répétait Gilles chaque fois qu'il venait la voir lors des traitements. Il ne reste plus que deux petites semaines. Après, on fait plusieurs examens pour déterminer où tu en es.

— Où j'en suis? Je suis au bord de l'épuisement, mon pauvre Gilles. Peut-on faire un *burnout* de chimiothérapie? C'est exactement comme ça que je me sens. Au bord du précipice. Mais n'aie pas peur! Je t'ai donné ma parole et je vais la tenir. Tu as parlé de deux semaines supplémentaires et j'irai jusqu'au bout. Après, on verra.

Mais pour Jeanne, tout était vu d'avance. Encore deux semaines d'enfer et après, quels que soient les résultats, elle arrêtait tout. Elle voulait recommencer à vivre. Comme avant. Peu importe le temps qu'il lui resterait, Jeanne voulait le vivre pleinement. Pas à moitié, comme c'était le cas depuis les dernières semaines. Présentement, le seul endroit où elle avait la sensation de vivre pleinement, c'était dans la serre et encore, elle n'y allait que quelques minutes à fois, car elle était trop fatiguée. Néanmoins, ces petites minutes étaient précieuses pour elle. Quand elle voyait aux semis qu'elle préparait pour les fêtes, Jeanne n'était plus qu'une femme comme les autres, fabriquant un peu de bonheur pour les siens. Le reste du temps, elle était une ombre, un fantôme.

Malheureusement, Jeanne n'arriva pas à tenir cette dernière promesse faite à Gilles, celle de tenir bon jusqu'au bout. Un matin, au réveil, elle fut incapable de se lever. Ses jambes refusaient de la porter et la nausée était si forte qu'elle demanda à Thomas de lui apporter un bol.

— En passant par la cuisine, appelle Gilles, l'hôpital, je ne sais pas ! Appelle qui tu veux, mais ce matin, je reste ici.

Gilles se présenta dans l'heure. Jeanne était toujours au lit. Thomas eut la délicatesse de les laisser seuls, alors qu'il se mourait d'inquiétude. Gilles s'installa maladroitement sur le bord du lit. Les visites à domicile ne faisaient pas partie de sa routine.

Jeanne avait les traits tirés, les yeux cernés jusqu'au milieu des joues. Depuis une semaine qu'il ne l'avait vue, elle avait terriblement changé. « Terriblement vieilli », pensa-t-il le cœur serré. Impulsivement, il prit la main qui reposait sur la dentelle du drap.

— Ça ne va pas ?

— Non, ça ne va pas du tout.

— Il ne reste que dix jours, Jeanne. Faut pas…

Jeanne prit une profonde inspiration pour se donner la force d'interrompre Gilles.

— Arrête, veux-tu ! Je sais bien que c'est ton devoir d'insister mais là, je ne marche plus. Tu m'as dit de t'appeler si jamais je percevais quelque chose d'anormal, n'est-ce pas ? Alors, je t'ai appelé.

Jeanne dut s'interrompre, tellement ces quelques mots lui avaient demandé d'effort. De la main, elle fit signe à Gilles qu'elle n'avait pas terminé, quand elle vit qu'il voulait prendre la parole.

— Je t'en prie, laisse-moi finir.

Le temps de respirer à quelques reprises, puis Jeanne poursuivit.

— Je rencontre des gens tous les jours. Des gens qui vivent sensiblement la même chose que moi. Je sais bien que
je ne suis pas la seule à traverser un drame. Je les vois ces
gens aussi démunis, aussi apeurés que moi. Il y en a en
chaise roulante, d'autres ont perdu tous leurs cheveux. Certains sont maigres à faire peur, alors que d'autres semblent
gonflés comme des outres. Je vois tout ça, Gilles. Je suis
consciente de ce qui m'arrive et je suis consciente que je
ne suis pas la seule. Par contre, personne n'est aussi faible
que moi. Personne, tu m'entends. Je le perçois dans les regards que je croise. Quoi que tu puisses en penser, je sais
que ce n'est pas normal. Je le sens en moi.

Jeanne avait terminé d'une voix rauque et haletante, ha-
churée comme une mauvaise transmission radio. De l'index,
elle pointait sa poitrine, là où le mal se tapissait. Là où son
cœur battait.

Gilles demeura silencieux, la main posée doucement sur
celle de Jeanne. Puis, la pression se fit plus forte.

— D'accord, articula-t-il enfin. On interrompt tout ça pour
l'instant. Prends la journée pour refaire un peu de forces et
demain, je veux te voir à l'hôpital pour quelques examens.
Je vais m'arranger pour que tu n'aies pas à attendre, c'est
promis.

— Merci, fit Jeanne dans un souffle. Merci de ne pas
insister.

— Maintenant, je te laisse dormir. Si tu le permets, je
vais parler à Thomas.

— D'accord. Oui, tu as raison, il faut qu'il soit au courant. Il y a eu suffisamment de secret autour de tout ça, ajouta Jeanne en fermant les yeux.

Gilles n'osa lui demander ce qu'elle entendait par ces mots. Il lui semblait, au contraire, que tout avait toujours été clair entre eux, même si Thomas avait été parfois tenu un peu à l'écart. Pour l'essentiel, il était au courant de tout.

Gilles quitta la chambre en soupirant, sans faire de bruit. Thomas l'attendait à la cuisine avec du café très fort. Il avait des tas de questions à poser à son ami. À commencer par savoir s'il y croyait encore à ces traitements. Car lui, à l'instar de Jeanne, il n'y croyait plus tellement.

Quand Jeanne réussit enfin à se lever, quelque trois heures plus tard, une multitude de cheveux jonchaient son oreiller.

Elle resta immobile un long moment, agrippant nerveusement un coin de la couverture, assise sur le bord du lit. Puis, du bout du doigt, elle caressa les longs fils bruns et gris entremêlés, les ramassa machinalement, à pleines mains, essayant de comprendre le sens des battements fous de son cœur.

Déception, alors qu'elle croyait vraiment qu'elle échapperait au moins à cela? Ridicule vanité de savoir que, d'ici peu, elle serait complètement chauve?

La vérité, qui était tout autre, la frappa brutalement. Si son cœur battait si fort ce n'était nullement par déception ou vanité. C'était la conviction que ces cheveux, sur l'oreiller, étaient le premier détachement que la vie lui demandait de faire. Les autres suivraient inexorablement.

Jeanne Lévesque se mourait petit à petit. Ce n'était pas une simple appréhension, une vague intuition qui lui fai-

saient débattre le cœur. C'était une certitude aussi aveu-
glante que le soleil qui brillait ce matin.

Alors Jeanne ferma les yeux sur les larmes qui s'étaient
mises à couler. Brusquement, le soleil lui semblait beaucoup, beaucoup trop éblouissant.

Les résultats aux différents examens ne tardèrent pas. Le
temps d'une fin de semaine, deux trop courtes journées où
Jeanne, néanmoins, eut la sensation de prendre du mieux.
Le dimanche, au souper, elle réussit même à manger presque
normalement et, quelques heures plus tard, elle eut droit à
une nuit sans cauchemar.

Lundi midi, Gilles l'appelait pour lui demander si elle
était assez forte pour se présenter à son bureau.

— Oui, je crois. C'est drôle, mais en quelques jours à
peine, je me sens nettement mieux. J'irai avec Thomas.

Elle n'osa cependant pas demander à quoi ressemblaient
ces résultats. La flamme de ses espoirs était vacillante, mais
toujours vivante. Après tout, le martyre qu'elle venait d'endurer n'avait peut-être pas été vain.

Quand elle entra dans le bureau de Gilles, Jeanne évita
son regard. Elle voulait étirer l'espoir jusqu'au bout. Une
main emprisonnée dans celle de Thomas, elle s'installa sur
le bord du fauteuil dont elle commençait à connaître les
moindres ressorts. Puis elle inspira profondément, leva la
tête et affronta un regard qui la déconcerta. Gilles ne semblait ni triste ni joyeux.

— Alors ?

Gilles ébaucha une moue indéfinissable.

— Il y a une bonne et une mauvaise nouvelle. Laquelle
veux-tu en premier ?

— La mauvaise. Même si en parlant ainsi, j'ai l'impression qu'on est en train de jouer dans un mauvais drame.

— Allons-y donc pour la mauvaise nouvelle.

Gilles avait ouvert le dossier de Jeanne qui grossissait à vue d'œil depuis les dernières semaines. Il le feuilleta un moment, avant d'en retirer quelques feuillets roses et jaunes.

— Ta fatigue, Jeanne, tes nausées et tes vomissements étaient, en réalité, une réponse fulgurante de ton organisme. La chimio n'a pas opéré comme on l'espérait. Au lieu de détruire les cellules cancéreuses, elle s'est attaquée aux bonnes cellules. D'un traitement à l'autre, ton organisme faiblissait de plus en plus. C'est assez rare, en fait je n'ai vu que quelques cas au cours de ma carrière, mais ça arrive. Désolé de voir que ça tombe sur toi. En même temps, ça explique peut-être ce que ta mère a vécu. Si les médecins de l'époque se sont entêtés, je comprends mieux les symptômes que tu m'as décrits. Quand tu m'as dit que la chimio avait tué ta mère, tu n'avais probablement pas tort. En partie, du moins. Malheureusement, il semblerait bien que tu aies hérité de ce travers. Donc, plus de chimio pour toi, c'est contre-indiqué. Ta formule sanguine est une catastrophe alors que le mois dernier, elle était impeccable. Voilà pour la mauvaise nouvelle. Et tant mieux que tu sois une femme entêtée ! On a pu détecter le problème à temps.

Jeanne s'attendait à tellement pire que cela qu'elle ne put s'empêcher d'esquisser un vague sourire.

— Plus de chimio ? Ce n'est pas ce que j'appelle une mauvaise nouvelle. D'autant plus que tu as dit qu'il y en avait une bonne. Alors ? Quelle est-elle cette bonne nouvelle, que j'aie enfin une raison de fêter ?

Cette fois-ci, Gilles dessina un sourire franc.

— Aucune autre métastase ! Absolument rien ! L'ombre au poumon persiste, mais elle n'a pas grossi.

— Ce qui veut dire ?

— Tout simplement qu'à mon avis, on se retrouve face à un cancer qui évolue lentement. Pour l'instant du moins.

— Mais encore ?

Brusquement, Jeanne était fébrile. Elle avait l'impression que son cerveau était une éponge en train d'emmagasiner des tonnes d'eau pour pouvoir les filtrer plus tard. Elle voulait que Gilles soit clair, précis pour qu'aucun détail ne lui échappe.

— Malheureusement, je ne peux rien ajouter pour le moment. Quand tu es venue me consulter, tu avais mal au genou depuis un an. Les examens ont montré, sans l'ombre d'un doute, que tu avais une tumeur à la jambe et une autre au poumon. On a opéré le genou et présentement, il n'y a que des tissus sains dans ta jambe. Aurait-on dû enlever la tumeur au poumon en même temps ? Probablement. Mais l'ombre était si petite que Lafontaine et moi, on a cru sincèrement que la radiologie et la chimio en viendraient à bout. On s'est trompés, mais on ne pouvait pas savoir. Présentement, ton système immunitaire est si mal en point qu'il n'est pas question d'opérer. Par contre, la tumeur n'a pas grossi. On va donc parier là-dessus. On ne peut rien faire de plus. On ne peut pas dire que tu es en rémission parce que tu as toujours une tumeur au poumon, mais cependant ton état ne s'est pas détérioré.

— En fait, ce que tu essaies de me dire c'est que la médecine ne peut pas grand-chose pour moi et que je vais devoir apprendre à vivre avec mon cancer. Est-ce que j'ai bien compris ?

— Effectivement, dans l'état actuel des choses, c'est le portrait de la situation. Mais dis-toi bien que tu n'es pas la seule à qui ça arrive. Il y a des tas de gens qui vivent avec un cancer. Et ce, pendant des années !

Jeanne resta silencieuse un moment, la tête penchée comme si elle contemplait les fils du tapis. Puis elle la releva brusquement.

— Combien de temps ? Il me reste combien de temps ?

La question de Jeanne avait fusé si fort et le ton était si froid que Thomas en tressaillit. Jeanne lui jeta un regard qui ressemblait à une excuse, puis elle revint à Gilles. Il lui fallait savoir ce dernier détail.

— Combien de temps, Gilles ? répéta-t-elle plus doucement.

— Je ne peux rien te répondre, ma pauvre Jeanne, avoua-t-il, visiblement navré. Je ne cherche pas à noyer le poisson, c'est vrai : on l'ignore. Il arrive parfois que le pronostic soit facile à établir. C'est habituellement le cas quand on se retrouve devant un cancer qui ronge tout rapidement. L'estomac, le foie, les reins... On parle alors en termes de semaines, de quelques mois. Ce qui n'est pas ton cas. Ton cancer, il était sur ton fémur. Je te l'ai dit tout à l'heure : chez toi, on est devant un cancer qui semble vouloir évoluer lentement. Je n'en sais pas davantage. C'est une maladie maudite, sournoise, imprévisible. Je peux seulement te dire, sans risquer de me tromper, que tu as devant toi de nombreux mois. Un an, peut-être même un peu plus. Mais encore là, ce ne sont que des prévisions basées uniquement sur l'étude de certains cas. Tu peux tout déjouer et vivre encore des années ! Et si dans quelque temps on peut enlever la tumeur au poumon, avec un peu de radiothérapie, tu pourrais encore guérir. Parce qu'on ne doit pas l'oublier : il n'y a toujours que cette ombre au poumon et rien d'autre. Je pourrais aussi te dire que la médecine évolue vite et que d'ici ce temps, il y aura peut-être autre chose pour...

— ... pour me guérir, compléta Jeanne, une pointe de sarcasme dans la voix. Arrête ton baratin, veux-tu ? Je n'y crois pas et aie au moins l'honnêteté d'avouer que toi non plus, tu n'y crois pas !

— D'accord ! On n'embarque pas là-dedans. Par contre, la radiologie peut s'avérer efficace. C'est peut-être grâce à elle si ta tumeur au poumon n'a pas bougé. En cas de besoin, on peut y revenir.

Jeanne eut un geste évasif de la main.

— On verra... Et pour l'instant, qu'est-ce que je dois faire ? Qu'est-ce que je peux faire, devrais-je dire !

À ces mots, Gilles ouvrit tout grand les bras comme s'il voulait prendre la pièce à témoin de l'immensité des possibilités.

— Tout ! Tu peux tout faire.

Puis redevenant sérieux, Gilles appuya les coudes sur son bureau et fixa Jeanne droit dans les yeux.

— Le plus beau conseil que je peux te donner, le seul en fait, c'est d'en profiter. Offre-toi tout ce que tu as toujours voulu t'offrir. Prends chaque journée à bras le corps, fais-en des moments uniques, privilégiés. Comme nous devrions tous le faire, finalement. Car l'heure de tombée, Jeanne, la vraie, celle qui ne laisse aucune chance de retour, elle est la même pour tous. Personne, pas plus moi que toi, ne peut prédire à quel moment elle va survenir. Alors profite de chaque seconde. De toute façon, dans quelque temps, tu te sentiras beaucoup mieux. Les nausées, la fatigue vont se résorber d'elles-mêmes. Pas demain, pas la semaine prochaine, mais d'ici un mois, je dirais que tu vas être bien. Très bien, même. Avec un peu de chance, pendant un bon moment, tu vas te sentir comme avant. Alors, les seules restrictions qui existent sont celles que tu voudras bien t'imposer. Moi, je n'en vois aucune.

— Aucune? Ça veut dire que je peux voyager?

— Voyager, faire du saut en parachute, escalader des montagnes! Je te l'ai dit: les seules restrictions viendront de toi. La seule chose que je te demanderais, c'est de venir me voir aux deux mois pour un bilan de santé. Si tout va bien, comme je viens de te le dire, on pourrait penser à une intervention pour enlever cette ombre que je n'aime pas. Par contre, si jamais le cancer avait décidé d'accélérer sa progression, on pourrait peut-être le prendre de court et lui envoyer quelques rayons bien sentis.

— Aux deux mois? D'accord...

Puis se retournant vers Thomas, Jeanne ajouta:

— Maintenant, on va rentrer. Il me tarde d'être dans mon jardin.

Jeanne était déjà debout, ajustait les plis de sa jupe et attendait que Thomas veuille bien se lever à son tour. Comme après une visite de courtoisie vient le temps de quitter pour ne pas être impoli, Jeanne s'en allait.

Elle semblait complètement détachée de la conversation qui venait d'avoir lieu. Où donc se cachait la femme émotive chez qui les larmes débordaient souvent pour un oui ou pour un non? Jeanne semblait si indifférente que Gilles ne put s'empêcher de jeter un regard à la dérobée en direction de Thomas. Mais ce dernier n'avait d'yeux que pour sa femme. Il s'empressait de la suivre, alors qu'elle se dirigeait vers la porte.

Jeanne remercia du bout des lèvres, Thomas eut un geste de l'épaule accompagné d'un sourire las qui pouvait passer pour une forme de regret devant la situation, puis la porte se referma sur eux.

Alors Gilles soupira longuement.

Il ne restait plus que deux patients à recevoir avant de revenir à l'hôpital pour sa dernière tournée, mais le cœur n'y était plus.

Machinalement, il marcha vers son bureau et tout en restant debout, il replaça les feuillets roses et jaunes dans la chemise de carton beige, la referma et la déposa sur la pile de droite, là où il rangeait temporairement les dossiers des patients déjà vus. Puis brusquement, il reprit le dossier de son amie et l'envoya valser à travers la pièce.

Jeanne ne méritait pas ce qui lui arrivait. Personne ne méritait cela.

Gilles se sentait impuissant, malheureux, choqué.

C'était injuste de voir une femme comme Jeanne souffrir de cette maladie perfide. Non, vraiment, elle ne méritait pas cela.

— Et la jeune Judith qui attend à côté non plus, murmura Gilles, revenu brusquement à la réalité du moment.

Alors il redressa les épaules, passa une main tremblante sur son visage, contourna le pupitre massif en acajou, ramassa les feuilles éparpillées, les replaça sur le coin du bureau et se dirigea vers la porte.

Quand il ouvrit le battant de bois capitonné pour préserver l'intimité et qu'il fit signe à la jeune femme à qui il avait donné rendez-vous, il avait même réussi à se composer un sourire. Judith, qui à vingt ans combattait une leucémie avec une lucidité incroyable et un courage irréprochable, n'avait pas à essuyer le sentiment d'impuissance qui s'était emparé de lui.

Jeanne, quant à elle, resta silencieuse tout au long du trajet vers la maison. Le trafic était lourd, la chaleur curieusement humide pour la saison. Elle avait baissé la glace et, la tête appuyée contre le cuir usé du siège, elle laissait le vent caresser son visage. Thomas se retournait souvent vers elle, anxieux, prêt à écouter tous ces mots fous qu'elle savait si bien lancer habituellement. Pourtant, alors qu'elle devait vivre les pires angoisses de son existence, Jeanne ne disait rien. Aussi longtemps qu'elle demeurerait silencieuse, Thomas respecterait son besoin de solitude. Cependant, quand elle voudrait parler, il serait là. Il serait son pilier et sa force, comme elle l'avait demandé. Jeanne venait d'apprendre que la médecine ne pouvait rien pour elle ou si peu. Gilles avait été clair. Jeanne jouait sa vie comme certains jouent à la roulette russe. La nouvelle devait être dure à encaisser, elle devrait s'y faire. Pourtant, l'avenir n'était pas si sombre. Pas dans l'immédiat. Ils avaient encore du temps devant eux. Du temps pour se gâter, pour voyager, pour se faire plaisir. Du temps pour faire reculer l'échéance maudite dans ses plus lointains retranchements. Du temps pour permettre une autre intervention qui peut-être finirait par la guérir.

Il restait du temps pour s'aimer encore et encore.

Voilà ce qu'il dirait à Jeanne quand elle déciderait d'aborder la question. Ils étaient toujours deux à s'aimer et rien d'autre n'avait d'importance.

De toute la fin de l'après-midi, Jeanne ne prononça que quelques mots. Elle s'absorba dans la préparation du souper, elle qui n'avait pas cuisiné depuis des semaines. Le pâté chinois de Mélanie attendrait jusqu'à demain pour être mangé. Ce soir, Jeanne avait besoin de la normalité rassurante du quotidien, même si une vague nausée lui tordait toujours l'estomac. Ensuite, elle picora dans son assiette plus qu'elle ne mangea, avant de fuir pour se réfugier dans la serre. Thomas fit donc la vaisselle en solitaire, puis il se dirigea vers le salon. Contre toute attente, il réussit à s'évader de la situation en obligeant sa pensée à se concentrer sur un vieux film américain. Jerry Lewis le fit même sourire. Il fallut un vieux reportage sur le Rwanda, dont on parlait de plus en plus ces temps-ci, à cause d'un livre et du projet d'un film, pour briser la digue de ses émotions. Devant les images intolérables des massacres, Thomas pleura silencieusement l'absurdité d'un monde qu'il ne comprenait plus. Quand il entendit les pas de Jeanne qui montait lentement vers leur chambre, sans même lui souhaiter bonne nuit, il pleura la femme qu'il ne reconnaissait plus. La maladie avait transformé la Jeanne qu'il aimait. Il aurait tant voulu qu'elle crie ses peurs et sa douleur parce qu'alors, il aurait pu la consoler.

Ce fut au moment où il se glissa dans le lit, au moment où il passa son bras autour de sa taille et posa la tête sur le même oreiller que Jeanne craqua. Elle se mit à trembler et le flot impétueux des mots et des pleurs fondit sur lui avec fracas.

— J'ai peur, Thomas, j'ai peur. Je ne veux pas. Ramène-moi dans le passé. Oblige ce maudit cancer à s'éloigner de moi. Je t'en prie, ne me laisse pas mourir !

Jeanne s'était retournée face à Thomas et l'entourait de ses deux bras noués autour de sa taille, la tête enfouie sur sa poitrine.

— Je t'en supplie, aide-moi ! Je ne veux pas mourir tout de suite !

La seule envie que Thomas avait, c'était de mélanger ses larmes à celles de Jeanne. Lui aussi, il avait peur. Pourtant, il avait promis. Il serait donc fort pour deux et par amour pour Jeanne, il tiendrait promesse. Tout doucement, il se mit à caresser son dos et le geste lui fit également du bien. Alors, quand il sentit qu'il était assez calme pour parler sans que sa voix trahisse sa propre déchirure, il murmura à son oreille :

— Je suis là, Jeanne, et je t'aime. Je ne laisserai personne te faire du mal.

— Je n'ai pas peur des gens, tu sais. J'ai peur du temps qui vient. J'ai peur qu'il passe trop vite.

— Nous le retiendrons, Jeanne, ce temps qu'il nous reste. Il n'appartiendra qu'à nous. Il n'appartiendra qu'à toi. Nous en ferons ce que tu voudras en faire.

— Promis ?

— Oh oui ! Promis ! Et je serai là, toujours, pour te protéger.

— Tu ne pourras pas me protéger contre la douleur et je ne veux pas souffrir.

— Je sais. Je sais que tu ne veux pas souffrir, mais c'est encore loin, tout ça.

— Tu crois ?

— Bien sûr ! C'est ce que Gilles a dit, non ?

— C'est vrai, Gilles l'a dit. Il a dit aussi que je pouvais voyager. Je veux voyager, Thomas. Je veux voir le monde avant qu'il ne soit trop tard.

— Alors nous verrons le monde. Il nous appartiendra, pour le temps où tu voudras qu'il nous appartienne.

— Et si un jour je veux revenir, nous reviendrons, n'est-ce pas ?

— Nous reviendrons.

— Et si un jour je te dis que j'ai assez connu ce monde qui nous entoure, quand la bête en moi se sera réveillée, quand la souffrance dominera l'envie de continuer et que je choisirai de tout arrêter, tu seras encore là, n'est-ce pas ?

— Je serai toujours là, Jeanne, toujours.

Après ces mots, il y eut un long silence. Puis doucement, Jeanne relâcha son étreinte et s'appuyant sur un coude, elle regarda intensément Thomas. Le lampadaire, au coin du terrain, plongeait la chambre dans une pénombre ouatée et Jeanne pouvait attacher son regard à celui qu'elle voyait briller dans le noir.

— Alors j'ai envie de poursuivre ma route. Pour un temps. Pour le plus longtemps possible, avec toi.

Après ces quelques mots, Jeanne reposa la tête sur la poitrine de Thomas et la chambre s'enveloppa d'un second silence, lourd de cet avenir que Jeanne traçait déjà dans son esprit et dans son âme. Puis elle ajouta :

— Tout à l'heure, quand j'étais dans la serre, je ne savais pas si j'allais continuer, avoua-t-elle à voix basse comme si elle cherchait à faire le point. C'est bien beau profiter de chaque jour qui passe, mais quand la mort ne fait que donner un sursis, c'est difficile d'imaginer qu'il reste encore du beau. Alors aussi bien en finir tout de suite. C'est ce que je me disais. Puis j'ai pensé aux enfants et à mon père. J'ai pensé aussi à tous ces voyages qu'on a rêvé de faire et qu'on aurait peut-être encore le temps de faire. Alors, j'ai eu envie de continuer. Mais il y avait une condition. Tu viens de la remplir. Je sais maintenant que je pourrai aller jusqu'au bout de mes choix, au bout de ma tolérance à la douleur, car tu seras là si jamais je ne pouvais, toute seule, mettre un terme à mon voyage. Je sais bien qu'on en avait déjà parlé, mais ce n'était pas pareil. Il y a trois mois, on était encore dans l'univers des suppositions. Alors qu'aujourd'hui...

Jeanne ne termina pas sa pensée. C'était inutile. Elle savait que Thomas la comprenait, partageait avec elle cette vision de l'avenir qui n'appartenait qu'à eux.

Quand son cœur se fut assagi et que son âme fut suffisamment rassurée, Jeanne glissa une jambe autour des hanches de Thomas, se coula étroitement contre lui.

— Fais-moi l'amour, Thomas. Fais-moi sentir vivante comme avant. Parce que je veux vivre, mon amour. Je veux être vivante avec toi pour toujours.

Alors Thomas l'enlaça. Il souleva le corps amaigri de Jeanne pour la coucher sur lui en l'embrassant. Spontanément, leurs mains retrouvèrent les gestes d'une passion qui était unique parce qu'elle leur ressemblait depuis si longtemps déjà.

Et cette nuit-là, Thomas et Jeanne eurent de nouveau vingt ans et presque toute la vie devant eux.

Au matin, Jeanne se sentait beaucoup mieux. Alors que, devant la glace, elle nouait un vieux fichu datant de l'époque où c'était à la mode de se promener la tête enturbannée comme une gitane, Jeanne en profita pour bien s'examiner.

Elle avait maigri, elle qui souhait tant redevenir mince. Pourtant, au lieu de s'en réjouir, elle regretta amèrement ses belles rondeurs qui affichaient, sans la moindre équivoque, une santé florissante. Que de temps perdu à se plaindre pour quelque chose qui n'en valait pas la peine !

Elle se fit un sourire triste.

Avec l'air qu'elle avait, elle n'aurait pas besoin de parler à son père. Il devinerait aisément qu'elle était malade. Très malade. Le foulard autour de sa tête dirait même le nom de sa maladie.

Jeanne soupira, s'approcha du miroir, s'observa sévèrement.

Heureusement, elle n'avait perdu ni cils ni sourcils. À l'aide d'un maquillage soigné, elle pourrait même avoir fière allure. Peut-être…

Alors elle sortit de sous l'évier le petit sac rose où elle rangeait ses produits de maquillage. Elle n'appréciait pas ces artifices qui modifiaient la physionomie, en usait avec parcimonie et plutôt rarement. Mais ce matin, elle n'avait pas le choix. Elle voulait se faire la plus jolie possible pour son père. Il faisait beau, elle n'avait pas trop mal au cœur et la nuit avait été réparatrice. Alors elle irait à Québec. Thomas était d'accord. Il comprenait que, pour Jeanne, cette visite à son père était une étape obligatoire avant de pouvoir regarder librement vers l'avenir.

— Après, on s'attaquera au reste de la planète, avait proclamé Jeanne au déjeuner. Mon périple partira de Québec pour s'étendre au monde entier !

Thomas avait savouré cette bonne humeur apparente

comme on savoure un bon vin, espérant même s'y enivrer !

Ils prirent donc la route sur le coup de dix heures.

La nature québécoise était à son plus beau. Les champs avaient été fauchés et quelques arbres solitaires, oriflammes d'une saison qui n'existe vraiment que chez nous, offraient une luxuriance de couleurs contre le bleu parfait du ciel. Jeanne fit la route dans un état de contemplation silencieuse.

Son père était au jardin à couper quelques roses pour en faire un bouquet.

Jeanne s'arrêta dans l'embrasure de la porte de la cuisine. Son père aussi avait maigri et il s'était voûté.

Armand Lévesque était maintenant un vieil homme. La dernière fois que Jeanne l'avait vu, il se tenait encore droit comme un i. Elle regretta tous ces derniers mois où leurs liens s'étaient résumés à quelques appels sans profondeur. Là aussi, que de temps perdu ! Elle descendit alors les quelques marches qui menaient au parterre.

— Papa ?

Armand se redressa, heureux d'entendre la voix de Jeanne, et il se retourna le plus rapidement que le permettaient ses articulations douloureuses.

Il comprit aussitôt.

Il se doutait que quelque chose n'allait pas, Jeanne n'était jamais restée aussi longtemps sans venir le voir. Il n'avait rien demandé parce qu'il respectait sa fille jusque dans ses silences. En un seul regard, il venait d'avoir la réponse à toutes ses interrogations. Ce foulard sur la tête, cette maigreur nouvelle... Alors, il laissa tomber les fleurs qu'il avait à la main et les bras grands ouverts, il lui dit :

— Ma Jeanne! Comme tu ressembles à ta mère!

Entre le père et la fille, souvent, les choses essentielles avaient été dites à mots couverts. À son tour, Jeanne comprit. Elle n'aurait pas besoin de parler. Alors elle s'élança vers les bras de son père. Et là, sur l'épaule qui avait consolé ses peines d'enfant, Jeanne versa ses premières larmes de chagrin. Un chagrin que seul un cœur de père ou de mère pouvait comprendre. Avant, il n'y avait eu que des larmes de colère ou d'inquiétude.

Ce ne fut que plus tard, alors qu'Armand et Jeanne s'étaient assis près des rosiers, qu'il se permit de la questionner. Jeanne lui raconta tout, calmement. Elle lui parla de son refus de regarder la réalité en face, de sa colère quand elle avait eu à confronter l'évidence, de ses peurs devant les traitements à cause de ce que sa mère avait vécu. Finalement, elle lui apprit que tout comme Béatrice, elle n'aurait pas la chance d'être guérie par la chimiothérapie. Elle était condamnée à plus ou moins longue échéance. Même l'éventualité d'une seconde opération ne la réconfortait pas. S'il y avait une ombre au poumon, même si Gilles intervenait et l'enlevait, il finirait par y en avoir d'autres ailleurs. Pour Jeanne, cela ne faisait aucun doute: la migration des métastases était commencée et sans chimio, rien ne pourrait l'arrêter.

— Le médecin a parlé de plusieurs mois. Du moins, il l'espère. Je l'espère aussi. Thomas et moi, nous voulons voyager. À part les pays où j'ai eu la chance de vivre enfant et du Mexique, je ne connais rien du monde qui m'entoure.

— C'est une bonne idée. Les voyages permettent de mieux se connaître. C'est important, je crois, à n'importe quel moment de la vie. Profites-en bien, Jeanne. Regarde autour de toi ces paysages différents, écoute ce que des inconnus auront à te dire et quand tu reviendras, tu sauras un peu mieux pourquoi tu vis et pourquoi on doit tous, un jour, partir.

— Merci, papa. Ça me fait du bien ce que tu viens de dire. Je regrette tellement de ne pas t'avoir parlé avant.

— Non, ne parle pas de regret, Jeanne. Jamais. C'est ce que ta mère avait compris avant de mourir. Il ne faut pas confondre tristesse et regret. Elle disait qu'elle était triste de nous quitter, d'abandonner une vie qu'elle aimait follement, mais elle ne regrettait rien. Et c'est ce qu'elle m'a demandé de faire. Elle m'a dit de vivre ma tristesse parce que c'était normal, humain de le faire, mais en même temps, elle m'a demandé de ne jamais laisser les regrets prendre la place, car ils étaient trop amers. Elle voulait que je le fasse pour elle et pour toi, sa petite Marie-Jeanne.

En prononçant ce nom, Armand dessina un beau sourire.

— Elle ne t'aura jamais appelée autrement que Marie-Jeanne ! Même si tu tempêtais sur tous les tons, elle y tenait. Elle disait que tu avais le plus beau prénom du monde !

— Oui, je m'en souviens.

Jeanne était émue.

— Parle-moi de mon enfance, papa. Raconte-moi comment c'était quand j'étais une petite fille. La mort de maman a tout effacé. Ce qu'il me reste d'elle, c'est l'image d'une femme brisée par la maladie. Dis-moi comment c'était avant. Dis-moi qui était ma mère.

Armand esquissa alors un second sourire, un peu plus moqueur cette fois.

— Sans vouloir t'offenser, Béatrice était la femme la plus merveilleuse du monde. Rieuse, primesautière et sage à la fois. Généreuse de tout. C'était une femme extraordinaire.

Tandis que son père parlait, tout comme Sébastien l'avait fait l'autre soir, Jeanne s'était relevée pour venir s'installer à ses pieds sur le gazon. Puis elle avait appuyé la tête sur ses genoux. Elle n'était plus que l'enfant, heureuse de pouvoir s'abandonner un instant.

— Continue, papa. Parle-moi de notre famille.

Armand ferma les yeux à demi, cherchant dans sa mémoire.

— D'abord, il faut que tu saches que dès les premiers instants de ta vie, il était évident que tu ressemblerais à ta mère. Tout comme elle, tu fronçais déjà les sourcils en posant un regard curieux sur le monde qui t'entourait. Quel bébé facile tu as été! Attends que je me souvienne... Oh oui! Tu devais avoir à peu près quatre ans. On vivait alors en Égypte et souvent...

Ce fut ainsi, bercée par la voix de son père qui était un merveilleux conteur, que Jeanne put enfin visiter cette enfance qu'elle croyait avoir oubliée. Et d'anecdotes en commentaires, petit à petit, elle retrouva l'album des images de ses jeunes années.

★   ★   ★

TIRÉ DE L'AGENDA DE JEANNE

Olivier est venu me voir en fin d'après-midi. Ils ont fait un merveilleux voyage, Karine et lui. J'étais tellement mal en point que j'avais oublié qu'ils étaient partis. Je n'ai même pas entendu les deux petits qui jouaient sûrement dans la cour de Madeleine. Et Thomas? Les a-t-il vus? Je ne le sais pas, il ne m'en a pas parlé. Il va falloir que je pense à remercier Madeleine. J'irai la voir demain avec un bouquet de roses. Je sais qu'elle aime les fleurs.

La grossesse de Mélanie semble vouloir se prolonger au-delà des huit semaines habituelles qui ont été siennes jusqu'à maintenant. Je croise les doigts! Encore un petit mois, selon son médecin, et on pourra respirer.

Hier, chez papa, j'ai rencontré Sébastien. Il n'a pas bonne mine, mon fils. J'ai cru comprendre que Manuel a recommencé à faire de la maison son unique préoccupation. J'ai essayé de lui soutirer des détails, mais il s'est montré on ne peut plus évasif. Que s'est-il passé? Thomas aurait-il quelque chose à voir avec cette subite mauvaise humeur? Car si j'ai bien compris, Manuel serait à prendre avec des pincettes. À suivre!

Voilà pour le côté agendaire de mes écrits. Maintenant la partie courrier du cœur...

C'est fait, tout le monde est au courant. Josée, ma voisine, les enfants, mon père. Oui, tout le monde sait, à commencer par moi.

J'ai un cancer et la médecine ne peut pas grand-chose pour moi. Je vais donc mourir.

Tout le monde doit mourir un jour, je le sais. Je ne suis donc pas différente des autres, mais je ne suis pas prête. Alors j'ai peur que la maladie me rattrape trop vite pour m'entraîner dans sa déchéance.

Gilles a vaguement parlé d'une autre intervention mais moi, je ne suis pas certaine que je suis prête. S'il fallait que cette opération soit aussi inutile que la chimio, j'aurais alors gaspillé une partie du temps qu'il me reste. Je n'ai pas envie de passer les derniers mois de mon existence à déménager régulièrement de chez-moi à l'hôpital pour en revenir affaiblie. Je veux me refaire une certaine santé, retrouver mes forces et profiter pleinement des mois à venir. Tant que l'ombre au poumon ne bougera pas, je veux m'en tenir à ça. De toute façon, Gilles désire attendre que mon système immunitaire soit rétabli avant de décider quoi que ce soit. Et cela me convient.

C'est curieux ce calme qui m'habite depuis mon retour de Québec. La révolte n'aura duré que le temps où je vivais dans l'incertitude, comme s'il me restait encore l'illusion de pouvoir changer la situation. Maintenant, cette révolte ne servirait plus à rien, sinon à me faire perdre un temps devenu précieux.

Le dernier refus, je l'ai vécu quand le verdict est tombé de la bouche de Gilles. Il a été immense. Jamais je n'aurais pu imaginer qu'on pouvait vivre une émotion avec autant d'intensité. Je ne voulais tellement pas de cette réalité qui serait désormais la mienne que je me suis cachée derrière un mur d'indifférence. Comme si Gilles avait parlé de quelqu'un que je ne connaissais pas. J'ai réagi ainsi, je crois, dans un réflexe de survie. Je ne désirais pas entendre ces mots que j'appréhendais depuis des mois et des mois. Pourtant, je savais qu'ils viendraient. Au tréfonds de mon cœur, je savais que j'avais un cancer. Je savais que j'allais en mourir. Pourtant, l'autre jour, j'ai refusé d'entendre les mots de Gilles. Ils me faisaient trop mal, dans tout ce qu'ils avaient d'irrévocable. Je me suis bâti une carapace d'indifférence et j'ai essayé d'y croire. Mais ce refus, non plus, n'a pas vraiment duré. Je n'ai plus la moindre minute à perdre en émotion négative.

Gilles a raison : les quelques mois qu'il me reste à vivre, je veux qu'ils soient les plus beaux mois de ma vie.

J'écris ces mots pour me donner un courage que je n'ai pas encore. J'écris ces mots dans tout ce qu'ils portent de réconfort. Il est sécurisant d'affirmer que ce qui reste à vivre sera plus beau que ce qu'on a déjà vécu. Est-ce que j'y crois vraiment ? Je l'ignore.

Mais voilà que je me mens à moi-même. Je n'y crois pas à ces mois qui pourraient être les plus merveilleux. Comment peut-on emprunter le chemin le cœur léger quand on sait que la mort nous attend à l'extrémité ? Que pourrais-je promettre pour éloigner l'échéance ? Je ne veux pas mourir. Je regarde autour de moi et je ne veux rien quitter.

Pourquoi ? Pourquoi moi et maintenant ?

Ce matin, j'ai vu un reportage sur Félix Leclerc. Pendant plus d'une heure, je l'ai vu vivant, jeune, poète. Son œuvre lui survit encore aujourd'hui. Sa poésie reste source d'inspiration même si elle est teintée de nostalgie.

De moi, que restera-t-il ? Pourquoi vais-je mourir ? Pourquoi maintenant ? Je ne suis pas prête, mais peut-on l'être un jour ? Gilles m'a dit que la mort s'apprivoisait, mais j'ignore comment. Je voudrais être profondément croyante, car la mort aurait peut-être un sens, dans l'espoir d'une certaine continuité, d'une certaine immortalité. Je me pensais croyante, mais la peur qui m'habite me dit le contraire. Ma mort aura-t-elle alors un sens ? Pourquoi est-il si difficile de se débarrasser de l'idée qu'avec nous, toute vie devrait disparaître ?

J'ai peur. J'ai beau essayer de me convaincre du contraire, j'ai peur de n'être plus qu'un souvenir qui pâlira avec le temps, comme ma mère est devenue pour moi un fantôme figé dans le passé. Trop longtemps, je n'ai gardé d'elle qu'une image qui a hanté ma vie, celle de la souffrance et de la résignation.

C'est dommage, car avec papa, j'ai enfin retrouvé la femme que la mémoire m'a refusée pendant toutes ces années.

C'est dommage, car maman était bien vivante, une battante, alors que je ne la voyais qu'à travers la mort.

C'est dommage, parce que cette image que j'avais d'elle a dicté mon comportement face à ma douleur au genou.

Je ne veux pas que mes enfants soient confrontés à ce même mauvais tour de l'esprit. Je ne veux pas qu'ils gardent de moi un souvenir amer.

Alors je vais écrire. Je vais leur écrire. Ce sera ma façon à moi d'échapper au désespoir. Savoir qu'un jour Thomas et les enfants liront ces quelques lignes me permet d'entretenir l'idée que je continue à bâtir du futur.

On dit qu'une image vaut mille mots. Alors je vais utiliser les mots pour créer des images qui sauront peut-être simplifier mes pensées pour les rendre accessibles et éloquentes. Ce sera une partie de l'héritage que je laisserai à ceux que j'aime. Je vais m'offrir ce temps d'écriture pour créer un lien avec les miens. Un lien qui me survivra et qui restera vivant.

J'aurais aimé que ma mère y pense et me laisse quelques mots qui auraient pu apaiser ma peine. Quelques mots que j'aurais lus et relus, en imaginant sa voix qui les redisait pour moi. Uniquement pour moi.

Maman, comment as-tu fait pour continuer de sourire?
Moi je ne sais pas. Je me souviens de ton sourire. Tu l'as
gardé jusqu'à la fin. Toute ma vie, j'ai pensé à toi en me
disant que tu t'étais résignée. Aujourd'hui, je comprends
que ce n'était pas de la résignation. C'était du courage.
Seul un être courageux peut sourire devant la mort.

Et moi, je ne veux pas mourir.

Chapitre 10

Décembre 2004 - fin janvier 2005

« Quand on n'a que l'amour
À s'offrir en partage
Au jour du grand voyage
Qu'est notre grand amour...
Quand on n'a que l'amour
Pour vivre nos promesses
Sans nulle autre richesse
Que d'y croire toujours... »
QUAND ON N'A QUE L'AMOUR, JACQUES BREL

Comme Gilles l'avait prédit, Jeanne avait retrouvé la grande forme vers le début de décembre. Cela faisait des années qu'elle n'avait été aussi bien. Plus de douleurs, de nausées, de fatigue. Plus de travail non plus ! Elle avait la sensation de goûter vraiment aux joies de la retraite pour la première fois. D'un matin à l'autre, dès qu'elle ouvrait les yeux, Jeanne épiait le moindre signe qui aurait pu signifier un retour des douleurs, de la maladie. Invariablement, elle sautait en bas du lit, l'humeur au beau fixe, débordante d'énergie, alignant les projets pour la journée.

Plus rien, il n'y avait plus rien pour lui rappeler qu'elle venait de vivre les mois les plus éprouvants de sa vie.

— *Yes* !

Elle en profitait sans vergogne, refusant de se dire que le

temps lui était compté. Après tout, pourquoi ne ferait-elle pas partie de ces patients qui défient toutes les probabilités ? Même Gilles n'avait pu estimer un laps de temps éventuel. Jeanne était déterminée à ne plus y penser.

De magnifiques poinsettias garnissaient les tables de la serre. Un nouveau casse-tête, un joli village illustrant un Noël d'antan, avait remplacé le paysage d'été enfin terminé. En façade de la maison, Thomas avait réussi à installer puis à décorer le plus incroyable sapin qui soit ! Il devait faire dans les vingt pieds.

Jeanne se laissait porter par l'effervescence qui précède Noël. Vivre un jour à la fois et en profiter autant qu'elle le pouvait, c'était sa nouvelle règle de vie.

Tel que promis, elle s'était présentée à l'hôpital pour les prises de sang. Pour l'instant, c'est tout ce que Gilles avait exigé. Quelques jours plus tard, il lui avait demandé de passer à son bureau. Ce qu'elle fit sans la moindre arrière-pensée. Elle se portait trop bien pour y apprendre de mauvaises nouvelles.

Quand elle se retrouva devant Gilles, tel que convenu, pour ce fameux bilan de santé auquel il semblait tant tenir, Jeanne avait repris un peu de poids et ses cheveux venaient d'être coupés pour s'harmoniser avec ceux qu'elle avait perdus et qui recommençaient à pousser. Gilles ne put s'empêcher de lui souligner qu'elle était de plus en plus jolie.

— Mais qu'est-ce qui se passe, ce matin ? lança-t-elle malicieuse. Maintenant que la maladie a moins d'importance, ton petit côté cabotin refait surface ?

Gilles joua les offensés.

— Nenni, madame. Je vous ai toujours trouvé jolie et si

vous n'avez rien compris aux signes que je vous ai désespé-
rément envoyés tout au long de ma vie, je n'y suis pour rien.
On sait bien ! Vous n'avez d'yeux que pour votre beau Thomas !

Le ton était à la détente. Jeanne éclata de rire.

— Tu viens de le dire : mon mari est un très bel homme.
Le plus beau en fait. Disons que tu es le deuxième en lice,
mais très loin derrière.

Machinalement, Jeanne avait pris place dans ce qui lui
semblait désormais son fauteuil.

— Trêve de plaisanteries, que révèlent mes prises de sang ?

— Tout est beau !

— Tu es certain ? Tu ne me cacherais rien, n'est-ce pas ?

— Je n'ai rien à cacher, Jeanne. Si je t'ai demandé de venir,
c'est justement parce que tout va bien.

— Mais pourquoi ? Tu aurais pu te contenter du téléphone
pour me…

— Non, Jeanne, interrompit Gilles, redevenu sérieux. Je
ne pouvais pas te dire au téléphone qu'il serait temps d'intervenir pour la tache au poumon.

Une ombre passa sur le visage de Jeanne. Son regard se
durcit.

— Pas question ! Pas tout de suite, modula-t-elle enfin,
ouvrant la route à une certaine approbation, mais d'une voix
qui, étrangement, n'acceptait pas la riposte.

Jeanne avait agrippé les bras du fauteuil et soutenait durement le regard de Gilles qui avait levé les bras d'incompréhension.

— Pourquoi ? De quoi as-tu peur ? Ce serait peut-être te
donner toutes les chances d'en sortir pour de bon. Laisse-
moi au moins faire un autre *scanner*.

Jeanne s'était avancée sur le bord de son siège.

— Je déteste ce tube. C'est l'antichambre de l'enfer, ce machin-là. J'étouffe là-dedans. Et puis Noël s'en vient. Je n'ai pas le temps.

— Jeanne !

En quelques phrases, le ton de la conversation avait changé du tout au tout. Jeanne n'avait aucunement envie de rire même si Gilles la regardait encore gentiment, une lueur d'amitié sincère au fond des yeux.

Elle s'accouda sur le bureau.

— Écoute-moi bien, Gilles. Ce que j'ai vécu cet automne est enfin derrière moi et il n'est pas question que je rembarque là-dedans. À aucun prix ! Je veux que ça soit bien clair entre nous. À choisir entre vivre moins longtemps, mais en forme et quelques années de plus, mais malade, je préfère le court terme. Peux-tu me garantir qu'une opération me guérirait ?

Gilles soupira.

— Non, et tu le sais.

Ce fut au tour de Jeanne de lever les bras devant elle, avant de hausser les épaules avec une désinvolture que Gilles ne comprit pas.

— Alors, pour l'instant, on ne fait rien. Tu ignores si l'opération pourrait me guérir, je ne le sais pas davantage. Personne ne sait rien dans cette maudite histoire. C'est probablement mon dernier Noël et je veux le vivre debout auprès des miens et non alitée, en train de me remettre d'une intervention qui ne donnera peut-être rien de plus. C'est Noël et c'est ma fête qui s'en vient ! Ne viens pas gâcher tout ça en me parlant de *scanner* et d'opération. Pour toi,

Noël n'a probablement pas d'importance, tu n'as pas de famille, pas d'enfants...

C'est en prononçant ces derniers mots que Jeanne comprit à quel point ils pouvaient être cruels. Visiblement ébranlé, Gilles avait détourné le regard.

— Pardon Gilles! Je... je ne voulais pas te faire de peine. Je suis désolée.

Comme Gilles ne répondait pas, Jeanne ajouta:

— D'accord, tu as gagné! Dès que les fêtes sont passées, promis, j'irai passer un *scanner*. Ça ne veut pas dire que j'accepte l'opération, mais je laisse quand même la porte ouverte à cette éventualité. On verra. D'accord? Dans un mois, Gilles. Donne-moi ce petit mois avec les miens. Laisse-moi encore mes illusions pour quelque temps et après, tu auras le champ libre.

Cet espoir indestructible qui continuait de battre, à son corps défendant...

Malgré une visible réticence, Gilles finit par acquiescer.

— D'accord, pour un mois. Mais pas plus.

— Un mois, promis. Et tu n'en parles pas à Tho...

— Pourquoi revenir là-dessus? Tu sais très bien que ce qui se dit ici...

— ... ne sort pas d'ici, compléta Jeanne, les joues empourprées de confusion. Oui, je sais. Encore une fois, pardonnemoi.

Ce fut ainsi que Jeanne négocia un sursis. Elle se dépêcha d'oublier cette visite au bureau de Gilles, se contentant de dire à Thomas que les épreuves sanguines étaient normales et qu'elle passerait un *scanner* après les fêtes. Puis elle prépara le réveillon comme elle le faisait chaque année et ils eurent la chance de célébrer Noël et sa fête tous ensemble. Ce fut à cette occasion que Mélanie annonça qu'elle était enceinte et à voir la réaction de Sébastien, Jeanne comprit que ce dernier n'avait pas été mis dans la confidence. Il était manifestement blessé. Cela lui fit de la peine même si elle était consciente que son fils avait beaucoup changé depuis un an, depuis qu'il était avec Manuel. Cela suffisait peut-être, aux yeux de Mélanie, pour le tenir à l'écart de certaines choses d'importance dans sa vie.

Jeanne se demanda si elle devait intervenir.

Comment Olivier avait-il dit cela, l'autre jour ? « On a encore besoin de toi. » Oui, c'étaient les paroles de son aîné. Si elle se fiait aux sourires des uns et à la morosité des autres, Jeanne comprit qu'Olivier avait sûrement raison. Quelques mots à Mélanie ne feraient pas de tort à qui que ce soit.

Puis, quand janvier arriva avec ses poudreries et ses froidures, Thomas reparla des voyages et Jeanne lui emboîta allègrement le pas. Passer un *scanner* ne changerait rien à leurs projets. Ce ne serait qu'un mauvais moment à passer et ensuite, Thomas et elle pourraient se donner corps et âme à la préparation de leur voyage.

Ils épluchèrent ensemble des montagnes de documentation. Ils optèrent banalement pour Paris comme point de départ à leur périple qui durerait quelques mois et les emmènerait un peu partout en Europe.

— C'est fou, constata Jeanne tout en feuilletant un superbe album que Thomas venait d'acheter, j'ai vécu deux ans à Bruxelles et je n'ai jamais mis les pieds à Paris. C'est pourtant juste à côté, quelques heures de route à peine. Mais c'est vrai qu'à cette époque, papa travaillait tout le temps et maman ne voyageait jamais sans lui.

Ils passaient ainsi de longues soirées à préparer ce voyage qu'ils voulaient commencer dès le mois de mars. Ils prévoyaient être de retour pour la fin du mois de mai, à temps pour la naissance du bébé de Mélanie.

— Et quand on aura vu cette merveille, on repart, lançait souvent Jeanne. L'Indonésie me tenterait assez. Ou les pays scandinaves. Qu'en penses-tu Thomas ?

Jeanne semblait insatiable et infatigable.

Le matin où elle avait rendez-vous à l'hôpital, Thomas et Jeanne se séparèrent au coin de la rue. Lui bifurquait à gauche pour se rendre à l'agence de voyages, alors qu'elle tournait à droite pour rejoindre le trafic qui avançait à pas de tortue vers Montréal.

En revoyant l'appareil qui l'attendait dans la salle d'examen, Jeanne n'arriva pas à réprimer le frisson qui lui descendit le long du dos. La pièce était d'une blancheur désagréable, quelques armoires nickelées la rendaient impersonnelle et froide.

Jeanne déposa son manteau, son sac, se prépara à se coucher sur la table. Dieu qu'elle détestait cette machine, cet endroit ! Pourtant, le personnel était gentil. La jeune technicienne qui l'avait accueillie et devait la rejoindre dans l'instant était celle qu'elle avait rencontrée en août. Quand la jeune femme revint effectivement pour l'aider à s'allonger, Jeanne se laissa faire, silencieuse, elle qui habituellement babillait sans arrêt quand elle craignait une situation. Les yeux fermés, essayant de respirer le plus normalement possible, elle imagina le rayon qui la fouillait jusque dans l'intimité la plus secrète de son corps.

Cet œil glauque, à la fois indiscret et indifférent, qui signerait un jour son arrêt de mort.

— Voilà, c'est fini. Vous pouvez remettre votre manteau.

Jeanne poussa un long soupir de soulagement.

Dans moins de deux heures, elle saurait ce qui se passe en elle. Gilles avait promis de se libérer pour analyser les résultats rapidement. Pourtant, dans l'état actuel des choses, elle aurait préféré ne rien savoir.

Tout ce qu'elle souhaitait, c'était apprendre que rien n'avait bougé. La tumeur n'aurait pas grossi et elle en serait quitte pour avoir rongé son frein pendant quelques heures. Quant à l'opération, elle verrait. Il faudrait que Gilles ait des atouts déterminants pour la convaincre d'accepter.

Et il faudrait qu'il lui garantisse qu'elle serait sur pied en mars.

Quand Jeanne constata que Gilles n'était pas seul, elle décida de le prendre avec humour plutôt que de s'inquiéter. Voilà les atouts que son ami avait choisis de lancer sur la table. Devant un inconnu, Jeanne serait peut-être moins récalcitrante à l'idée d'une intervention. Elle eut même la présence d'esprit de se dire que si Gilles n'était pas accompagné du docteur Lafontaine, c'était qu'il n'y avait toujours pas de métastase aux os. Parce que lui, il n'opérait que les os ! Tant mieux.

Elle avança donc vers Gilles avec assurance, souriante, se disant qu'elle n'avait rien à perdre à écouter cet autre médecin. Après tout, la décision lui reviendrait. Mais Gilles ne répondit pas à son sourire. Il se contenta de prendre la main qu'elle lui tendait et de la garder emprisonnée entre les siennes.

— Voici le docteur Genest. C'est un confrère, oncologue comme moi. Je voulais son avis avant de te parler. Viens, nous allons nous installer dans le petit salon près du poste des infirmières. Nous serons plus tranquilles.

Jeanne comprit à l'instant que quelque chose ne tournait pas rond. Ce n'était pas le scénario qu'elle avait élaboré. Pourquoi l'avis d'un autre médecin si c'était pour analyser une ombre qu'il connaissait déjà ? Pourquoi ce ton grave ? L'estomac de Jeanne se contracta douloureusement.

— Quelque chose ne va pas ?

— En effet. Viens, on va t'expliquer.

Jeanne dégagea alors sa main d'un geste sec et emboîta le pas à l'inconnu. Gilles se mit à marcher près d'elle. Il avait enfoncé les mains dans les poches de son veston comme si, sans celle de Jeanne, elles étaient désormais inutiles.

Ce fut le docteur Genest qui prit la parole. Il avait demandé à Jeanne de s'asseoir et il s'était installé à ses côtés. Dehors, le vent s'était levé et il faisait tourbillonner une fine poussière de neige au coin du bâtiment. Jeanne pensa machinalement que la température avait dû dégringoler depuis son arrivée. C'était ce qu'elle avait entendu à la radio, ce matin. On prédisait une chute dramatique de la température. Puis elle reporta son attention au médecin qui consultait la liasse de feuilles qu'il tenait à deux mains.

— Ce n'est jamais facile de parler de ces choses là.

Le docteur Genest avait une voix très grave et Jeanne songea qu'elle convenait parfaitement à la situation. Avec une voix comme celle-là, ce qu'il avait à annoncer ne devait pas être particulièrement agréable.

— Je n'aime jamais annoncer à un patient qu'il fait une rechute.

— Une rechute ?

Jeanne avait détourné la tête et fixait maintenant Gilles qui était resté debout près de la porte, comme s'il voulait surveiller l'accès à la pièce.

— Une rechute ? répéta Jeanne. C'est impossible. Je suis en pleine forme et je n'ai mal nulle part.

— Pourtant l'imagerie ne laisse aucun doute possible, répondit le docteur Genest sans tenir compte du fait que Jeanne ne le regardait pas. Non seulement la tumeur au poumon a-t-elle grossi, mais il y a deux métastases au cerveau. À un endroit où il est impossible d'intervenir. C'est pour cela que Gilles voulait avoir un autre avis. Pour être bien certain que l'opération n'était pas possible. C'est le cas. Je regrette.

Jeanne avait impulsivement porté une main à sa tête et se frottait la tempe d'un geste machinal.

— Au cerveau ? Dans ma tête ? Mais non, vous vous trompez sûrement.

Jeanne secouait la tête dans un geste de déni.

— Ça ne se peut pas. Je n'ai pas mal à la tête et je vous assure qu'une tumeur, ça fait mal. Ça fait même très mal. Je suis bien placée pour le savoir. Je n'arrivais plus à marcher normalement, tellement la douleur était intense, quand j'en avais une au genou.

Gilles se mit à parler à son tour. Il tenait à ce que son confrère soit là pour que Jeanne comprenne le sérieux de son état et qu'elle accepte le diagnostic, même s'il était difficile à entendre. Maintenant, c'était à lui de parler, d'expliquer.

—Toutes les tumeurs ne se ressemblent pas, Jeanne. Celles qu'on a détectées au cerveau sont situées dans une zone généralement insensible. Tant qu'elles seront petites, qu'elles ne comprimeront pas de nerfs autour d'elles, tu ne devrais pas avoir de migraines ni d'étourdissements.

—Je vois.

La réponse de Jeanne avait été machinale. En fait, elle ne voyait rien du tout, se sentait même étourdie à la pensée que dans sa tête...

Elle se releva et se dirigea vers la fenêtre. La neige courait le long du parc de stationnement. Les gens avançaient à petits pas pressés. Elle aurait voulu être capable de crier, de pleurer, de réfléchir un peu, mais l'hébétude qui l'enveloppait lui enlevait toute pensée, toute émotion. Elle avait l'impression d'être une coquille vide.

Le cancer l'avait rattrapée.

Elle entendit la porte qui s'ouvrait et se refermait silencieusement. Le docteur Genest venait de quitter la pièce. Jeanne songea alors qu'elle espérait ne plus jamais le revoir.

—Ça va, Jeanne?

Elle répondit d'un haussement d'épaules. La question de Gilles était stupide. Non, ça n'allait pas. Ça n'allait pas du tout et personne n'y pouvait rien changer. Elle regretta d'avoir refusé que Thomas l'accompagne. Présentement, il devait l'attendre à la maison, tout heureux d'avoir enfin fait les réservations pour leur voyage. Le voyage... Jeanne esquissa un sourire amer et se décida enfin à se retourner devant Gilles.

—Combien? Combien de temps encore?

Cette fois-ci, Gilles ne chercha pas à détourner la question. Jeanne avait droit à une réponse franche.

— Six mois. Peut-être un peu plus. C'est difficile à prévoir exactement.

— C'est peu.

— Je sais.

Jeanne lança un regard éperdu autour d'elle. Avisant la chaise la plus proche, elle fit péniblement le pas qui l'en séparait et elle se laissa tomber lourdement. Puis les larmes parurent, abondantes, douloureuses.

Gilles était déjà à ses côtés, entourant ses épaules. Finalement, il aurait dû attendre que Thomas soit avec eux.

— Je m'excuse, Jeanne. J'aurais dû attendre pour t'annoncer que… Thomas devrait être là. J'ai hésité, je ne savais pas. Je m'en veux un peu. Mais on avait dit qu'on se voyait aujourd'hui, ici…

— Non, non, ça va aller, fit Jeanne au bout d'un moment. Elle renifla bruyamment.

— Il n'y a pas de meilleure façon pour annoncer le pire. Si j'ai bien compris, le cancer qui semblait assez lent s'est mis à galoper. C'est bien ça ?

— Malheureusement, oui. En quelques mois, il s'est multiplié dans ton poumon et il a migré vers le cerveau.

— Et si j'avais accepté l'opération avant Noël, est-ce que ça aurait été différent ?

Gilles s'attendait à cette question. Une question à laquelle il n'avait pas vraiment de réponse. Quelle était la condition de Jeanne avant Noël, personne ne le savait. Même un *scanner* ne montrant que la tumeur au poumon n'aurait pu être concluant. C'est pourquoi il avait décidé à l'avance de ce qu'il répondrait. Ce que Jeanne avait à vivre était suffisamment difficile sans y ajouter la culpabilité.

— Non, Jeanne. L'opération n'aurait pu permettre d'enrayer la progression. Quand on s'est vus avant Noël, les métastases au cerveau devaient déjà être là. Ce qui veut dire que c'est toi qui avais raison.

— Comment ça ?

— Ça t'a permis de passer une belle période des fêtes avec les tiens, sans être affaiblie par une intervention.

Jeanne ferma les yeux un instant, revoyant ses petits-fils émerveillés devant l'immensité du sapin, ses enfants heureux de se retrouver, heureux des cadeaux qu'ils avaient choisis pour eux. Olivier et Karine proches l'un de l'autre, Mélanie resplendissante... Gilles disait vrai : elle avait vécu un merveilleux Noël.

— Et maintenant, qu'est-ce que je peux encore faire ? Thomas et moi, nous nous apprêtions à partir pour l'Europe. Je ne...

— Mais vous partez pour l'Europe comme prévu, interrompit Gilles avec chaleur. Pour l'instant, pas question de changer quoi que ce soit à ta vie.

— C'est vrai ?

— Bien sûr que c'est vrai !

Jeanne renifla encore, s'essuya le visage du revers de la main.

— Tiens, prends ça !

Gilles lui tendait un papier-mouchoir qu'il venait de sortir de sa poche. Lentement, Jeanne se ressaisissait. Savoir qu'elle pourrait partir en voyage avec Thomas lui apparaissait comme une planche de salut.

« Un jour à la fois, se répéta-t-elle en se mouchant lentement, consciencieusement. Comme un alcoolique, je dois vivre un jour à la fois. D'abord prévenir Thomas, puis revoir notre projet sous un nouvel éclairage. C'est tout. Prendre les choses l'une après l'autre. »

Jeanne inspira profondément. Au loin, une cloche retentit, stridente, suivie de peu par le bruit de pas rapides qui longeaient le couloir. De l'extérieur, parvint en même temps un éclat de rire qui lui donna l'impression qu'il remplissait toute la pièce où elle se trouvait.

La vie continuait autour d'elle.

La vie continuait de battre en elle. Son cœur, un peu trop rapide, en témoignait.

Jeanne jeta un dernier regard par la fenêtre, à la fois partie prenante et très détachée de ce monde qui l'entourait.

Curieusement, elle n'avait pas envie de rentrer chez elle. Pas tout de suite. Elle n'était pas prête à regarder Thomas droit dans les yeux pour lui dire que la fin arriverait plus vite que prévu. Elle avait encore besoin d'un peu de temps pour elle. Juste pour elle, pour se faire à l'idée.

Elle ramassa son sac à main qu'elle avait laissé tomber par terre, reprit son manteau avachi sur une chaise, puis se tourna vers Gilles, qui, pour l'instant, semblait n'avoir rien d'autre à faire que de rester à son entière disposition.

— J'aimerais prendre un café. Noir et très chaud. Peux-tu me dire où se trouve la cafétéria ? C'est tellement grand ici que j'ai de la difficulté à m'orienter.

À peine eut-elle le temps de dire ces mots qu'elle se reprenait.

— Non, ce n'est pas vrai. Je ne veux pas savoir comment me rendre à la cafétéria. J'y suis allée tout à l'heure et je serais sûrement capable de me débrouiller seule. Ce que j'aimerais vraiment, c'est que tu m'y accompagnes. Si tu as le temps, bien sûr. Je ne voudrais pas abuser de…

— J'ai tout mon temps, Jeanne.

Gilles se retournait déjà pour ouvrir la porte quand Jeanne ajouta, songeuse :

— Comment suis-je donc faite ? Je viens d'apprendre que je vais mourir bientôt et mon premier réflexe, après avoir pleuré bien sûr, c'est de prendre un café. Je ne comprends pas. Suis-je normale ?

Gilles saisit intuitivement que, sous des apparences anodines, cette question banale était essentielle. De sa réponse, à lui, découlerait peut-être le refus ou l'acceptation. Il fit un pas vers Jeanne qui le fixait, une quête incommensurable au fond des yeux.

— Tu es Jeanne, c'est tout ! C'est bien toi d'avoir besoin de la chaleur d'un breuvage pour te réconforter. Ça te ressemble de vouloir le partager avec quelqu'un. Tu es faite comme ça. Je t'ai toujours entendue rire facilement et trop parler. Ce n'est pas le cancer qui va changer ta personnalité. Tu aimes parfois l'imprévu, mais tu tiens en même temps à ta routine. On le sent très bien quand on va chez toi. Certains jours, l'accueil est sans méprise mais parfois, il arrive qu'on sente que l'on dérange beaucoup. En ce moment, tu as besoin de réconfort. Le café est fait pour ça et ma présence aussi. Je ne suis rien, moi, dans ton monde d'émotions. Tu as besoin d'une oreille pour t'écouter et tu as peur de blesser celle de Thomas. Alors tu te retournes vers moi. C'est correct ! Quand tu auras mis un peu d'ordre dans tes pensées, tu pourras rejoindre ton mari et c'est là que tu trouveras ta sécurité et la force nécessaire pour aller jusqu'au bout.

Jeanne était bouleversée de tant de perspicacité. Elle hocha lentement la tête en signe d'approbation, tout en ébauchant un sourire à travers ses larmes.

— Je ne pensais pas que tu me connaissais aussi bien. Cela me fait tout drôle de t'entendre parler de moi comme ça. Je suis émue, avoua-t-elle en reniflant. Pendant ce temps-là, moi, j'apprends à connaître un homme merveilleux. Ce fichu cancer aura au moins eu ça de bon. J'aurai reçu le cadeau d'une amitié sincère qui m'est très précieuse, oui, très précieuse depuis quelque temps.

— Merci, ça me touche. Dis-toi que la vie est généreuse, Jeanne. Si tu demeures attentive aux signes qu'elle te fera, elle pourra t'offrir de ces petits cadeaux imprévus jusqu'à la dernière minute.

Jeanne approuva d'un signe de la tête.

— D'accord, oui, je serai attentive.

Elle resta silencieuse un moment, laissant les mots de Gilles faire leur chemin en elle, permettant à sa mémoire de bien retenir tout ce qu'elle venait d'entendre. Puis lentement, elle hocha la tête, inspira, secoua les épaules. Elle reprenait pied dans l'instant présent.

— Et maintenant, un bon café! C'est vrai que ça me ressemble. J'adore le café bien fort et j'avoue que j'en abuse. Toutes les occasions, tous les prétextes sont bons pour en boire. En route, j'ai soif!

Ce ne fut que quelques instants plus tard, alors qu'ils marchaient vers la cafétéria que Jeanne revint sur leur conversation.

— C'est vrai ce que j'ai dit tout à l'heure. Je découvre en toi un homme sensible, profond. Tu ne donnes pas cette impression ! À te voir aller, j'avais imaginé que tu étais un homme un peu superficiel, sans consistance. Ce qui n'est pas le cas. Comment se fait-il que tu sois toujours sans compagne ? Une vraie compagne, stable, aimante, en mesure de partager ta vie et tes rêves.

À ces mots, Gilles porta le regard loin devant lui et, sans cesser de marcher, il confia d'une voix grave :

— À force de côtoyer la mort, on devient peut-être trop exigeant envers la vie.

Puis il ouvrit une porte sur sa droite et s'effaça pour laisser passer Jeanne.

— Après vous, madame ! Un étage à descendre et nous serons rendus.

Jeanne effectua le trajet du retour dans un trafic aussi dense que celui du matin. La journée avait passé sans qu'elle ait donné signe de vie à Thomas. Il était près de seize heures. Il devait s'inquiéter, Jeanne en était consciente. Pourtant, elle n'avait pu se résoudre à lui donner un coup de fil. Elle risquait d'éclater en sanglots seulement à entendre sa voix. D'ailleurs, il existe de ces confidences qui doivent se faire les yeux dans les yeux.

Quand elle arriva enfin devant chez elle, l'immense sapin scintillait sur la blancheur de la neige qui coiffait la maison et les arbustes. Jeanne eut une bouffée de tendresse pour Thomas. C'était pour elle qu'il avait tant travaillé à dresser cet arbre de Noël. Parce qu'il y en avait un dans le film qu'ils avaient regardé ensemble et qu'elle avait dit qu'elle le trouvait joli, le lendemain, Thomas partait à la recherche du patriarche qui serait digne de sa belle. C'étaient les mots exacts qu'il avait employés et Jeanne avait pouffé de rire.

Aujourd'hui, les fêtes étaient terminées, mais Jeanne tenait à conserver son arbre. « Au moins jusqu'à notre départ », avait-elle lancé à la blague. À bien y penser, son souhait se réaliserait. S'ils voulaient partir en voyage, Thomas et elle devraient le faire rapidement. Plus question d'attendre au mois de mars pour s'envoler vers l'Europe.

Dès qu'il entendit la porte s'ouvrir, Thomas déposa la casserole qu'il venait de sortir de l'armoire et attrapant l'enveloppe de leurs réservations, il se dirigea à grandes enjambées vers le vestibule. Durant l'après-midi, il avait tenté de se raisonner en se disant que Jeanne avait profité de sa présence en ville pour effectuer quelques achats. Ce n'était pas son genre de ne pas prévenir, mais bon, une fois n'est pas coutume.

— Regarde, Jeanne ! J'ai nos réservations. Nous partons pour Paris le 10 mars.

Il venait de déboucher dans le couloir en brandissant l'enveloppe.

Jeanne se retourna lentement et Thomas s'arrêta pile. Il y avait, sur le visage de Jeanne, une indicible tristesse.

— Non, Thomas, fit-elle alors d'une voix très calme. Nous ne partirons pas pour Paris. Je préférerais aller à Amsterdam et nous devrons le faire le plus rapidement possible. Mars, c'est peut-être un peu loin pour moi, si on veut passer quelques mois en Europe.

Thomas comprit instantanément que les nouvelles étaient mauvaises. Il savait aussi pourquoi Jeanne avait choisi Amsterdam plutôt que Paris. Enfouissant l'enveloppe dans la poche arrière de son pantalon, il s'approcha et prit Jeanne tout contre lui.

— Le *scanner* a dévoilé ce que tu ne voulais pas voir, n'est-ce pas ?

— Oui. J'ai des métastases au cerveau. Petites, indolores, mais bien là.

— Gilles, lui, que…

— Non, s'il te plaît, pour l'instant, je préfère ne pas en parler.

Thomas avait la gorge nouée. Il aurait voulu ajouter quelque chose, n'importe quoi, il n'y arrivait pas. Jeanne se fit toute petite dans ses bras.

— Serre-moi fort, serre-moi très fort. Donne-moi un peu de ta chaleur, Thomas, car moi, je suis transie jusqu'au fond de l'âme.

Les bras de Thomas se firent enveloppants autour des épaules de Jeanne et comme on guide un enfant ou un vieillard, il l'aida à marcher pour se rendre au salon.

— Là, là, arriva-t-il enfin à prononcer. Viens auprès du feu. Nous allons nous installer sur le divan et nous réchauffer tous les deux. Moi aussi, j'ai froid. Et après, quand nous irons un peu mieux, je sortirai tous nos livres et nous regarderons ensemble ce qu'il y a de beau à visiter à Amsterdam. C'est sûrement une ville aussi intéressante que Paris. D'accord ?

Jeanne ne répondit pas. Elle appuya la tête contre le bras de Thomas et se mit à contempler les flammes qui valsaient dans l'âtre en se demandant si le ciel, finalement, ressemblait à cette ville fantastique qu'elle imaginait dans l'incandescence des bûches.

Ce soir, elle voulait croire en Dieu, même si la vie lui faisait un croc-en-jambe qui prenait l'allure d'une profonde injustice et qu'elle s'était toujours imaginé que Dieu était juste. Cette injustice, après tout, était peut-être le fait de l'homme. N'empêche qu'elle lui laissait une affreuse amertume dans le cœur.

★   ★   ★

Tiré de l'agenda de Jeanne

Je vais mourir.

Cette phrase que j'ai déjà écrite vient de prendre son sens définitif. Il n'y a plus d'échappatoire possible. Je n'ai plus d'illusion. Il ne me reste que quelques souhaits. J'espère simplement que j'aurai le temps de les réaliser. Être encore présente au moment de la naissance du bébé de Mélanie fait partie de ces souhaits. J'en fais un but à atteindre. Si la volonté a quelque chose à voir dans tout ce processus, alors je serai toujours là au mois de mai.

Devant la mort, je le concède aisément, c'est la mère en moi qui est la plus dévastée. J'aurais voulu voir grandir mes petits-enfants, j'aurais voulu voir vieillir mes enfants. Cela me sera refusé. C'est injuste, profondément injuste.

Je ne parlerai d'aucune échéance avant de partir pour l'Europe. Ni à mon père ni aux enfants. Ils apprendront bien assez tôt que le temps se compte désormais en semaines pour moi.

Dans deux semaines, nous nous envolons pour Bruxelles. C'est la destination la plus proche d'Amsterdam pour laquelle nous pouvions avoir des billets rapidement. Une auto nous attend à l'aéroport et nous avons décidé de filer aux Pays-Bas. Je veux savoir comment ça se passe là-bas quand quelqu'un a choisi de ne plus souffrir…

Nous avons pris des billets ouverts. Ainsi, nous pourrons revenir quand nous le voudrons, sans nécessairement repasser par Bruxelles.

Ce matin, Thomas a enlevé les lumières du sapin. Mon dernier Noël est terminé. Il a été beau, c'est ce qui compte.

Demain, je vais commencer à préparer les bagages. Cela m'étonne un peu, mais j'arrive à prendre les journées l'une après l'autre. Le fait de me savoir impuissante devant les événements permet peut-être ce détachement. Le fait aussi de n'avoir aucune douleur aide sûrement. Je m'éveille en pensant au voyage et rien d'autre ne doit venir troubler le plaisir que je ressens à l'idée de partir. Depuis le temps que nous rêvons de visiter l'Europe...

Hier soir, Gilles est passé à la maison et m'a remis une prescription pour que je puisse avoir des calmants avec moi. «Au cas où, a-t-il dit. Juste au cas où.» C'est gentil d'y avoir pensé, même si Thomas aurait pu le faire. Après tout, il est médecin lui aussi, même s'il n'a jamais pratiqué.

J'ai insisté et Gilles a finalement accepté de rester souper avec nous. Ça m'a fait du bien cette soirée entre amis. Hier, je ne voyais que l'ami en lui et je crois que Thomas aussi. Pendant que je faisais la vaisselle, je les entendais rire au salon.

J'aime entendre les rires de Thomas.

La dernière fois que j'ai écrit, ma tête débordait de questions et mon cœur de colère. Il n'est pas facile d'apprendre qu'on va mourir.

Depuis, mon âme s'est assagie. Quand vient le jour où l'on se retrouve devant une évidence que l'on ne peut ni repousser ni effacer, a-t-on le choix entre accepter ou

refuser ? Je ne le crois pas. Il y va de sa santé mentale. Je
me retrouve à cette croisée des chemins. J'ai mal à hurler,
mais je ne hurlerai pas. J'ai peur à vouloir me cacher, mais
je ne me cacherai pas.

Une phrase, lue je ne sais plus où, me revient.

« Vaincre le cancer, c'est dominer l'angoisse. »

Saurai-je y arriver ? Où peut-on apprendre à dominer
cette angoisse de l'inconnu, de ce qui apparaît comme un
grand trou noir devant soi ?

Je sais bien qu'il existe des regroupements, des gens capables de m'aider. Pourtant, je me refuse toujours cette
possibilité. Je ne suis pas encore prête à parler de ma mort
avec des inconnus. C'est un peu curieux, moi qui suis si
facilement volubile avec les étrangers. Pour l'instant, je
préfère cheminer en solitaire avec Thomas. Lui seul connaît
le pourquoi de notre voyage vers Amsterdam. J'espère
trouver là-bas ce que nos lois refusent ici. Après, quand
j'aurai obtenu quelques réponses à mes questions, nous
pourrons voyager en touristes.

Nous avons pris des billets ouverts. L'ai-je déjà écrit ?

Ainsi, Thomas pourra revenir quand il le voudra.

Moi, je ne sais pas si je reviendrai...

Chapitre 11

Février - avril 2005

« *Elle est à toi cette chanson,*
Toi l'Auvergnat qui sans façon
M'as donné quatre bouts de bois
Quand dans ma vie il faisait froid...
Ce n'était rien qu'un feu de bois
Mais il m'avait chauffé le corps
Et dans mon âme il brûle encore
À la manière d'un feu de joie... »
CHANSON POUR L'AUVERGNAT, GEORGES BRASSENS

L'avion décrivit un large cercle au-dessus de Bruxelles avant de remonter un peu vers le nord pour amorcer son atterrissage. Le nez dans le hublot, Jeanne, bien éveillée, essayait de reconnaître la ville. Elle y avait vécu pendant trois ans et curieusement, elle se souvenait à peine du quartier où était sa maison. Par contre, elle se rappelait très bien le lycée où elle suivait ses cours, également que sa meilleure amie s'appelait Lucille. Toutes deux enfants uniques, elles étaient inséparables. La quitter pour retourner vivre au Canada avait été la première vraie déchirure de son existence. Elle avait alors onze ans.

Depuis, elle n'était jamais revenue en Europe.

L'aube rosissait le ciel, tout là-bas sur l'horizon, et au sol, près des hangars de l'aéroport, on pouvait apercevoir une fine couche de neige fraîchement tombée.

L'aérogare était à peu près vide et malgré des consignes de sécurité que l'on disait nettement plus sévères depuis le 11 septembre 2001, passer la douane fut une formalité rapidement expédiée. Les agences de location d'autos étaient facilement repérables et, en moins de vingt minutes, Thomas se retrouvait derrière le volant d'une Opel de l'année.

— *Yes*! Elle est bleu nuit!

Jeanne avait spontanément retrouvé cette expression qui disait sa bonne humeur incontestable. Cela faisait si longtemps qu'il ne l'avait entendue que Thomas se sentit tout joyeux à son tour. Les indications pour sortir de la ville étaient claires et, en moins de dix minutes, ils roulaient sur l'autoroute en direction de Antwerpen. Après, la route montait en ligne presque droite jusqu'à Amsterdam, en contournant cependant Rotterdam.

Après avoir roulé quelques kilomètres sur l'autoroute, ils s'arrêtaient dans un casse-croûte pour un café et un petit déjeuner. La fatigue commençait à se faire sentir. Une bonne odeur de pain fraîchement cuit les accueillit à l'entrée du restaurant.

— Le pain! Je m'en souviens maintenant, lança Jeanne avec entrain. Le pain belge est le meilleur au monde.

Elle dégusta deux petits pains de mie à la croûte dorée, abondamment garnis de beurre, les yeux fermés sur son plaisir gourmand, sous le regard ému de Thomas qui avait l'impression de retrouver sa Jeanne, celle qui savait si bien aimer la vie.

Ils arrivèrent à Amsterdam vers l'heure du midi, éreintés, abasourdis de fatigue. Le décalage horaire, le vol de nuit et ces quatre heures de route avaient eu raison de leurs der- nières énergies. À Amsterdam, les rues étaient étroites. Les sens uniques se multipliaient.

— C'est pire qu'à Montréal, se lamentait Thomas les mains soudées au volant. Je tourne à gauche ou à droite ?

Jeanne avait de la difficulté à s'y retrouver sur la carte routière.

— Je ne sais pas ! Sapristi ! Tout est écrit en néerlandais ! Les noms me paraissent tous pareils !

D'un commun accord, ils suivirent la première indication qui annonçait un endroit de stationnement et décidèrent de poursuivre à pied. Tout ce qu'ils cherchaient, c'était un hôtel et un lit. Ils tombaient littéralement de sommeil.

L'hôtel Ramada Amsterdam City Centre avait probable- ment été construit pour des touristes comme eux, car ils ne virent que lui en sortant du stationnement souterrain. Quelques pas et ils étaient rendus dans le hall et après quel- ques mots en anglais, une carte de crédit présentée noncha- lamment, ils avaient la clé. Thomas n'avait même pas demandé le prix de la chambre, il était trop fatigué. Dix mi- nutes plus tard, ils dormaient tous les deux à poings fermés.

Ce furent les cloches d'une église du quartier qui éveillè- rent Jeanne sur le coup de seize heures. Dans les vitres de l'édifice, de l'autre côté de la rue, elle vit que le soleil était déjà bas. S'ils voulaient voir quelque chose de la ville dès aujourd'hui, ils n'avaient pas le temps de flâner au lit. Elle sauta sur ses pieds, tira cavalièrement la couverture.

— Allez hop ! Debout ! Je veux explorer les rues avoisi- nantes avant qu'il fasse noir.

Depuis le départ de Montréal, elle n'avait pensé qu'au

plaisir de voyager, qu'à cette sensation de plénitude qui l'habitait, qu'à ce bonheur absolu d'être seule avec Thomas, au bout du monde.

Comme il lui avait dit au moment où ils franchissaient le pas de leur maison pour se rendre à Dorval, c'était « son » voyage. Ils iraient où elle voudrait aller. Ils y resteraient le temps qu'elle jugerait bon de rester. Au-delà de ce qu'elle était venue chercher ici, renseignements, possibilités, accueil aussi peut-être, il y aurait d'abord et avant tout l'intense plaisir de découvrir un monde et des gens différents.

Ils marchèrent un bon moment vers l'ouest, puis revinrent sur leurs pas et s'aventurèrent vers l'est. Ils avaient déjà repéré un restaurant qui semblait bien, Le Humphrey, juste en face de l'hôtel. Ils y reviendraient plus tard.

L'architecture, les rues faites de pavés, les nombreux ponts surplombant les canaux avaient tout ce qu'il fallait pour dépayser n'importe quel nord-américain et Jeanne se laissa aller complètement à cet envoûtement de se sentir au bout du monde. Elle marchait la tête haute, un bras glissé sous celui de Thomas, essayant de ne rien perdre de ce qui s'offrait à elle. La soirée était belle et l'air agréablement doux après les froids mordants des dernières semaines à Montréal.

— Regarde !

De l'index, Thomas lui montrait la façade d'une maison où de curieux néons rouges soulignaient le haut de fenêtres largement vitrées.

— Qu'est-ce que c'est ?

— Le district Red-light. La *Red Zone* d'Amsterdam. Le quartier des prostituées.

Jeanne fronça les sourcils.

— Ah oui ? Tu connais ça, toi ?

— Tout le monde connaît ça, voyons !

— Eh bien, pas moi ! Allez, viens, on va faire un tour.

Quelques pas et ce n'étaient plus des rues ni même des ruelles. Entre les édifices, s'enfonçaient des passages où deux personnes marchaient à l'étroit.

Derrière les vitres salies par l'hiver, il y avait des femmes, à demi vêtues, qui s'offraient librement aux regards lubriques qui se posaient sur elles. Jeanne se demanda comment on pouvait tolérer cela. Tous ces hommes, ces rires, ces remarques. Elle se retrouvait au marché du sexe où l'on pouvait choisir comme à l'épicerie. Certaines femmes lui faisaient des petits clins d'œil complices, d'autres l'ignoraient avec une superbe qu'elle comprenait mal. Elle fut vite mal à l'aise. Pourtant, sans trop savoir pourquoi, elle voulait continuer à marcher dans ce dédale de trottoirs mal éclairés. Peut-être simplement pour apprendre ce que ce monde, qui lui était totalement étranger, avait à lui dire.

Au coin d'une rue, son regard fut attiré par une jeune Noire. Elle semblait très jeune et n'était pas particulièrement jolie.

— Viens, Jeanne, on s'en va.

Thomas en avait assez. Il n'était pas venu à Amsterdam pour visiter ce quartier. À l'hôtel, il avait une liste des endroits intéressants à visiter qu'il avait préparée à Montréal. Il voulait y retourner pour projeter la journée du lendemain. D'ailleurs, il avait faim, très faim.

— Alors ? Tu viens ?

— Non, attends. Tu vois là-bas, cette jeune Noire ? J'ai l'impression qu'elle m'a fait signe.

Sans attendre de réponse, Jeanne avait dégagé son bras et faisait les quelques pas qui la séparaient de la vitre donnant sur une chambre quelconque éclairée par un *black light*.

Appuyée sur un tabouret, une jeune femme au visage banal, mais au corps splendide, caressait nonchalamment un mamelon à travers le tissu presque transparent du soutien-gorge. Jeanne leva les yeux vers elle et leurs regards se croisèrent. C'est alors qu'elle reconnut sa propre désillusion dans le regard de celle qui ne devait pas avoir vingt ans. Un simple regard et Jeanne sut que toutes les deux, elles partageaient un même désenchantement face à la vie.

Jeanne figea, incapable de détourner la tête. La jeune Noire lui offrit alors un sourire un peu triste qui éclaira brièvement son visage, la rendant presque jolie. Jeanne lui rendit son sourire. Délaissant son tabouret, la jeune prostituée ouvrit une petite porte vitrée que Jeanne n'avait pas remarquée, dérisoire frontière entre deux mondes qui n'étaient peut-être pas si loin l'un de l'autre.

— *Come in*! Viens! C'est tellement mieux avec une femme.

Avec une femme? Peut-être, Jeanne n'en avait pas la moindre idée. Elle n'avait connu que des hommes et depuis plus de trente-cinq ans, il n'y avait eu que Thomas.

La femme avait une voix grave, sensuelle et s'entêtait à vouloir la faire entrer.

— Allez, viens. Dis à ton mec, là-bas, de venir. Les hommes aiment bien regarder deux femmes ensemble.

À ces mots, Jeanne se sentit rougir. Pourtant, cette jeune femme l'attirait. Elle aurait voulu être capable de franchir ce pas qui les séparait, parler avec elle, lui dire qu'elles se ressemblaient. Au lieu de quoi, elle bafouilla :

— Non. Pas ce soir. Une autre fois, peut-être.

La jeune Noire haussa les épaules.

— Elles disent toutes ça. Tant pis.

Puis elle referma la porte et Jeanne recula d'un pas. Brusquement, elle en voulait à cette femme d'être si jeune, si belle dans son corps d'ébène et pourtant si triste. Elle lui en voulait d'avoir encore toute la vie devant elle, alors qu'elle-même...

— Thomas attends-moi, j'arrive.

Se retournant vivement, Jeanne rejoignit son mari en courant, incapable de mettre un nom sur l'émotion qui la faisait tressaillir. Cette femme l'avait troublée en faisant revivre en elle un désir qu'elle croyait éteint, en ramenant à la surface cette urgence de vivre qu'elle avait mésestimée. Depuis son dernier *scanner*, Jeanne n'avait pas osé faire l'amour avec Thomas. Comment pourrait-elle célébrer la vie alors qu'elle était porteuse de mort ? Ce soir, elle n'était certaine de rien, sinon qu'elle n'avait pas une minute à perdre.

— Partons d'ici, fit-elle en reprenant son souffle. On va manger, puis on se couche. Le voyage vient à peine de commencer et je suis déjà fatiguée.

Jeanne passa son bras sous celui de Thomas et ajusta son pas pour suivre ses longues enjambées.

Ce soir-là, quand Thomas se rapprocha d'elle, Jeanne ne fit pas semblant de dormir. Elle avait envie de lui, envie d'audaces qui dataient de leurs premiers ébats, alors qu'ils étaient encore de jeunes fous.

Et quand le plaisir la terrassa, derrière l'écran de ses paupières closes, il y avait le sourire un peu triste d'une jeune Noire aux seins magnifiques.

Le lendemain, malgré l'intention de visiter Amsterdam qu'ils avaient tous deux manifestée, Jeanne voulut partir, sitôt le petit déjeuner expédié. La mélancolie résignée de la jeune femme la poursuivait encore. Brusquement, elle voulait voir la mer, elle avait un irrépressible besoin d'air pur.

La propreté des villages qu'ils traversèrent, le sourire amical des gens qu'ils croisèrent, les rires joyeux des enfants qui jouaient dans les cours de lycées eurent raison, petit à petit, de cette morosité qui s'était emparée d'elle le soir précédent.

Quand ils débouchèrent sur la promenade qui longeait la mer à Zandvoort, Jeanne avait retrouvé son entrain.

L'immensité de l'océan, l'odeur âcre des embruns portés par le vent du large réconfortèrent son âme.

— Je suis une fille d'eau, déclara-t-elle en sortant de l'auto, humant profondément l'odeur de poisson qui semblait tout imprégner autour d'elle. Écoute, Thomas, écoute le roulement des vagues… J'aime la puissance de la mer, ses fracas, ses odeurs.

Jeanne pivota sur elle-même et se retrouva devant Thomas qui venait de la rejoindre. Elle passa les bras autour de son cou et lui plaqua deux baisers sonores sur les joues.

— Merci pour ce voyage. Merci d'être là avec moi. Merci pour le beau temps. Merci, merci, merci…

Jeanne s'était mise à valser sur la promenade de béton sans se soucier des quelques marcheurs qui la regardaient, un sourire indulgent aux lèvres. Jeanne faisait plaisir à voir. Puis elle s'arrêta brusquement.

— Il faut trouver un endroit pour rester ici quelques jours, décréta-t-elle catégorique. Qu'en penses-tu ?

— Vos désirs sont des ordres, jeune fille ! Allez, dans l'auto, pour qu'on trouve au plus vite !

Ils trouvèrent et assez facilement. Un peu plus loin, devant la plage de Venize, il y avait une série de petites maisons blanches, semblables à des motels. Devant, plantée de guingois, une pancarte. « Zwinner, appt. »

— Regarde !

Thomas bombait le torse, fier de lui comme s'il avait demandé personnellement la construction du petit édifice.

— J'ai vu, répliqua Jeanne en essayant de déchiffrer ce qui était inscrit tout en bas de l'affiche. On dirait bien qu'il y a quelque chose à louer ici, mais pas question que j'y aille. Je ne comprends rien à ce qui est écrit. De toute façon, je n'ai pas entendu un seul mot de français depuis hier soir. Ni d'anglais, d'ailleurs.

Thomas haussa les épaules avec une pointe d'arrogance dans le geste.

— Peureuse, lança-t-il taquin. Attends-moi, je reviens !

Quelques instants plus tard, Thomas ressortait de la première maison en brandissant victorieusement une clé.

— Le numéro huit est à nous ! Tu t'en faisais pour rien, la dame m'a dit que presque tout le monde parle anglais, ici. Viens, on s'installe. Habituellement, elle ne loue qu'à la semaine ou au mois, mais comme on est hors saison, elle a accepté de faire une exception pour nous. J'ai payé pour deux soirs. Après, on verra.

L'appartement était petit, minuscule même, mais très propre et confortable. La chambre à coucher donnait sur la façade et ce soir, ils pourraient s'endormir au son des vagues.

— Que dirais-tu d'un souper à la maison ? La propriétaire m'a dit qu'à quelques kilomètres d'ici, il y a un petit centre commercial avec tout ce qu'il faut. On pourrait y aller. Qu'en penses-tu ?

Thomas était intarissable alors que de nature, il était plutôt silencieux. Jeanne savait que cet enthousiasme n'était pas feint. Il était heureux d'être ici avec elle, c'était indéniable, ils en avaient tellement parlé de ce voyage. Depuis qu'ils étaient jeunes, ils rêvaient de voyager partout dans le monde ! La Chine, l'Indonésie, l'Australie... Les études, les enfants et le choix de carrière de Thomas avaient fait en sorte qu'ils n'avaient jamais pu réaliser ce rêve. Au fil des ans et des conversations, les fermes intentions de leurs jeunes années s'étaient transformées en un projet de retraite, aux dimensions plus modestes. Aujourd'hui, ils réalisaient enfin une partie de leurs souhaits de jeunesse. Alors oui, Jeanne comprenait l'exaltation de Thomas. Mais en même temps, elle devinait que c'était sa façon d'oublier que ce voyage serait probablement le seul qu'ils auraient le temps de réaliser. Ils avaient convenu ensemble qu'ils vivraient intensément chaque jour écoulé, sans parler d'avenir, et c'était ce que Thomas faisait.

— D'accord pour le souper à la maison, approuva-t-elle gaiement. Ensuite, dodo de bonne heure ! Demain, je veux profiter de la plage pour faire une longue promenade. En espérant qu'il continuera de faire beau !

La nature se fit complice des désirs de Jeanne et le lendemain, elle lui offrit une journée de printemps encore plus douce et plus ensoleillée. « Très particulier pour la saison, leur avait-on dit à l'épicerie. Il faut en profiter, ça ne durera pas. » Jeanne partageait cette vision des choses et voulait tirer avantage de tout ce qui s'offrait. Cependant, elle avait mal dormi et se sentait un peu fatiguée. Quand arriva l'heure de la promenade, dans l'après-midi, elle proposa à Thomas qu'il y aille seul. Elle l'attendrait assise sur un banc de parc installé sous un auvent, près de la plage.

— Ne te prive pas pour moi, je sais que tu adores marcher sur une plage.

— Mais toi ?

Jeanne laissa filer un rire sincère.

— Devant la nature, je suis une contemplative, tu le sais bien. Va marcher, moi je vais contempler. Allez, va, insista-t-elle, voyant que Thomas hésitait. Tu me rapporteras quelques coquillages si tu en trouves.

Thomas ne se fit pas prier trop longtemps. Jeanne avait raison, il adorait les promenades sans fin en bordure des vagues. Quand il eut marché quelques minutes, il se retourna et levant le bras, il salua Jeanne restée près d'un petit restaurant fermé pour la saison. Elle lui répondit joyeusement, agitant frénétiquement les deux bras au-dessus de sa tête. Rassuré, il ajusta la courroie de l'appareil photo autour de son cou, il enfonça les mains dans les poches et, se retournant, il évalua la distance qui le séparait des rochers les plus proches. Il releva la tête et redressa les épaules. Là-bas, il avait de bonnes chances de trouver des coquillages et dans deux heures, il serait de retour.

Quand Thomas ne fut plus qu'une silhouette dansante sur l'horizon, Jeanne inspira profondément en regardant autour d'elle.

La plage était presque déserte. Il n'y avait que quelques promeneurs, surtout des gens âgés, emmitouflés dans leur manteau malgré la douceur de l'air. Plus loin, une petite famille semblait profiter d'une journée de congé.

Jeanne esquissa un sourire.

À cette distance, elle pouvait aisément imaginer que le jeune couple avec un petit garçon ressemblait à ce qu'ils avaient été, Thomas et elle, quand Olivier était leur seul enfant. Les premières années de leur mariage, ils avaient souvent passé des vacances à la mer avec lui. Au mois de juillet, c'était leur évasion annuelle. Quelques jours dans le Maine ou en Virginie, s'ils en avaient les moyens.

Mais quand le petit garçon sortit un cerf-volant de ce qui semblait être un fourre-tout posé sur le sable, la ressemblance fut totale. Il n'y avait pas un soir où Olivier ne réclamait de faire voler son cerf-volant. Qu'il y ait du vent ou pas était le cadet de ses soucis ! Combien de fois Thomas avait-il sprinté, sur la plage, pour pallier le manque de vent ? Jeanne ne saurait le dire. Le bonheur qu'elle pouvait lire dans ses yeux quand il revenait vers eux, essoufflé, n'avait pas de prix. Les cris de joie d'Olivier étaient sa plus belle récompense.

Aujourd'hui, le vent permettait toutes les folies et en quelques instants, le cerf-volant s'élevait allègrement dans le ciel. Il était beau dans sa simplicité, un grand losange bleu et vert, avec une longue queue garnie de papillotes rouges.

Jeanne regretta de ne pas avoir gardé l'appareil photo.

Le cerf-volant montait, montait de plus en plus haut et Jeanne se prit au jeu de suivre ses boucles et ses piqués. Le petit garçon criait de joie. Olivier aussi aurait été heureux.

Les cris de joie du petit garçon rejoignaient les souvenirs de Jeanne, s'emmêlaient à eux pour faire de cet instant un moment magique.

Puis brusquement, porté par le vent, un cri de désespoir. La corde venait de casser et le cerf-volant, laissé à lui-même, continuait de filer.

Jeanne n'entendait plus que les pleurs de l'enfant. Dans sa tête et dans son cœur, il n'y avait plus aucun souvenir, mais uniquement le moment présent. Ce chagrin qu'elle entendait dans les pleurs de l'enfant et cette image du cerf-volant filant dans un corridor de vent, continuant ses boucles et ses piqués, rejoignaient ce qu'il y avait de plus sensible en elle.

Jeanne était tout à la fois l'enfant et le cerf-volant. Il y avait, en elle, la tristesse devant la perte et l'envie de prendre son essor, de se libérer pour voler toujours plus haut. C'est alors qu'elle comprit que si elle voulait apprivoiser le temps qui lui restait à vivre, apprivoiser la mort comme le disait Gilles, elle devrait apprendre à rompre la corde. Il lui fallait oublier l'enfant et ses pleurs.

Le jour où elle ne serait plus qu'un cerf-volant, à son tour, oui, elle serait libre de s'envoler vers le soleil.

Jeanne détourna les yeux.

Les cerfs-volants ne sont pas des montgolfières. Ils finissent toujours par tomber et pas nécessairement là où on l'espérerait.

Jeanne ne voulait pas voir le cerf-volant s'abîmer dans la mer.

C'était l'image de ce point multicolore, volant vers le soleil, libre de toute entrave, qu'il lui fallait garder.

Quand Thomas revint enfin, la poche de son chandail kangourou remplie de coquillages, Jeanne était prête à rentrer. Il y avait en elle une sérénité toute nouvelle qu'elle ne voulait plus jamais perdre. Il fallait que le temps des retours vers le passé soit révolu. Le temps des incertitudes aussi. Elle allait bientôt mourir. Ce n'était plus une hypothèse, mais bien un fait qu'elle commençait à accepter, faute de pouvoir faire autrement.

Elle avait envie d'apprendre à devenir un cerf-volant...

Ce fut ce soir-là qu'elle demanda à Thomas d'essayer de trouver un hôpital ou un médecin. Ils étaient couchés, étroitement enlacés, quand elle brisa le silence qui les enveloppait. La lune, toute ronde, glissait son indiscrétion jusqu'à eux, tout en suivant les plis des couvertures.

— Je ne sais pas par où commencer, Thomas. Si je suis ici plutôt qu'à Paris, c'est pour essayer de comprendre certaines choses, tu le sais. Je veux savoir comment ça se passe ici.

Puis, après une légère hésitation, elle ajouta dans un souffle :

— Je veux savoir si les étrangers sont aussi les bienvenus quand vient le temps de mourir.

Thomas savait que cette demande viendrait un jour ou l'autre. Il espérait seulement que ce serait le plus tard possible. Il semblait bien que Jeanne l'envisageait autrement. Probablement avait-elle besoin d'avoir certaines réponses à ses interrogations pour réussir à s'évader complètement par la suite.

— Es-tu bien certaine que c'est ce que tu veux? Nous pourrions peut-être...

— Pourquoi revenir là-dessus? demanda Jeanne d'une voix au calme exaspérant, en se soulevant sur un coude. Je ne dis pas que je veux mourir demain. Je dis simplement que je ne veux pas devenir un fantôme de vie. Quand je sentirai les forces me quitter, quand le quotidien se résumera à un lit et quelque nourriture insipide que je me forcerai à avaler, alors il sera temps de tirer ma révérence. Je n'appelle plus ça vivre que de réduire son horizon à l'espoir d'un jour sans douleur, abrutie de médicaments. C'est un point que j'ai toujours défendu. Pas question de souffrir comme j'ai vu ma mère souffrir. Chez nous, la dignité dans la mort est interdite. Tu le sais. Alors je veux savoir comment ça se passe ailleurs. Au besoin, quand viendra le temps, je reviendrai. C'est tout.

Elle n'osa dire qu'elle envisageait même de rester tout de suite. Pourquoi pas? Il lui semblait, depuis qu'elle était partie de chez elle, il lui semblait que les détachements, les abandons seraient plus faciles à faire au loin. Le cerf-volant de l'après-midi l'avait confortée dans cette sensation.

Il y eut un court silence que Thomas rompit.

— D'accord. Je comprends très bien ce que tu veux et même si ça me déchire le cœur d'être obligé d'en parler, jamais je ne m'opposerai à ta volonté. C'est de ta vie dont on parle, pas de la mienne, même si elles sont intimement liées. Je t'aime, Jeanne, dans tout ce qu'il peut y avoir de respect dans ces mots. Je t'aime jusque dans ton choix de mourir au soleil, comme tu le dis. Si parfois tu entends des larmes dans ma voix, c'est que je trouve cela difficile malgré tout. C'est peut-être pour ça que j'ai l'air d'insister. Mais je serai là, ne crains rien. Demain, nous essaierons de trouver un hôpital. C'est probablement le meilleur endroit pour commencer les recherches.

— Demain, oui. Demain, nous irons ensemble. Moi aussi je t'aime, Thomas. Tellement.

Malheureusement, selon Jeanne, ces premières recherches furent une catastrophe.

— Comment veux-tu que j'arrive à comprendre quelque chose si personne ne parle français ? Il n'est pas question que je discute de ma volonté de mourir en anglais ! C'est ridicule.

Elle avait les larmes aux yeux.

— Pourquoi est-ce si difficile, Thomas ? Pourquoi, même maintenant, rien ne fonctionne comme je le voudrais ? Il me semble que c'est déjà bien suffisant de savoir que je vais mourir dans quelques mois. Pourquoi la vie est-elle si injuste ?

Le lendemain, ils quittaient Zandvoort pour se rendre en Belgique.

— Là-bas, ils parlent français plus couramment qu'ici, argumenta Thomas devant une Jeanne qui ne voyait que l'iniquité du monde.

Elle le regarda en fronçant les sourcils. Puis un bref sourire éclaira son regard.

— C'est vrai. Comment se fait-il que je l'aie oublié ? J'allais dans un lycée français et jamais je n'ai eu besoin de parler autrement qu'en français quand je vivais à Bruxelles. Tu as raison.

— Sûr que j'ai raison ! On va finir par trouver.

Rassurée, Jeanne essaya de se prêter de bonne grâce à l'enchantement du voyage qu'ils avaient choisi de faire en suivant le littoral, tentant de se convaincre qu'elle n'était pas plus malade qu'hier et que Gilles, la semaine dernière, lui avait répété qu'elle pouvait en profiter sans la moindre inquiétude.

Les moulins à vent eurent raison de ses dernières réticences. Elle tomba littéralement sous le charme de ces sentinelles géantes qui battaient l'air de leurs longues pales silencieuses.

— Comme c'est joli! Pas mal mieux que nos pylônes avec leurs spaghettis de fils électriques!

Le nez à la portière, Jeanne commençait à se détendre. Thomas avait raison, ils allaient trouver. En attendant, elle allait profiter de la balade dans la campagne hollandaise.

— Et si nous essayions de trouver un vrai moulin à vent? proposa Thomas. Un ancien comme on en voit sur les cartes postales et qui fonctionnerait toujours?

— Oh oui! J'en ai vu quelques-uns, mais ils étaient hors d'usage, quand ils n'étaient pas partiellement démolis. Tu crois réellement que certains fonctionnent encore?

Thomas avait un petit sourire en coin.

— Regarde dans ce dépliant. Si je ne me trompe pas, en retournant dans les terres, on devrait arriver exactement au bon village.

— Faire un détour? Tu n'es pas sérieux? Toi qui détestes les routes de campagne…

— C'est ça, moque-toi! Ici, c'est pas pareil. Notre ministre des Transports devrait venir faire un tour. Je n'ai pas vu un seul nid-de-poule!

Thomas avait raison. Les routes étaient superbes, la campagne généreuse et les villages accueillants.

Ils trouvèrent facilement le moulin dont parlait la brochure.

C'était un vieux moulin au bois délavé qui se dressait au bout d'un champ, en plein milieu d'un petit village au nom impossible à prononcer. Il avait été aménagé en restaurant jouxté d'une minuscule boutique d'artisanat. Ravie, Jeanne dénicha des chandeliers en poterie de Delft, en acheta aussi pour Mélanie et Josée, puis elle rejoignit Thomas qui essayait vainement de faire comprendre à une dame plantureuse qu'il voulait une soupe aux légumes. Ici, on ne parlait que le néerlandais. Jeanne trancha le débat d'un sourire et de gestes éloquents. Traversant derrière le comptoir, elle désigna l'immense chaudron d'où s'échappaient les effluves... d'un ragoût.!

—Allons-y donc pour un ragoût, approuva Thomas affamé.

Ce fut ainsi qu'ils mangèrent joyeusement, à l'intérieur d'un moulin vieux de plusieurs centaines d'années dont les murs craquaient dangereusement au rythme des pales qui tournaient, au-dessus d'eux, actionnées par le vent.

Quand ils repartirent pour rejoindre Bruges, leur prochaine destination, Jeanne avait tout oublié des déconfitures du matin. La vie, dans cette belle campagne hollandaise, était si sereine, tellement plus en accord avec la nature, qu'elle n'avait qu'une envie, celle de se laisser porter sans chercher à tout prévoir, tout contrôler. L'existence semblait plus simple ici, plus facile. Même la perspective de sa mort s'inscrivait presque dans la normalité.

Demain serait demain et aujourd'hui était trop beau pour ne pas y goûter pleinement.

Ils reprirent la route, repus et pleins d'entrain. Prochaine étape, Bruges!

Ils roulaient sur l'autoroute, en Belgique depuis un certain moment déjà, quand Jeanne s'exclama:

— On y est! Prochaine sortie à droite!

— Tu crois? J'ai pourtant vu un écriteau qui annonçait un hôtel qui devrait être à dix bons kilomètres encore.

Jeanne soupira d'impatience.

— Tu portes bien ton nom, toi, espèce de saint Thomas! Puisque je t'affirme avoir vu une annonce pour le centre-ville de Bruges!

Peu convaincu, Thomas obtempéra tout de même, à la dernière minute, et s'engagea dans la bretelle de sortie... pour aboutir à un tunnel qui semblait sans fin.

— Veux-tu bien me dire où tu m'envoies, toi? grommela Thomas, manifestement agacé.

Il eut sa réponse rapidement. Le tunnel débouchait sur un stationnement souterrain.

— Pas encore, gémit-il en se rappelant la somme exorbitante qu'on lui avait extorquée à Amsterdam quand il avait repris la voiture. L'emplacement pour l'auto avait coûté presque aussi cher que leur chambre à l'hôtel.

Il mit pied à terre, un bras appuyé sur la portière ouverte et jeta un coup d'œil à la ronde. La place était pratiquement déserte. Quelques autos, une motocyclette...

— Tu parles d'un centre-ville! Un recoin, oui! murmura-t-il contrarié.

Puis à voix haute, il demanda avec mauvaise humeur:

— Et maintenant, qu'est-ce qu'on fait ? À mon avis, le mieux serait de déguerpir au plus vite avant d'y laisser notre chemise. Rappelle-toi Amsterdam ! On va reprendre l'autoroute et filer vers l'hôtel que...

— Pas question ! Fais-moi confiance pour une fois ! Je te dis que c'était écrit : « Bruges, centre-ville » et en français en plus. Je ne peux pas m'être trompée. Allez, suis-moi. On va explorer le monde extérieur.

Ce fut un véritable coup de foudre.

L'escalier du stationnement les amena directement sur une petite place bordée de vieilles maisons, toutes plus jolies les unes que les autres.

— Oh !

Jeanne n'avait pas de mots pour décrire l'état de ravissement qui était le sien.

— Regarde, Thomas ! En plus, il y a un hôtel. Viens, on va voir.

L'Hôtel Portinari cachait ses charmes dans une belle maison blanche garnie d'un auvent marine qui abritait quelques tables. Le luxe discret de son hall, le sourire du gérant qui s'exprimait dans un français impeccable eurent raison de presque toutes les réticences de Thomas.

— Et le stationnement ? demanda-t-il, une pointe de méfiance dans la voix.

— Monsieur demande ?

— Le station... le parking ? Combien par jour pour le parking ?

— Ah ! Le parking ! Vous avez de ces expressions, vous les Canadiens ! C'est inclus dans le prix de la chambre, monsieur.

Thomas était conquis.

Ils réservèrent pour plusieurs nuits.

La chambre était spacieuse, nettement plus grande que

tout ce qu'ils avaient connu jusqu'à maintenant. Elle donnait sur la petite place qui, à cette heure tardive de la journée, commençait à être plus animée. Thomas et Jeanne partirent, main dans la main, explorer la ville qui s'offrit à eux tel un joyau dans son écrin. Les boutiques se multipliaient au grand plaisir de Jeanne. Bijoux, dentelles, chocolat...

— Même les maisons ont l'air faites de dentelle, souligna Jeanne, émerveillée, alors qu'ils suivaient une rue moins achalandée bien qu'en cet endroit, l'achalandage référait surtout à des passants. Je me souviens d'y être venue avec mes parents, mais je ne me souvenais pas à quel point c'est beau. C'est le genre de ville où j'aimerais habiter...

Ils vécurent à Bruges de trop courtes journées où Jeanne n'avait plus le sentiment d'être Jeanne. L'impression de vivre dans un décor d'opérette avait fait reculer dans l'ombre le spectre de la maladie. Elle était heureuse sans compromis. Heureuse de la présence de Thomas qui était si gentil avec elle. Heureuse des dentelles qu'elle avait achetées pour elle et Karine, parce que Josée et Mélanie ne sauraient les apprécier à leur juste valeur. Heureuse du chocolat qui fondait dans la bouche et de la bière que Thomas prenait plaisir à boire avec une libéralité certaine. Heureuse des moules qu'ils dévoraient ensemble le soir, accompagnées de frites et d'un rosé bien frais, affamés qu'ils étaient d'avoir marché toute la journée.

Ce fut au bout d'une semaine que la réalité rejoignit Jeanne à travers un geste banal que toute une vie de routine n'avait pas encore totalement oublié.

Elle venait de prendre sa douche et, comme elle le faisait toujours, elle avait enroulé sa tête dans une grande serviette.

Puis, nue devant le miroir, elle se mit à chercher, dans son sac à cosmétiques, la grosse brosse ronde qu'elle utilisait pour lisser ses cheveux.

—Veux-tu bien me dire où je l'ai mise, murmura-t-elle contrariée, avant d'interrompre brusquement son geste en levant les yeux vers la glace.

Elle resta immobile un long moment à se regarder. Puis, de la main, elle dénoua la serviette qui tomba à ses pieds. Sa grosse brosse ronde était restée à Montréal, car elle n'en avait plus besoin. Ses cheveux étaient courts, en mèches un peu folles. Elle avait un cancer et les traitements de chimio l'avaient obligée à couper ses longs cheveux.

La comédie des derniers jours était finie, le rideau tomberait bientôt.

Jeanne se détourna et enfila sa robe de nuit à gestes saccadés, rapidement, comme si la vue de ce corps porteur de maladie lui était soudainement intolérable.

Elle resta longtemps les yeux ouverts, ce soir-là, incapable de s'endormir.

Demain, au déjeuner, elle demanderait à Thomas de reprendre les recherches. Il était temps de trouver un hôpital et d'essayer de rencontrer un médecin. Si tout se passait bien, peut-être pourraient-ils se dénicher un appartement et rester ici. Jeanne aimait bien Bruges et elle savait qu'il y avait plusieurs appartements à louer. L'autre jour, devant la vitrine d'une agence immobilière, tout juste de l'autre côté de la place, Thomas et elle s'étaient amusés à repérer ceux qui leur plaisaient le plus.

La distance rendrait les détachements plus faciles. C'est ce qu'elle dirait à Thomas si jamais il émettait des réserves.

Quand elle eut répété son scénario à plusieurs reprises, se tournant et se retournant entre les draps, quand elle fut convaincue que sa façon de voir les choses était la seule avenue possible, Jeanne finit par s'endormir.

Le lendemain, le repas terminé, repas durant lequel Jeanne avait beaucoup parlé et peu mangé, Thomas et elle se présentaient au bureau du tourisme qui donnait également sur la place. Cinq minutes plus tard, ils en ressortaient munis d'un plan de la ville. À quelques kilomètres de là, en périphérie, il y avait un hôpital que le jeune employé avait décrit, avec beaucoup d'enthousiasme, comme étant des plus modernes.

Son appréciation n'était pas surfaite. L'Hôpital Saint-Jean, *Sint-Jan* en néerlandais, était un grand bâtiment qui, vu de loin, aurait pu facilement passer pour un hôtel de luxe. Même l'accueil, au plancher de tuile, avec ses immenses bacs remplis de plantes et ses banquettes confortables disposées ici et là, donnait une impression de calme et de sérénité, contrastant avec les hôpitaux que Jeanne avait déjà fréquentés. La façade largement vitrée lui fit penser à sa serre et une onde d'émotion parcourut son cœur et sa tête. Ennui de son monde habituel ou reconnaissance sécurisante ? Elle n'aurait su le dire.

Jeanne prit une profonde inspiration. Tout, en ce lieu, contribuait à son bien-être. Sans hésiter, elle se dirigea vers la réception.

Malheureusement, il s'avéra rapidement que la langue serait, ici aussi, problématique. La préposée aux renseignements semblait embarrassée. Elle-même parlait un français lourd d'accent.

— Un oncologue parlant français ?

— Oui, français. Est-ce si difficile à trouver ? Pourtant, depuis que nous sommes arrivés à Bruges, nous entendons du français partout.

— Dans la zone touristique oui, c'est certain, mais ailleurs... Il faudrait se rendre à Liège pour avoir la certitude de trouver des médecins francophones.

Liège ? Jeanne fit mentalement une petite grimace. Elle connaissait Liège, s'y était rendue à quelques reprises avec son père. Tout ce dont elle se souvenait, c'était que ces petites escapades étaient longues et ennuyantes. Elle en avait gardé le souvenir d'une ville sans intérêt. Sans passer de remarque, elle revint à la préposée qui semblait vouloir l'aider sans trop savoir comment s'y prendre.

— Je ne sais trop si... Une minute, je vous prie.

Se retournant, la préposée héla une compagne qui répondait au téléphone.

— Ingrid ? Sais-tu, toi, s'il y a un oncologue parlant français qui travaille dans l'hôpital ? J'ai ici une dame qui voudrait rencontrer un médecin qui parle français.

Le temps de finir son appel et la jeune femme répondait, au grand bonheur de Jeanne :

— Oui. Le docteur Judith Devroede. Elle se débrouille assez bien en français. Elle est dans l'enceinte, je l'ai vue passer tout à l'heure.

La préposée fit pivoter sa chaise pour faire face à Jeanne. Elle était souriante et cela lui parut de bon augure.

— Vous êtes chanceuse. Le docteur Judith Devroede parle français et il semble qu'elle est ici.

Le cœur de Jeanne battait la chamade.

— Puis-je la rencontrer ?

La préposée haussa les épaules avec prudence.

— Probablement. L'oncologie est au quatrième étage. Prenez l'ascenseur à votre gauche. Quand vous serez au quatrième, le poste central de l'étage sera à votre gauche, lui aussi. Les infirmières devraient pouvoir répondre à cette question.

— Merci, madame. Merci beaucoup.

En moins de deux, Jeanne était devant la porte de l'ascenseur, pesait sur le bouton, fébrile, anxieuse. Il lui tardait de rencontrer cette femme qui aurait peut-être la solution à ses aspirations. Qui aurait peut-être la solution à ce temps qui lui restait à vivre.

À l'étage, le personnel infirmier était tout aussi gentil et affable qu'à l'accueil. Le docteur Devroede n'était pas sur le département, mais on allait l'appeler, elle avait été demandée au douzième étage.

Le temps de retrouver le médecin et on tendait l'appareil à Jeanne.

— Le docteur Devroede est en ligne.

Ce fut à ce moment que le destin s'en mêla encore une fois et que Jeanne eut la conviction qu'il était contre elle.

Elle eut à peine le temps de se présenter à la femme qui était à l'autre bout du fil, de lui demander si elles pouvaient se rencontrer que Jeanne s'arrêtait. Le médecin l'avait interrompue et lui signifiait qu'elle était occupée. Une urgence. Si Jeanne voulait la rencontrer, elle devrait monter au douzième, la demander au poste et attendre qu'elle soit disponible. La voix était froide, cassante, pressée et parlait, elle aussi, un français lourd d'un accent que Jeanne n'arriva pas à identifier.

Sans attendre de réponse, le médecin coupa la communication. Quand Jeanne raccrocha à son tour, elle avait les larmes aux yeux.

Thomas, qui était resté à deux pas, s'approcha vivement.

— Qu'est-ce qui se passe ?

— Le docteur Devroede est occupé.

Il fit une moue de compréhension.

— Oui, c'est possible. On est dans un hôpital ici. Habituellement, les médecins sont accaparés. Qu'est-ce qu'elle a dit exactement ?

— De monter au douzième, de la demander et d'attendre qu'elle veuille bien nous recevoir.

— Et alors ? Pourquoi ces larmes ? Ça me semble...

— Non, ça ne ressemble à rien du tout. Je m'en vais.

— Je ne comprends pas.

— Je ne te demande pas de comprendre, Thomas. Je dis simplement que je ne veux pas rester ici, que je ne veux pas rencontrer quelqu'un qui parle avec autant d'autorité, de condescendance dans un français approximatif. Je sais qu'on n'arrivera pas à s'entendre. Je m'en vais.

Tout en parlant, Jeanne avait repris le couloir qu'elle attaquait en sens inverse, la démarche aussi décidée qu'au moment de son arrivée. Autant elle avait eu hâte de rencontrer le médecin, autant, maintenant, elle était pressée de quitter l'endroit. Elle reprit l'ascenseur sans dire un mot, plongée dans ses pensées. Ce voyage n'était qu'un leurre. Personne ne pourrait l'aider. Elle allait rentrer chez elle dans quelques semaines et attendre que la maladie l'emporte comme sa mère. Elle souffrirait et connaîtrait l'humiliation d'être à la merci des autres pour le moindre de ses besoins.

Puis ce serait l'hôpital ou une résidence de soins palliatifs et elle mourrait loin de tout ce qui avait fait sa vie. Ce n'était pas ce qu'elle souhaitait, mais il semblait bien que c'était là ce que l'existence lui réservait.

En traversant la réception, les larmes de Jeanne avaient redoublé et Thomas avait passé un bras autour de ses épaules pour la soutenir et la guider.

— Madame ?

Jeanne n'avait rien entendu, mais Thomas, lui, eut le réflexe de se retourner. La préposée à l'accueil lui faisait signe.

— Je peux vous parler, un moment ?

La dame se dirigeait déjà vers eux, une grande sollicitude dans le regard et la voix.

— Vous n'avez pas rencontré le médecin ? Elle n'était plus là ?

Jeanne avait détourné la tête. Elle ne voulait voir personne. Ce fut Thomas qui prit la parole à sa place.

— Oui, elle était là, mais fort occupée. Ma femme préfère s'en aller. Elle n'a jamais été à l'aise quand vient le temps de déranger quelqu'un.

— Je peux comprendre. J'aimerais tout de même vous entretenir. Vous avez une minute ?

Jeanne haussa les épaules pendant que Thomas répondait :

— D'accord, mais je ne vois pas ce qui…

— Venez. Il y a quelques sièges un peu à l'écart, là-bas. Nous y serons tranquilles.

Quand ils furent installés à l'abri d'un immense ficus qui les soustrayait aux regards curieux que les larmes de Jeanne auraient pu attirer, la dame n'attendit pas que Jeanne ou

Thomas divulguent la raison de leur présence. Elle s'en doutait, sans trop savoir ce qui justifiait cette intuition.

— Je me trompe peut-être, commença-t-elle d'une voix très douce, mais vos cheveux... Ils sont fins comme ceux d'un bébé. Ils me font penser à quelqu'un qui vient de recevoir des traitements de chimiothérapie. Est-ce possible?

Jeanne se sentit rougir bien malgré elle. C'était donc si évident? Elle acquiesça sans desserrer les lèvres.

— Il y a aussi votre accent. Je sais bien que vous n'êtes pas du pays et vous ne vous êtes pas présentée à l'urgence. Ce qui veut peut-être dire que vous cherchez de l'aide. L'année dernière, c'était ma sœur qui cherchait de l'aide comme vous, confia-t-elle, espérant que ce serait suffisant pour se faire comprendre. Vous lui ressemblez un peu, madame. C'est pour cette raison que je me suis permise de vous aborder. J'espère que vous ne m'en voulez pas?

Jeanne ébaucha un sourire à travers ses larmes. Lui en vouloir? Pourquoi? Jusqu'à maintenant, elle était la seule personne à s'intéresser à elle, dans sa langue. Elle aurait au moins la chance d'expliquer ce qui l'avait amenée à choisir la Belgique comme destination de vacances. Même si c'était inutile, même si elle ne trouvait pas ce qu'elle était venue chercher, Jeanne pourrait au moins en parler et cela lui ferait du bien.

Alors elle raconta les derniers mois de sa vie, expliqua le but de son voyage. Elle espérait, bien simplement, trouver de l'aide afin de pouvoir mourir comme elle l'entendait, au moment où elle le choisirait, avant que la douleur n'enlève tout plaisir à la vie, avant de devenir une charge pour ceux qu'elle aimait. Elle ne voulait pas être médicamentée à ne plus savoir qui elle était, mais elle ne voulait pas non plus en finir brutalement avec la vie. Jeanne voulait que ses derniers instants soient entourés de respect, de douceur. Elle avait lu dans les journaux et sur Internet qu'aux Pays-Bas, on pouvait avoir de l'aide quand venait le temps de mourir. C'est pourquoi elle était venue.

— La Belgique n'est peut-être pas l'endroit idéal, ma pauvre dame. Ce n'est pas si simple que ce que les articles peuvent le laisser croire. Il y a tout un protocole à respecter, vous savez, et ce ne sont pas tous les médecins qui adhèrent à cette philosophie. De telle sorte que ma sœur a choisi la Suisse où elle vivait depuis quelques années. Elle aurait préféré revenir ici, auprès des siens, mais bon, c'était tellement compliqué qu'elle a choisi de rester là-bas, en Suisse.

— La Suisse ?

— Oui, la Suisse. Attendez, je reviens.

Quelques instants plus tard, la dame revenait avec un papier.

— Voilà le secrétariat de Exit Suisse romande, à Genève. Ici, vous avez les coordonnées d'un médecin bénévole de cet organisme. Il pratique dans une commune en banlieue. Eux, ils vous écouteront, car ils ont l'expertise pour le faire.

— Vous croyez ?

— Oui, j'en suis certaine. J'étais aux côtés de Monique quand elle est décédée. Tout comme vous, ma sœur voulait mourir dignement, ainsi qu'elle l'avait choisi et c'est exactement ce qui s'est passé.

Les larmes de Jeanne avaient recommencé à couler, mais c'était de soulagement, de gratitude.

— Que pourrais-je dire pour vous remercier ?

— Rien... Ou plutôt si. Dites-moi votre prénom. Désormais, quand je penserai à Monique, je penserai aussi à vous.

Jeanne était émue. Comment Gilles avait-il dit cela quand il parlait des cadeaux que la vie continuerait à lui faire ? Elle tendit une main tremblante.

— Jeanne. Je m'appelle Jeanne.

— Alors adieu, Jeanne, et bonne chance.

Ce ne fut que plus tard, alors qu'elle s'apprêtait à se coucher, que Jeanne prit conscience qu'elle n'avait pas demandé le nom à cette inconnue qui l'avait si gentiment accueillie. Elle resterait anonyme, mais combien importante.

Chaque fois qu'elle en reparlerait avec Thomas, l'étrangère au doux sourire serait toujours la gentille dame de Bruges.

Le lendemain, ils quittaient la ville.

— Maintenant que je sais qu'une solution existe, avait dit Jeanne au moment où ils bouclaient les valises, je veux voyager pour le plaisir. Oublions tout cela pendant que je suis encore bien portante et profitons de nos vacances. Nous terminerons par la Suisse. J'aimerais assez voir la France. Qu'en penses-tu ?

Thomas avait donc pris la direction de Boulogne-sur-Mer, se disant qu'ils y seraient avant l'heure du souper.

C'était sans compter que l'Europe n'est pas l'Amérique ! Les distances sont courtes et les points d'intérêt nombreux.

Ils passèrent par Calais, hésitèrent à savoir s'ils allaient piquer une pointe en Angleterre, décidèrent finalement que non, firent un détour par le Cap Gris-nez, continuèrent le long de la côte pour découvrir finalement Boulogne-sur-Mer, plusieurs jours plus tard, par une soirée pluvieuse et froide où ils tournèrent en rond un long moment, avant de dénicher un hôtel avec stationnement.

— Un parking, Jeanne, un parking, rectifia Thomas en riant. Nous sommes en France, ici, ne l'oublie pas !

La vieille ville fortifiée les charma avec son petit air de ressemblance avec Québec. Le repas pris au Welsh Pub les combla, tant par son prix plus que raisonnable que par la qualité des mets. Ils en firent leur habitude du soir aussi longtemps que dura leur séjour à Boulogne-sur-Mer. Depuis leur départ de Montréal, Jeanne faisait honneur aux plats qu'elle n'avait pas eu à préparer. Elle avait même pris quelques rondeurs que Thomas révérait silencieusement.

Si Jeanne prenait un peu de poids, c'était que le cancer se tenait tranquille, il s'en était persuadé.

Puis ce fut Amiens, sa cathédrale et ses marais. Au quatrième jour de leur séjour, Jeanne découvrit une boutique fabuleuse qui cachait, comme des trésors, une multitude de jouets différents de tous ceux qu'on pouvait trouver à Montréal. Elle en profita pour gâter outrageusement ses deux petits-fils sous l'œil indulgent de Thomas. Il retrouvait la femme qu'il aimait, celle qui pouvait être capable des pires folies sur un coup de tête quand venait le temps de choyer les siens, alors qu'elle était consciencieusement économe pour l'ordinaire de la maison et parfois chiche pour elle-même. Puis ils mangèrent sur une terrasse située le long de la Somme, emmitouflés dans leur manteau parce qu'il ne faisait pas très chaud, s'amusant comme des enfants sous le regard foudroyant du serveur qui les trouvait ridicules.

Le lendemain midi, ils reprenaient la route.

Partout, ils croisaient des petits villages sympathiques, rencontraient des gens accueillants, logeaient dans des hôtels aux chambres minuscules. Quand Jeanne se disait fatiguée, ils restaient au même endroit durant quelques jours, se contentant de courtes promenades, de longues lectures et de grands cafés au lait pris au bistrot de la place.

St-Quentin, Compiègne, Soisson...

— On va à Paris ? C'est juste à côté !

— Non, pas tout de suite ! Je veux voir Reims auparavant. Tu sais combien j'aime le champagne !

Ils se dirigèrent alors vers Reims. Une autre cathédrale, un autre centre-ville aux mille cafés, aux boutiques tentantes. À l'Hôtel Cecyl, sis sur une artère non loin de la cathédrale, la porte qui donnait accès à la chambre ouvrait sur la salle de bain, ce qui les fit bien rigoler. À la Brasserie Flo, où ils prirent l'habitude de souper, ils s'offraient chaque soir une bouteille de champagne à un prix dérisoire.

— C'est moi qui disais vouloir rester à Bruges ? nota Jeanne quelques jours plus tard. C'est que je n'étais pas venue ici ! J'opte pour la Champagne n'importe quand ! Demain, je veux visiter une cave. Ça te tente ?

Oui, cela tentait Thomas de visiter une cave. De retour à l'hôtel, ils épluchèrent la publicité qui encombrait le petit bureau près de la fenêtre et ils optèrent finalement pour la maison Pommery où ils n'avaient pas besoin de réserver.

Jeanne était heureuse. Ce soir, le champagne du repas lui était monté à la tête, la rendant délicieusement euphorique, éloignant magiquement l'épouvantail de la maladie qui se permettait de la narguer régulièrement.

Ce soir-là, Thomas lui fit l'amour avec une douceur passionnée un peu particulière qui la combla d'un plaisir intense. Jeanne s'endormit rapidement en se disant que le bonheur, parfois, ne tient qu'à peu de choses.

Le matin les accueillit, brillant de soleil avec des effluves proclamant le printemps. Mars fleurissait déjà certains arbres de France !

Le domaine Pommery était un enchantement pour le regard avant même de pénétrer dans son enceinte. La salle d'accueil était vaste. De nombreuses tables, des chaises confortables invitaient à l'hédonisme. Nul doute, pour Jeanne, qu'elle venait de mettre les pieds dans un monde de plaisir épicurien qui répondait à une certaine conception qu'elle avait de la vie. Elle, qui avait consacré une grande partie de son temps à créer de la beauté à travers les odeurs et les couleurs, ne pouvait rester insensible à la richesse sensuelle qui l'entourait.

Elle eut cependant un bref instant d'hésitation devant le long escalier de pierre qui s'enfonçait dans les caves. « 116 marches », venait de spécifier le guide. Jeanne fit la grimace. Les descendre était une chose réalisable, les remonter appartenait au domaine des impondérables. Serait-elle capable d'attaquer ces 116 marches avec sa respiration de plus en plus haletante ?

Thomas, qui la devançait de quelques pas, se retourna à l'instant précis où elle grimaçait. Il comprit tout de suite ce qui l'embêtait.

— Ne t'inquiète pas. Au besoin, je t'aiderai. On prendra le temps qu'il faudra pour retourner à la surface.

Puis, il lui tendit la main et Jeanne descendit vers lui, rassurée.

Les caves Pommery, à trente mètres sous terre, étaient une véritable cathédrale de craie qui datait de près de deux mille ans.

Fascinée, Jeanne talonnait le guide pour ne rien perdre de ce qu'il disait. Les gigantesques bas-reliefs sculptés directement dans la craie l'impressionnèrent. Thomas et elle, main dans la main, restèrent un long moment à les contempler.

L'histoire du domaine, de l'époque gallo-romaine à aujourd'hui, les galeries au nom des villes du monde qui achètent chez Pommery, l'art du vin de champagne, les cépages, les vendanges, la maturation, le nom des différents formats de bouteilles qu'elle n'avait jamais réussi à retenir, tout, absolument tout intéressait Jeanne. Une fois de plus, elle n'était qu'une touriste comme les autres, sensible à ce bienêtre qui l'avait envahie, heureuse de constater que sa mémoire était toujours aussi vive. Depuis un an, cette dernière n'avait pas été tellement sollicitée !

La montée s'effectua relativement bien, malgré un tiraillement à la cheville et une vilaine quinte de toux au beau milieu de l'escalier. Le verre de champagne d'une cuvée de prestige que Jeanne dégusta en fin de visite lui fit vite oublier ces malaises.

Le lendemain, Thomas et Jeanne reprenaient joyeusement la route.

Épernay, Châlons-en-Champagne...

Les collines couvertes de vignobles, les petites routes sinueuses, les villages blottis au creux des vallées furent l'habituel paysage des jours suivants.

Et ce soleil qui s'entêtait à les accompagner, à chaque

jour un peu plus chaud! Heureusement, car Jeanne avait pris froid. Elle était revenue un peu grippée de sa visite au domaine et sa cheville restait sensible.

Mais comment aurait-il pu en être autrement?

Elle avait réussi à se convaincre que deux heures de marche au mode accéléré, à trente mètres sous terre dans une atmosphère humide, étaient suffisantes pour attraper la grippe. Gilles le lui avait dit avant le départ: elle ne devait pas voir le pire partout et pour n'importe quoi! Même Thomas semblait fatigué, alors...

Puis ce fut Verdun, Metz, Nancy...

Les jours devenaient semaines.

Jeanne suivait plus difficilement. La grippe persistait. À force de tousser, elle éprouvait une douleur aux côtes et son appétit allait en diminuant.

Puis il y eut cette nuit affreuse où Jeanne fit un cauchemar.

Dans son rêve, elle était de retour à Amiens pour visiter les marais. Elle était seule sur une rive et elle regardait le chaland qui s'éloignait sans elle. Sa cheville douloureuse l'avait retardée, l'empêchant de suivre le groupe. Curieusement, Thomas, lui, était déjà de l'autre côté du marais, arrivé on ne sait trop comment, et il regardait au loin sans s'occuper d'elle. C'est alors que le conducteur du chaland lui fit signe d'avancer en lui criant qu'il n'y avait aucun danger, l'eau n'étant pas profonde. Jeanne aurait bien voulu que Thomas se tourne vers elle pour avoir son avis, mais il s'entêtait à fixer l'horizon. Alors elle se décida à entrer dans l'eau. Elle ne voulait pas rester seule, elle détestait être seule.

Le conducteur avait raison, Jeanne enfonça à peine jusqu'aux mollets.

Elle se mit à marcher prudemment, posant lentement un pied devant l'autre. L'eau était chaude comme celle d'un bain. Elle marchait pieds nus et le fond du marais était en sable doux. Ce n'était pas désagréable. Elle en avait traversé presque la moitié quand, brusquement, elle se sentit aspirée vers le fond. Ses pieds s'enfonçaient lentement. Puis ce furent ses jambes, ses genoux, ses cuisses et Jeanne fut bientôt incapable de poursuivre la traversée, inapte à se dégager. Alors elle leva le bras pour faire signe aux gens du chaland qu'elle était prise, mais personne ne la regardait. Quand elle voulut crier, aucun son ne sortit de sa gorge. Maintenant, elle avait de l'eau au niveau de la poitrine. Elle savait qu'elle était en train de se noyer et que personne ne viendrait l'aider. Même Thomas, immobile comme une statue, s'obstinait à regarder là où elle ne pouvait voir. Jeanne sentit alors ses larmes se mettre à couler, abondantes, de plus en plus abondantes.

Quand elles tombaient dans l'eau du marais, elles faisaient un petit bruit cristallin, comme le champagne qui pétille dans un verre.

Jeanne s'éveilla en sursaut, ruisselante de sueur, le cœur battant la chamade. Tourné contre le mur, Thomas dormait profondément, aussi loin d'elle qu'il l'était dans son rêve.

Jeanne se leva tout doucement et se dirigea à tâtons vers la salle de bain. C'était une nuit sans lune et de gros nuages avaient envahi le ciel.

La lumière crue du plafonnier lui fit cligner des paupières. Sans faire de bruit, elle fit couler un filet d'eau froide pour s'asperger le visage et se baigner les yeux. Elle n'osait lever la tête pour se regarder dans la glace. Elle savait trop bien que ses yeux étaient cernés et son teint brouillé.

Elle n'avait nul besoin d'un médecin pour savoir que la bête, en elle, s'était réveillée.

Cette fatigue de plus en plus grande, cette toux persistante, cette douleur à la cheville qui ressemblait trop à celle du genou étaient aussi éloquentes qu'un diagnostic fondé sur de nombreux examens.

Non, elle n'avait pas besoin de médecin ou de *scanner* pour se faire dire que le cancer poursuivait son implacable, son perfide travail.

Jeanne se recoucha aussi silencieusement qu'elle s'était levée. Thomas n'avait pas bougé et il s'était mis à ronfler faiblement.

Jeanne craignait d'être incapable de se rendormir. Elle retourna son oreiller à la recherche d'un peu de fraîcheur et se cala contre le dos de Thomas, épousant étroitement la forme de son corps. Puis elle s'appliqua à suivre le rythme de sa respiration calme et profonde.

Demain, quand Thomas lui demanderait où elle voulait se rendre, comme il le faisait tous les matins, elle lui répondrait qu'elle voulait rejoindre la Suisse. Après...

Jeanne soupira dans le noir.

Elle n'avait pas la moindre idée de ce qu'il y aurait après. Dans sa tête et dans son cœur, c'était le vide absolu d'un grand trou noir insondable.

La peur de l'inconnu lui était revenue.

« Un jour à la fois, pensa-t-elle précipitamment, se raccrochant à ces quelques mots qui étaient devenus sa bouée.

Je dois vivre ma vie un jour à la fois », se répéta-t-elle, l'esprit vacillant vers le sommeil.

Jeanne tressaillit une dernière fois en pensant bien involontairement que d'une journée à l'autre, depuis leur départ de Montréal, il y avait déjà plus d'un mois de soustrait à ce qui lui restait à vivre.

Elle s'endormit tout à coup.

Le village où habitait le médecin dont ils avaient les coordonnées se nichait au pied d'un majestueux pic montagneux. Ils réservèrent une chambre dans une auberge qui semblait sortie tout droit d'une carte postale, puis partirent explorer le village. Le cabinet du médecin était à quelques rues de là.

C'était une femme aussi grande que Jeanne, aux cheveux courts et frisés, qui parlait un français mélodieux, issu d'un mélange de différents accents. Le docteur Chaignat les accueillit avec une gentillesse non feinte. Cette femme transpirait l'empathie. Elle écouta Jeanne, qui se présentait et expliquait sa présence, avec une grande attention.

— Que de route depuis chez vous pour avoir droit au respect ! Et vous aimeriez savoir comment ça se passe chez nous ? Eh bien ! Voici comment on a choisi d'aider les nôtres.

Son exposé fut simple. Tout découlait de ce droit qu'Exit Suisse romande reconnaissait à tous et chacun de décider du moment de sa mort quand la médecine ne pouvait plus rien pour eux.

— Cela prend une bonne dose de courage, vous savez. De tous ceux qui viennent nous rencontrer, il n'y a que le tiers qui va jusqu'au bout. Néanmoins, le fait de savoir que certaines possibilités existent est rassurant. Dans bien des cas, c'est suffisant pour aborder la mort avec plus de sérénité.

Jeanne buvait les paroles de cette femme qui ne jugeait ni ne moralisait, mais qui lui parlait calmement de cette dernière étape de l'existence comme étant l'aboutissement normal et prévisible pour tous.

— Chez nous, nous ne parlons pas de suicide. Nous préférons dire autodélivrance, car c'est le terme qui nous paraît le plus exact. La personne qui s'adresse à nous le fait en toute lucidité et sa décision est réversible à tout moment. Jusqu'à la dernière seconde, elle peut changer d'avis et personne ne lui en tiendra rigueur.

Jeanne hocha de la tête, une lueur de soulagement au fond du regard. Enfin quelqu'un qui comprenait, qui prêtait les mots justes à ce qu'elle avait toujours pressenti !

— Ce terme est bien choisi. Autodélivrance... Dans d'autres circonstances, jamais je n'aurais pensé au suicide, se sentit-elle obligée de préciser. Aujourd'hui encore, sachant que la médecine ne peut rien pour moi, je ne pourrais jamais mettre fin à mes jours de façon violente. Ça ne me ressemble pas. J'aime trop la vie pour ça.

Le médecin expliqua ensuite qu'après quelques rencontres pour s'assurer de la détermination du patient, une date était choisie.

— Tant pour le patient que pour celui ou celle qui l'accompagnera. Nous sommes tous des bénévoles, vous savez. Il est important aussi d'avoir le soutien des proches qui deviendront les témoins de votre départ. En Suisse, le suicide est légal. C'est pourquoi le patient doit être conscient et boire lui-même la potion létale. Nous ne sommes que des accompagnateurs. La décision et le geste reviennent au patient et à lui seul.

— C'est douloureux ?

La question était venue spontanément aux lèvres de Jeanne, elle qui avait toujours eu peur de souffrir.

— Nullement. Après avoir pris deux comprimés qui activent le système digestif, le patient boit la potion qui ressemble à du jus d'orange. Puis il s'allonge et, dans les minutes qui suivent, le sommeil l'emporte comme lorsqu'il le fait le soir. Cette fois-ci, par contre, le sommeil est définitif.

— C'est bien, fit Jeanne songeuse. C'est très bien.

Elle resta un moment silencieuse, perdue dans ses pensées, puis releva les yeux vers le médecin. En quelques phrases, cette femme qu'elle ne connaissait pas avait répondu à toutes ses interrogations. Pourquoi était-ce si évident ici, alors qu'au Canada le simple fait d'en parler suscitait des protestations et des discussions interminables ? Jeanne soupira.

— Et pour les étrangers ? demanda-t-elle finalement.

— Fondamentalement, le processus peut rester le même. Mais ce ne sera malheureusement pas chez nous. Ici, nous n'acceptons pas les étrangers. Par contre, à Zurich, il y a un organisme qui le fait.

À ces mots, les yeux de Jeanne s'emplirent de larmes. Alors que tout semblait enfin s'éclaircir, il fallait qu'une nouvelle embûche se dresse. Le docteur Chaignat lui sourit avec beaucoup de gentillesse.

— Je sais que la décision de mourir chez vous ou chez nous devrait vous appartenir. Mais ce n'est quand même pas si simple... Par contre, à Zurich, il y a un organisme qui devrait pouvoir vous soutenir. Dignitas... En gros, les règles demeurent inchangées. Ce qu'ils recherchent, c'est la transparence dans tout le processus. Une lettre écrite de votre main faisant part de votre désir de mourir, une de votre médecin traitant, le dossier médical attestant que vous n'avez aucune chance de guérison, une rencontre avec un des médecins de l'organisme: cela suffit pour justifier le geste que vous poserez. Par la suite, le médecin légiste constatera le décès et il appellera la police judiciaire pour remettre tous les papiers dont je viens de vous parler. Le médecin et les proches qui vous auront accompagnés seront les témoins.

En quelques phrases, le docteur Chaignat avait replacé les choses. Si ce n'était pas ici que Jeanne pouvait trouver réponse à ses désirs, il existait un autre endroit où ce serait possible. Elle était soulagée d'un grand poids. Une solution existait et elle était en tout point conforme à ce qu'elle avait toujours souhaité. De là à être prête à faire le grand saut, il y avait encore tout un monde, mais la solution existait...

Après quelques civilités, le docteur Chaignat lui avait demandé de bien réfléchir et de revenir la voir dans quelques jours. Jeanne était d'accord même si, pour elle, tout était déjà réfléchi, pesé et soupesé depuis bien longtemps. Elle ne ferait pas marche arrière. Ne restait qu'à trouver la modalité.

Le médecin fixa un autre rendez-vous.

— Pour vous revoir, dit-elle alors gentiment. Tout simplement.

Elles pourraient alors rediscuter de la situation. De son côté, le médecin s'engageait à lui fournir les coordonnées de Dignitas si c'était là la volonté de Jeanne.

En quittant le bureau du médecin, Jeanne se dit que malheureusement, n'habitant pas la Suisse, sa vie tiendrait à un coup de dés! Aurait-elle le temps de revenir si jamais elle décidait de rentrer chez elle? Le cancer arriverait-il à la prendre de vitesse?

Main dans la main, Thomas et Jeanne revinrent tranquillement à l'auberge où ils avaient pris leur chambre. La pièce avait une vue imprenable sur la montagne au pic enneigé et Jeanne avait hâte de s'y retrouver. Ici, l'air était plus frais, plus pur et elle avait l'impression que sa respiration n'était plus aussi laborieuse.

Durant le court trajet qu'ils avaient fait à pas lents, Jeanne était demeurée silencieuse. Sourcils froncés, elle avait gardé les yeux au sol et Thomas s'était demandé si c'était parce qu'elle était en profonde réflexion ou si elle surveillait le sol par crainte de tomber. Il s'était bien aperçu, depuis quelques jours, que sa démarche était redevenue légèrement hésitante. C'est pourquoi il n'avait pas été surpris qu'elle lui demande de se rendre rapidement en Suisse. Il s'y attendait.

Quand ils furent dans la chambre, Jeanne n'avait toujours pas desserré les lèvres. Elle tira et poussa un fauteuil jusqu'à la fenêtre, fit glisser les tentures jusqu'au bout des tringles et ouvrit les larges battants de vitre. Ensuite, toujours aussi silencieuse, elle s'installa tant bien que mal, les jambes recroquevillées sous elle comme elle aimait tant le faire et elle inspira profondément l'air pur qui entrait à grande goulée.

Thomas s'était toujours fait un devoir de respecter les silences de Jeanne, surtout depuis sa maladie, mais cette fois-ci, il ne put retenir le flot d'inquiétude qu'il ressentait. La discussion avec le docteur Chaignat lui résonnait encore dans la tête. Il voulait savoir ce que Jeanne pensait, comment elle se sentait. Il s'approcha du fauteuil où elle était assise et se plaçant derrière, il se mit à masser doucement les épaules et la nuque de Jeanne. Comme il s'y attendait, elle était tendue, crispée.

— On dirait bien que la maladie a transformé ma Jeanne, commença-t-il gentiment. Où donc se cache celle qui n'arrête pas de parler ? Je te trouve bien silencieuse, mon amour, depuis quelque temps.

Jeanne soupira.

— Je sais.

Il y eut un autre petit moment de silence soutenu par le chant d'un oiseau que Jeanne entendait pour la première fois.

— Comment veux-tu que je dise les choses, commença-t-elle d'une voix sourde, je n'arrive même plus à penser de façon cohérente. Je ne sais pas ce que je veux vraiment, je ne sais plus où j'en suis.

Thomas entendait l'angoisse dans la voix de Jeanne. Elle avait peur de faire les mauvais choix, peur de se tromper alors qu'il restait si peu de temps devant elle pour réparer ses erreurs.

— Et puis, il y a Gilles, poursuivit-elle sur le même ton oppressé. Je vais avoir besoin d'une lettre de sa part. Voudra-t-il me la donner ? Il faut aussi faire venir le dossier médical. Je me vois mal lui annoncer au téléphone que...

— Ne t'inquiète pas pour Gilles, rassura Thomas en

l'interrompant. La lettre dont tu auras besoin, je l'ai avec moi. Le dossier suivra sans difficulté.

— Pardon ?

Jeanne avait levé la tête vers son mari, une interrogation dans le regard.

— Quand tu lui as parlé de notre voyage, quand tu lui as dit que nous partions pour Amsterdam au lieu de Paris, il a vite fait le rapprochement. C'est lui qui m'a remis cette lettre. Je n'ai rien demandé.

— Il comprend alors ?

— Oui, il comprend. Il te comprend. Il accepte tes choix et tes décisions.

Jeanne avait repris la pose, le regard porté vers le haut de la montagne qui venait de s'embraser dans le soleil couchant, étincelant de toutes les couleurs de l'arc-en-ciel. L'oiseau s'était tu et elle n'entendait plus que le vent qui sifflait dans les branches d'un pin gigantesque poussant tout à côté de la fenêtre.

— Gilles est un ami merveilleux, tu sais, murmura-t-elle. Un homme respectueux comme il y en a peu. Je suis heureuse d'avoir eu la chance de mieux le connaître. Comme je le lui ai déjà dit, ma maladie aura eu cela de bon.

Thomas avait la gorge nouée par l'émotion. Jeanne disait vrai. Avant, elle ne voulait pas entendre parler de Gilles qu'elle disait volage et superficiel.

— Mais cela ne me dit toujours pas ce que je dois faire, poursuivit-elle lentement comme si elle essayait de réfléchir en même temps qu'elle parlait. Tant mieux si Gilles n'est pas un obstacle, mais pour le reste, je ne sais pas vraiment par où commencer.

— Qu'est-ce que tu aurais envie de faire?

Jeanne ferma les yeux. Tout au fond de son cœur, elle savait ce qui lui ferait plaisir. Elle voulait revoir les siens. Elle s'ennuyait d'eux, de son univers, de sa maison, de sa serre. Elle tenta d'imaginer le jardin comme il se présentait habituellement à ce temps-ci de l'année. La neige avait dû fondre et les bourgeons du lilas devaient être gorgés de sève, prêts à éclater. À Montréal aussi, le printemps était arrivé.

Jeanne sentit son cœur battre à grands coups. Oui, elle voulait retourner chez elle. Mais ce faisant, serait-elle capable de revenir ici le jour où...

Ouvrant les yeux, elle tourna la tête et posa un regard tourmenté sur Thomas qui, d'une enjambée, contourna le fauteuil pour venir s'agenouiller devant elle et la prendre dans ses bras. Quand Jeanne avait ce regard affolé, comme celui d'un petit animal pris au piège, c'était qu'elle espérait que quelqu'un prendrait la décision à sa place. Jouant le tout pour le tout, sachant que sa femme ne serait vraiment heureuse qu'auprès des siens, chez elle dans son univers, il lui murmura à l'oreille:

— Et si on rentrait chez nous?

Jeanne resta immobile un instant puis, comme si elle venait tout juste de prendre conscience de la portée des mots de Thomas, elle se dégagea pour poser un regard incrédule sur lui.

— Chez nous? À Montréal?

— Oui, à Montréal. Il serait peut-être temps de retrouver notre famille.

Soudainement, Jeanne éclata en sanglots.

— Oh oui! Si tu savais comme je m'ennuie.

Elle riait et pleurait en même temps, heureuse, soulagée de voir que Thomas aussi voulait rentrer à la maison.

— Tu as raison, il est temps de partir, approuva-t-elle en reniflant. Début avril, il est peut-être un peu tard pour faire des semis, mais je pourrais me procurer des boutures. J'ai hâte de jardiner! Et Mélanie? Te rends-tu compte qu'elle accouche bientôt? Je veux voir son beau ventre tout rond. Quand on est partis, c'est à peine si ça paraissait. Et Sébastien, et Olivier, et les petits...

Il fallut que Jeanne soit à bout de souffle pour qu'elle consente à se taire. Le naturel avait repris le dessus. Inspirant bruyamment, elle se releva pour fermer la fenêtre et tirer les rideaux. Puis elle se retourna vers Thomas et soutint longuement son regard sans dire un mot. Il y avait long-temps qu'il n'y avait eu entre eux un tel silence, de ceux qui disent tout. Pourtant, redevenue sérieuse, elle demanda avec une pointe d'anxiété:

— Nous reviendrons, n'est-ce pas?

— Quand Gilles nous dira qu'il est temps de revenir, nous reviendrons.

— Promis?

— Promis.

— Alors d'accord. Quand nous aurons revu le médecin, nous ferons nos bagages pour rentrer chez nous.

Jeanne avait l'air soulagé. Au bout d'un court silence, elle se permit même d'ajouter, un brin malicieuse:

— Tu sais, c'est bien beau tous ces villages où la vie semble se dérouler à une autre époque, j'ai bien aimé, mais la mo-dernité américaine me manque. J'ai hâte de faire mon épi-cerie. Une vraie, avec tout ce qu'il faut pour une semaine.

Thomas aussi était soulagé. Si Jeanne avait demandé à rester ici jusqu'à la fin, il serait demeuré, mais il aurait su, tout au fond de lui-même, que ce n'était pas exactement ce qu'elle souhaitait. Jeanne n'était vraiment heureuse que chez elle. Ce serait à lui, une fois à la maison, de trouver une solution et il la trouverait. Il se jurait silencieusement, là devant elle, que Jeanne n'aurait pas besoin de revenir en Suisse. Il trouverait… Cependant, pour l'instant, il lui restait une requête à formuler afin de réaliser une envie irrésistible qu'il caressait depuis des années déjà. Il hésita un moment, puis lança avec conviction :

— Mais avant de quitter l'Europe, oh ! juste quelques jours encore, j'aimerais visiter Paris avec toi.

Jeanne soupira, visiblement déçue devant ce nouveau délai. Si elle avait pu, elle aurait pris l'avion le soir même.

— Paris ? Pourquoi ? Je n'ai pas…

— S'il te plaît, Jeanne, interrompit Thomas, une pointe d'urgence dans la voix, accepte cette invitation à Paris. C'est le voyage de noces que nous n'avons pas fait et je te l'offre. Je t'en prie. Fais-le pour nous.

Thomas se tenait debout près du fauteuil et il semblait très grave. Jeanne allait tout de même insister quand il la prit de vitesse et ajouta d'une voix rauque, chargée de larmes :

— Je t'en prie, fais-le pour moi.

À cet instant, Jeanne comprit qu'elle n'était pas seule à apprivoiser la mort. Thomas aussi, d'une certaine façon, verrait mourir une partie de sa vie.

Alors elle fit les quelques pas qui les séparaient l'un de l'autre et à son tour, elle serra Thomas très fort dans ses bras.

— D'accord, mon amour. Ensemble, nous allons visiter Paris comme nous en avons si souvent parlé, en s'imaginant que nous avons toujours vingt ans. Après, nous rentrerons chez nous.

Tout en parlant, Jeanne avait la sensation très nette d'une grande chaleur qui s'emparait d'elle. Cela lui faisait un bien immense de s'oublier pour penser au bonheur de quelqu'un d'autre.

Le surlendemain, Jeanne quittait la Suisse, un sentiment indéfinissable dans le cœur. À la fois heureuse et inquiète, elle ne cessait de se demander si elle avait pris la bonne décision. Elle croyait sincèrement que oui. Après tout, la Suisse n'était qu'à sept ou huit heures de vol. Malgré cela, bien ancrée en elle, la peur de voir son dernier souhait lui échapper était réelle. S'il fallait que tout se précipite et qu'elle ne puisse pas revenir…

Plus de trois heures de route, le changement constant de paysage et un arrêt à Lyon furent nécessaires pour arriver à calmer son anxiété. Thomas, qui l'avait vue se refermer comme une huître, comprenait fort bien ce qui la tourmentait. Plus vite ils seraient à Paris et mieux elle se porterait. Paris, c'était la dernière escale avant le retour à Montréal. Une fois chez elle, entourée de son univers, Jeanne saurait faire la part des choses. Ce qui, aujourd'hui, lui apparaissait comme une éventuelle erreur se transformerait en évidence. Il lui proposa donc de prendre les bouchées doubles et de faire la route d'un seul jet jusqu'à Paris.

— Si tu es d'accord, demain, on file. Avec un peu de chance, on pourrait sûrement coucher à Paris.

Ce qu'ils firent sans hésiter.

Arrivés en vue de Paris, d'un commun accord, ils se rendirent à l'aéroport pour réserver leurs places à bord de l'avion qui partait dans cinq jours et ils rendirent les clés de la petite Opel.

— Pas question que je conduise dans Paris! Gilles me l'a déconseillé.

Puis se retournant devant le préposé de l'agence de location d'autos, il demanda:

— Connaîtriez-vous un petit hôtel, bien situé, d'où nous pourrions partir pour visiter Paris? Nous n'avons que cinq jours pour découvrir la ville.

Ce fut ainsi qu'ils se retrouvèrent à l'Hôtel Abaca, boulevard de Vaugirard, à l'autre bout de la ville, dans le quinzième arrondissement. À deux pas, il y avait le métro qui les menait à la tour Eiffel. De là, ils pouvaient prendre un bateau-mouche pour longer la Seine ou monter à bord d'un des nombreux autobus.

Leur séjour à Paris fut en tout point le voyage typique offert aux touristes. Même sans marcher, ils virent l'essentiel de la ville.

Notre-Dame, les Champs-Élysées, l'Arc de triomphe, l'Opéra, les jardins du Luxembourg…

Puis ce fut le dernier jour. Jeanne avait commencé à compter les heures.

Demain, elle serait chez elle, loin, très loin de la Suisse. Quand elle y pensait, un curieux spasme lui serrait l'estomac et elle ne savait si c'était la perspective de rentrer qui le causait ou la peur de ne jamais pouvoir revenir.

★ ★ ★

Tiré de l'agenda de Jeanne

Je me suis enfin décidée à utiliser ce fichu ordinateur que Thomas a trimbalé inutilement avec nous depuis le début du voyage. Non, je me reprends. L'ordinateur n'a pas été inutile puisque mon photographe de mari l'a largement employé pour télécharger (est-ce vraiment le bon terme?) toutes les photos qu'il a prises. Par contre, moi, je ne m'en suis pas servi. Pourquoi n'avais-je pas envie d'écrire? Je l'ignore. J'ai oscillé entre le désenchantement et l'acceptation, entre la panique et l'acceptation, entre le désespoir et l'acceptation sans avoir envie d'en parler. C'est comme ça. Ce n'est que cet après-midi que j'ai eu envie de faire le point, à quelques heures de notre départ.

Quand Thomas a vu que je m'installais au minuscule secrétaire de la chambre, il a eu la gentillesse de s'éclipser.

— Je pense que je vais m'offrir une bonne bière au Café Convention, juste en face.

— Prends-en même deux! Je te rejoins aussitôt que j'ai fini.

C'est tellement petit ici que j'apprécie cette délicatesse. Si Thomas était resté dans la chambre, j'aurais eu l'impression qu'il épiait tout ce que j'écris et je ne suis pas encore prête à livrer ces secrets de l'âme qui m'appartiennent. Suis-je trop égoïste? Peut-être, mais je m'en fiche un peu. Cet égoïsme me permet d'apprendre beaucoup de choses. Tout comme notre voyage m'a appris beaucoup de choses sur moi-même et sur la vie.

À commencer par ce que le docteur Chaignat a appelé l'autodélivrance. Ce n'est qu'un mot, mais à mes yeux, il est l'expression de toutes ces attentes que je porte en moi depuis si longtemps et que je n'arrivais pas à exprimer clairement. Plus jamais je ne parlerai de suicide. Je ne vois plus ma décision comme un suicide. Pas dans le sens généralement admis. Ce ne sera ni un geste de désespoir ni un sacrifice. De toute façon, je suis condamnée. Plus rien ne pourrait sauver mon corps malade. Je ne fais que choisir la manière de partir. Parce que je vais mourir, que je le veuille ou non. Je dirais même qu'au-delà de la manière que j'emploierai pour mourir, l'enrobant et lui donnant une certaine beauté, il y aura du respect dans le geste que je poserai. Il y aura le respect d'une vie qui m'a choyée. Il y aura le respect de moi-même dans une dimension d'intégrité jusqu'à ce jour insoupçonnée.

Voilà ce que deux longues et bonnes conversations avec une étrangère ont permis. Je ne suis pas seule à croire en la beauté de la vie jusqu'au dernier instant. Je prie le ciel de me permettre de revenir ici en Europe. Maintenant que j'ai trouvé ce que je cherchais, je ne voudrais pas le perdre.

De la rue, j'entends les bruits qui me rappellent cette existence que j'aime tant. Je l'aimerai jusqu'au tout dernier instant. Je suis chanceuse d'être capable de le reconnaître sans que l'amertume n'empiète sur mes émotions.

Ce voyage m'aura aussi appris que je n'ai rien à regretter. Je trouve difficile de le dire, mais je n'étais que de passage. Nous ne sommes tous que de passage. La vie va continuer sans moi. Elle n'a pas besoin de moi pour le faire.

D'être loin de chez moi m'a permis de mieux l'accepter, car avec la distance, j'ai commencé à comprendre le renoncement. Mes enfants et mes amis ont continué à vivre sans moi pendant toutes ces semaines et c'est rassurant de pouvoir le constater. Je l'entendais dans leur voix lorsque je les appelais. Ils étaient heureux de me parler, mais l'ennui ne débordait pas d'un certain cadre admis, normal. Ils ont leur vie et j'ai la mienne.

Petit à petit, je crois que je vais réussir à me dépouiller de ces attaches qui n'ont de sens que celui que je voulais bien leur prêter. Mes enfants ne sont pas seulement mes enfants. Ils sont d'abord et avant tout des êtres uniques et indépendants. Ils n'ont pas besoin de moi pour être heureux. Ils n'ont besoin que d'eux-mêmes. Les souvenirs qu'ils garderont de moi leur appartiennent. Ils y puiseront selon leurs choix et leurs priorités. Ou ils n'y puiseront pas. Cela ne me concerne pas.

Ai-je puisé à même les souvenirs que je conservais de ma mère ? Pas vraiment, je dois être honnête et l'admettre. Hormis cette peur morbide de la douleur, il n'y a pas eu grand-chose. Finalement, à bien y penser, j'aurais pu m'en passer.

J'écris ces mots et les visages d'Olivier, Mélanie et Sébastien se précisent dans mon esprit. Ils sont beaux. De cette beauté qui les rend uniques et essentiels. Si j'avais eu à choisir les enfants que je mettrais au monde, c'est eux que j'aurais choisis. L'appartenance n'a pas à aller au-delà de ces limites. J'ai hâte de les revoir. J'ai hâte d'être chez moi.

Pour moi, le voyage se termine ici.

Il aura été irremplaçable et déterminant.

J'en reviens apaisée.

J'ai enfin compris que je n'avais pas peur de mourir. La peur qui subsiste, c'est plutôt celle de quitter tout ce que je connais.

Chapitre 12

Fin avril 2005

« On se marie tôt à vingt ans
Et l'on n'attend pas des années
Pour faire trois ou quatre enfants
Qui vous occupent vos journées
Entre les courses, la vaisselle
Entre ménage et déjeuner
Le monde peut battre de l'aile
On n'a pas le temps d'y penser
Faut-il pleurer, faut-il en rire
Fait-elle envie ou bien pitié
Je n'ai pas le cœur à le dire
On ne voit pas le temps passer »

ON NE VOIT PAS LE TEMPS PASSER, JEAN FERRAT

Ils n'avaient prévenu personne de leur arrivée. Jeanne voulait leur faire la surprise.

Dans le taxi qui les ramenait à la maison, elle était restée le nez à la glace, bien aise de se retrouver chez elle.

Tout était à la fois pareil et différent. Avec une joie presque enfantine, elle avait reconnu les rues qui, cependant, lui semblaient plus larges que dans son souvenir. Les édifices paraissaient plus hauts et les distances plus grandes. Il n'y avait eu que son jardin qui lui sembla avoir rétréci, mais Jeanne était si heureuse d'être chez elle qu'elle avait vite oublié cette première impression.

À peine entrée dans la maison, elle avait téléphoné aux enfants pour leur annoncer leur retour. Il y avait eu des rires, des exclamations, de l'émotion. Dimanche, elle les attendait pour souper et bien entendu, Mélanie n'avait pas à patienter jusque-là pour venir la voir. Les autres non plus d'ailleurs !

Puis elle avait versé une larme en entendant la voix de son père lui promettant de venir avec Sébastien pour le repas dominical.

Dès le lendemain, elle avait repris sa routine avec une facilité déconcertante.

Comme si le voyage n'avait pas vraiment existé, elle s'était empressée de passer à la pépinière pour commander tout ce qu'il fallait pour préparer les plates-bandes, avant de se diriger vers l'épicerie pour y faire une commande qui devrait suffire pour un mois !

Jeanne était revenue de ses courses le souffle court et la cheville douloureuse, mais peu lui importait. Elle savait que désormais, il lui faudrait apprendre à vivre avec ces inconvénients. Ils ne disparaîtraient jamais. Madeleine, la si gentille voisine, l'avait saluée depuis son terrain où elle râtelait les dernières feuilles d'automne qu'elle n'avait pas eu la chance de ramasser avant l'hiver et Jeanne jugea que cette amitié était plus importante qu'une douleur à laquelle elle finirait bien par s'habituer.

— Il faudrait bien nous retrouver le temps d'un café, n'est-ce pas ? proposa Madeleine. J'aimerais que vous me racontiez votre voyage !

Alors Jeanne avait promis.

— La semaine prochaine, je vous appelle, Madeleine. Sans faute !

Puis elle avait pensé à Josée et s'était installée devant le téléphone pendant que Thomas vidait la voiture.

— Sapristi, Jeanne! Il y en a pour nourrir une armée!

Jeanne avait haussé les épaules avec insouciance, l'air de dire, moqueuse: «Ah! ces hommes, ils n'y connaissent rien!» Au bout du fil, Josée pleurait de joie d'entendre sa voix et c'était nettement plus important que de parlementer sur deux livres de carottes et cinq de patates. Jeanne était émue: Josée avait promis de venir la voir, le travail terminé.

Jeanne avait raccroché en soupirant de bien-être. L'air était bon, le soleil peut-être un peu moins chaud qu'à Paris mais combien agréable et Josée serait là dans quelques heures. Que demander de plus? Jeanne renouait avec son univers et cherchait à comprendre comment elle avait fait pour en rester éloignée si longtemps.

Puis, avant de le voir comme une corvée qu'elle aurait envie de remettre au jour où les poules auraient des dents, Jeanne s'était décidée à appeler Gilles.

— Je crois que nous devrions nous rencontrer. Bientôt. Il y a quelques changements depuis ma dernière visite. La cheville gauche me fait mal et j'ai le souffle court. Il faut qu'on en parle, tous les deux.

Il y eut un bref silence.

— D'accord, Jeanne. Je fais des pressions pour t'obtenir un rendez-vous le plus rapidement possible. Si tu passais un *scanner* avant notre rencontre, ce serait préférable. Au moins, on saurait de quoi on parle. Qu'en dis-tu?

Gilles s'attendait à quelques protestations, ne serait-ce que pour la forme, au lieu de quoi Jeanne lui répondit calmement:

— Tu as raison. Moi aussi, j'aimerais savoir ce qui se passe exactement.

— Alors donne-moi quelques heures et je te rappelle.

Non, vraiment, rien n'avait changé. Sauf peut-être Jeanne. Jeanne qui revenait de son voyage les yeux grands ouverts sur ce monde qui était le sien et dont elle voulait retrouver les odeurs et les habitudes au plus tôt. Jeanne qui voyait les choses d'un œil nouveau, plus conciliant.

L'image du cerf-volant s'imposait souvent à sa mémoire. Couper la corde, s'élever toujours plus haut...

La première à venir la voir fut Josée, tel que promis. Elle arriva les bras chargés d'un hydrangea monumental, d'un bleu qui n'avait rien de naturel, et qui la cachait presque entièrement.

— Ça, ma belle, lança-t-elle en guise de salutation, c'est en attendant que tu reprennes le contrôle de ta serre. Je me suis ennuyée comme c'est pas permis. Laisse-moi te dire que je vais vite retrouver mes habitudes de venir te voler un petit café. J'adore siroter béatement ton merveilleux espresso, entourée de tes plantes. En attendant, où veux-tu que je le mette? Ça pèse une tonne, ce machin-là!

Jeanne éclata de rire.

— Sacrée Josée! Tu n'aurais pas pu trouver quelque chose de plus... comment dire, de plus discret? Viens, suis-moi! Nous allons mettre le monstre dans la serre. En parlant de café... je nous en prépare un? Attention aux marches!

Le temps de descendre les quelques marches qui menaient à la serre, en essayant de voir où elle mettait les pieds et Josée rétorquait:

— À cette heure-ci, je prendrais plus volontiers un apéritif.

Josée avait déposé la plante dans un coin de la serre en poussant un ouf! de soulagement, puis elle regarda tout autour d'elle.

— Thomas n'est pas là?

— Non. Il est parti à la SAQ chercher une caisse de champagne pour sa dulcinée. Enfin, c'est ce qu'il a dit en partant!

— Ouais! Rien de trop beau pour la classe ouvrière! Pas de danger que mon mec à moi pense à ça!

— Non, ton mec à toi, comme tu dis, il pense à des bijoux, à des voyages. Qu'est-ce qu'il t'a donné encore à ta fête?

Josée se mit à rougir.

— Un collier de perles... Tu as raison. Je ne suis qu'une horrible ingrate.

Elle se laissa tomber sur la première chaise venue en soupirant de fatigue.

— Tu parles d'une journée! Ça ne dérougissait pas au bureau. Alors? On attend le champagne ou tu m'offres une misérable bière?

Elles prirent une bière, bien fraîche et pas misérable du tout, en attendant le retour de Thomas qui ne devait plus tarder. Elles bavardèrent de tout et de rien comme seules de grandes amies peuvent le faire. Jeanne raconta son voyage, les villes et les villages, la mer et les caves de champagne. Quand Thomas arriva, les bras chargés d'une caisse qui semblait très lourde, devant le regard de Jeanne aussi pétillant qu'une flûte de champagne, il improvisa:

— Josée, donne un coup de fil à Marc et dis-lui de venir nous rejoindre. Je mets les bulles au frais et on se fait venir à souper!

Jeanne le couva des yeux avec reconnaissance. La bonne humeur inaltérable de Thomas lui faisait du bien. Elle éloignait les angoisses et les chagrins.

Dans la demi-heure, le champagne était frais à souhait et Marc arrivait, bruyant, dérangeant comme lui seul pouvait l'être sans qu'on puisse lui en vouloir. Son mètre quatre-vingts et ses cent trente kilos ne passaient jamais inaperçus.

Ils mangèrent chinois comme au temps de leurs études, parlèrent enfants et petits-enfants, discutèrent des vacances qui arrivaient pour les uns et du voyage terminé pour les autres. Une seconde bouteille, tout aussi pétillante que la première, avait pris place dans le seau rempli d'eau et de glace. Depuis le début du repas, Jeanne y faisait honneur. Elle avait la tête en farandole. Thomas était en train de décrire la splendeur des montagnes suisses et elle avait fermé les yeux.

Elle revoyait clairement le glacier étincelant dans le soleil couchant et son imagination se permettait d'y faire voler un cerf-volant bleu et vert avec une longue queue garnie de papillotes rouges.

Les voix, autour d'elle, lui arrivaient en sourdine, comme si une pellicule ouatée les enveloppait. Elle se sentait portée par l'amitié qui les unissait et c'était bon. Au fil des ans, Thomas et elle avaient beaucoup partagé avec Marc et Josée. Les revers, les inquiétudes, les joies…

À cette pensée, Jeanne tressaillit et ouvrit les yeux. Elle venait de songer à Marc et Josée au passé et cela lui était brusquement désagréable. C'est alors qu'elle aperçut Marc qui la dévisageait. Jeanne se mit à rougir et détourna la tête. Profitant d'un bref silence et confirmant les intuitions de

Jeanne, Marc demanda alors de sa voix de basse qui l'avait toujours un peu impressionnée:

—Et toi, Jeanne? Que rapportes-tu de ton séjour en Suisse? As-tu rencontré un médecin?

Pourquoi Jeanne se sentit-elle agressée par cette question directe alors qu'au fond d'elle-même elle la souhaitait? Soudainement dégrisée, elle posa sur Marc un regard chargé de colère.

—De quel droit oses-tu? Tu ne t'imagines tout de même pas que je ne te vois pas venir avec tes gros sabots? Je croyais que tu étais mon ami.

Jeanne avait subitement les yeux pleins d'eau.

—On était bien. On parlait de tout et de rien comme avant et toi, tu me ramènes à...

Jeanne se tut brusquement, espérant que Marc comprendrait et s'en tiendrait à cela. Mais il en fallait plus que cela pour désarçonner un homme tel que Marc. Même s'il savait que le sujet était douloureux, il irait jusqu'au bout parce qu'il connaissait bien Jeanne, parce qu'il l'aimait, surtout, et savait que, malgré les apparences, elle serait réconfortée de pouvoir en parler.

—C'est justement parce que je suis un ami, un vrai, presque un frère, que je peux me permettre cette question. Pourquoi jouer à l'autruche alors que tout le monde pense à la même chose? J'ai toujours cru que de vouloir protéger les gens à tout prix, ce n'était pas honnête. Ni envers soi ni envers les autres. C'est pourquoi j'ose te demander comment toi, tu as vécu ton séjour en Suisse.

Jeanne abdiqua aussitôt, sachant que Marc avait raison. Ils avaient si souvent argumenté sur le sujet qu'il aurait été ridicule de l'éviter maintenant que la rhétorique était devenue réalité. Elle se sentait même soulagée de pouvoir en parler ouvertement. Soudainement, elle n'était plus seule. Elle avait vécu entourée d'une famille, d'amis sincères et ils étaient toujours là, partageant avec elle ce qu'il y aurait à vivre. Jusqu'au bout.

— Oui, j'ai rencontré un médecin, avoua-t-elle enfin. Tu connais mon point de vue, n'est-ce pas ? Il n'a pas changé. Je suis malade et le médicament miracle qui pourrait me guérir n'a pas encore été inventé. Disons les choses telles qu'elles sont : je vais mourir. Mon cancer évolue, j'ai des métastases au cerveau. Ce n'est plus qu'une question de semaines, peut-être.

C'était la première fois que Jeanne prononçait ces quelques mots aussi crûment, sans enrobage, devant ses amis. D'être chez elle, près de Thomas, entourée d'amis, lui procurait une sorte de sécurité qui l'apaisait. Tout comme les mots du médecin suisse l'avaient fait. Chaque mur d'ombre qui tomberait devant elle permettrait de faire un bout de chemin vers cette sérénité qu'elle espérait tant découvrir. Elle jeta un regard autour de la table comme si elle voulait vérifier que tout le monde avait bien entendu ce qu'elle venait de dire.

Thomas la dévorait des yeux et Jeanne comprit qu'il avait, lui aussi, à s'ajuster à cette réalité qui serait la leur pour les mois à venir et qu'ensemble, ils devraient apprendre à en parler ouvertement. Marc avait raison : il serait inutilement douloureux de jouer à l'autruche.

— Ce que j'ai toujours défendu, commença-t-elle d'une voix étrangement calme, le droit de mourir dans la dignité, voilà ce que j'ai trouvé en Suisse. J'aurais aimé que vous soyez là. J'aurais voulu que vous entendiez ce que le médecin a dit. Malgré tout le respect que j'ai pour la médecine d'ici et ses soins palliatifs qui peuvent correspondre à certains choix, moi, je vois les choses autrement. Heureusement, j'ai trouvé en Suisse des gens qui me comprennent. Je ne suis pas la seule à croire que la mort peut se vivre dans le respect des dernières volontés.

Jeanne expliqua alors comment, au pays des montagnes, on avait choisi d'accompagner les gens jusque dans leurs choix les plus intimes devant la mort.

Quand elle eut fini, Josée avait les yeux pleins d'eau et Marc, habituellement si maître de lui, triturait le coin de sa serviette de table. Ce que Jeanne venait de dire, ce cancer qui évoluait de plus en plus vite, les avait plongés dans une réalité douloureuse qui les avait pris de court. Ils savaient que cela viendrait, ils ne pensaient pas que ce serait aussi vite.

Thomas, lui, n'avait rien dit, se contentant d'écouter, la tête penchée, fixant son assiette et Jeanne perçut, dans ce silence, une intolérable souffrance. Une souffrance qu'il n'était peut-être pas prêt à partager avec elle parce qu'il avait encore de la difficulté à l'accepter lui-même. Alors, elle se leva de table. Marc et son mari étaient très proches l'un de l'autre et parfois parler d'homme à homme devenait essentiel.

— Allez, Josée, viens ! On va prendre le café dans la serre et on va laisser ces messieurs entre eux. Tu veux un espresso ou un café régulier ?

Curieusement, d'avoir pu parler de sa propre mort amenait Jeanne à se sentir au-dessus de la situation. De dire à haute voix les choses et les émotions les rendait plus faciles à accepter.

D'une voix rauque, Josée accepta l'espresso.

Ils finirent la soirée, les femmes dans la serre et les hommes au salon.

Ce soir-là, Jeanne et Thomas furent très silencieux au moment de regagner leur chambre, chacun perdu dans ses pensées

Au moment de se coucher, Thomas alluma machinalement la télévision et Jeanne se cala paresseusement dans son oreiller, se rappelant une phrase que son père lui avait déjà dite. «Dans les grands deuils, ma fille, ce sont souvent les gens les plus éprouvés qui arrivent à consoler les autres.» Il faisait référence au décès de Béatrice où il avait fait preuve d'un courage exemplaire. Jeanne venait de vérifier l'exactitude de ces propos avec Josée. C'était elle qui devait apprendre à faire le deuil de sa propre vie et ce soir, elle avait consolé son amie. Josée avait beaucoup de difficulté à accepter. Quand Jeanne avait parlé de ses tumeurs au cerveau, elle avait remarqué que Josée était devenue blanche comme un drap. Surprise, Jeanne s'était aperçue que la femme si forte et positive avait, elle aussi, des failles et des faiblesses. De voir la vulnérabilité de son amie, de toucher à sa fragilité, l'avaient émue. Cependant, au même moment, emmêlé à une certaine tristesse, un bras autour des épaules de Josée, laissant passer le plus gros des larmes, Jeanne avait alors songé qu'elle était en train d'avoir un aperçu de l'après-Jeanne. Un après qu'elle n'aurait à gérer d'aucune façon.

De se le dire, d'en prendre abruptement conscience l'avait soulagée.

Cela prit un certain temps avant que Jeanne ne se décide à revenir sur la soirée. Pourtant, elle voulait le faire. Avec Thomas, il ne devait plus y avoir de ces pans d'ombre qui laissent des incertitudes. Jeanne n'avait plus le temps de les mettre de côté pour y revenir plus tard. Elle devait les abattre au fur et à mesure où ils se présentaient.

À la télévision, un journaliste parlait de troubles en Irak. Thomas semblait s'être ressaisi et un bras replié sous la nuque, il avait l'air d'écouter attentivement.

— Drôle de soirée, murmura Jeanne en s'approchant de lui.

Thomas retira son bras de sous sa tête et le glissa autour des épaules de Jeanne.

— Oui, une drôle de soirée.

Il soupira. La discussion avec Marc avait porté ses fruits. Son ami lui avait dit qu'il comprenait. Même s'il aurait été incapable d'accélérer le processus de sa propre mort, il comprenait que, pour Jeanne, c'était différent. Une femme comme elle, qui avait mené sa vie sans discussion, qui avait besoin de se sentir en contrôle pour être bien, ne pouvait s'en remettre aux autres pour cette étape ultime qu'il disait aussi belle et importante qu'une naissance. Thomas avait été troublé de constater qu'en dépit des habitudes entre les gens, il y avait aussi une profondeur des sentiments dont on ne parlait jamais. Marc connaissait et aimait Jeanne tout comme lui, finalement, connaissait et aimait Josée. Leur amitié n'était pas qu'une amitié de surface. Thomas avait aussi deviné qu'après, il ne serait peut-être pas aussi seul qu'il l'anticipait.

Il resserra son étreinte autour des épaules de Jeanne.

— Une drôle de soirée, répéta-t-il. J'ai l'impression qu'on va devoir s'y faire. Il risque d'y en avoir d'autres.

Jeanne fut heureuse d'entendre ces mots. Lui aussi, de son côté, il faisait son bout de chemin.

— Probablement, oui, qu'il va y en avoir d'autres. C'est peut-être normal. Je crois que c'est mieux comme ça.

Jocelyne Blouin venait d'apparaître à l'écran et elle était en train d'annoncer, toute souriante, que le vendredi ainsi que la fin de semaine seraient ensoleillés.

— Ça m'a fait du bien de briser le mur du silence avec Marc et Josée, poursuivit Jeanne. J'ai toujours vu dans notre amitié quelque chose d'unique, d'essentiel. Je crois qu'il était important d'oser dire les choses telles qu'elles sont. Marc avait raison. Par contre, Josée a encore un bon bout de chemin à faire. Elle m'a surprise. Je ne m'attendais pas à devoir la consoler. Elle n'accepte pas, tu sais, pas du tout. Heureusement que Marc, lui, comprend un peu mieux ce que je ressens. Je l'ai senti dans l'accolade qu'il m'a faite avant de partir, dans cette façon qu'il a eue de dire qu'il serait là quoi qu'il puisse arriver. Il devrait pouvoir aider Josée. En fait, c'est à lui de le faire, pas à moi.

Thomas n'osa déclarer que, lui aussi, il aurait besoin de l'aide de Marc. Après un bref silence, Jeanne ajouta :

— Cette conversation qu'on a eue au souper m'a rappelé une entrevue que j'ai vue il y a longtemps à la télé. L'animateur avait demandé à un chanteur ce qu'il ferait s'il n'avait plus qu'un mois à vivre. J'avais trouvé la question idiote. Comment peut-on vraiment savoir ce que l'on voudrait faire à quelques semaines de sa mort à moins d'y être confronté ! C'est pas le genre de chose à laquelle on pense à moins d'y être obligé. Moi, aujourd'hui, je sais ce que je voudrais. Ce serait de rester ici, tout simplement, de continuer à mener la vie que j'aime, entourée des gens que j'aime le plus longtemps possible. J'aurais voulu, au dernier matin de ma vie, arroser mes plantes une dernière fois et saluer Madeleine depuis la terrasse, comme je le fais si souvent après le déjeuner. Voilà ce que j'aurais voulu. Malheureusement, je ne le pourrai pas. Le jour où je partirai pour de bon, je ne serai pas ici, et c'est dommage.

Thomas sentit une boule d'émotion se former dans sa gorge. Il aurait voulu être capable de ces phrases qui disent le réconfort, mais les seuls mots qui lui montaient à la tête, comme un excès de vin, c'étaient des mots d'amour empreints de tristesse. Alors il se tut, remonta la couverture sur les épaules de Jeanne et, silencieusement, blottis dans les bras l'un de l'autre, ils finirent de regarder le bulletin météo avant d'éteindre.

Le lendemain matin, Jeanne téléphonait à sa voisine pour l'inviter à prendre un café. Les heures passées avec Josée lui avaient fait prendre conscience de l'urgence d'accomplir certains gestes qui lui semblaient essentiels. Madeleine accepta sans hésiter, à la condition qu'elle puisse emporter un petit rien pour accompagner le café.

Elle se présenta à la porte quelques instants plus tard avec une tarte aux pommes encore tiède.

— J'espère que l'appétit va toujours !

Jeanne fit une petite grimace.

— Ça dépend. Des jours ça va, d'autres, pas du tout. Mais pour vos tartes, je devrais trouver un petit coin. Elles sont tellement bonnes !

Malgré le fait qu'elles soient voisines depuis plus d'un quart de siècle, pour souscrire aux habitudes d'une certaine génération, celle de Madeleine qui avait une bonne quinzaine d'années de plus que Jeanne, les deux femmes s'étaient toujours vouvoyées. Ce qui ne les avait pas empêchées d'être proches l'une de l'autre. Tour à tour, Madeleine avait été voisine, grand-mère d'emprunt, gardienne d'enfants, compagne de jardinage et parfois même la mère que Jeanne avait perdue trop tôt. Quant à Jeanne, elle avait permis à Madeleine de vivre une belle part des joies de la maternité à travers sa famille. Le fait de ne pas avoir eu d'enfants avait été une grande déception pour Madeleine. Elle avait souvent envié Jeanne et l'avait avoué sans pudeur. Si elle avait choisi, à plus de trente ans, de devenir psychologue, c'était aussi pour se rapprocher des enfants.

Aujourd'hui, c'était le retour du balancier. C'était Jeanne qui enviait Madeleine. Longs cheveux blancs retenus en torsade derrière la tête, quelques rides de bonne humeur au coin des yeux et un petit quelque chose de juvénile dans le regard, Madeleine vieillissait bien. Jeanne aurait voulu avoir la chance de vieillir comme elle.

De la voir souriante et en si bonne santé, sur le pas de la porte, donna un véritable choc à Jeanne. Avant de se mettre à pleurer, elle l'invita un peu précipitamment à entrer et se dirigea vers la cuisine le plus rapidement que le permettait sa cheville.

— Le café est prêt ! Venez !

Dans un premier temps, elles parlèrent de l'été qui n'était qu'à un jet de pierres et du potager de Madeleine qu'il faudrait penser à semer bientôt.

— Je vais vous aider.

— Et moi, je pourrais peut-être vous donner un coup de main pour transplanter les fleurs dans vos plates-bandes ! Qu'est-ce que vous en dites ?

Madeleine le savait : Jeanne avait toujours eu besoin d'une certaine mise en scène avant d'aborder les choses d'importance, celles du cœur. Alors elles parlèrent jardinage le temps d'un café. Puis, quand Jeanne en proposa un second, Madeleine demanda à le boire dans la serre.

— Vous êtes si chanceuse d'avoir une serre. J'aurais bien aimé en avoir une ! Aujourd'hui, à mon âge, il est un peu tard pour y penser.

Quelques mots en apparence banals, mais qui avaient le pouvoir d'amener les confidences à travers ce désir qui ne resterait qu'un beau rêve. Comme Jeanne qui laisserait en plan des rêves et des désirs, faute de temps pour les réaliser.

Jeanne déposa les tasses fumantes sur la petite table où il n'y avait plus aucun casse-tête et se redressant, elle regarda autour d'elle. Les cactus et les bonsaïs se portaient à merveille. Quelques plants de géranium, d'impatientes et de bégonias se préparaient de fortes racines dans des pots de grès, installés sur une longue table et les fleurs d'intérieur n'avaient aucunement souffert de son absence. Mélanie les avait bien soignés durant son voyage.

— C'est vrai que je suis chanceuse, admit Jeanne.

Elle eut un sourire attendri pour l'énorme plante bleu ciel que Josée lui avait donnée, puis son regard revint se poser sur Madeleine.

— Et si vous veniez m'aider à préparer l'été ? J'avoue que c'est de plus en plus pénible de rester longtemps debout.

Thomas est bien gentil, mais il n'a pas tout à fait la patience qu'il faut pour jardiner.

— Bien sûr que je pourrais vous aider. Ça me ferait vraiment plaisir. Vous savez à quel point j'aime ça! Mais en attendant, si vous veniez vous asseoir… Parlez-moi de vous, Jeanne. Parlez-moi de votre voyage…

Alors, Jeanne raconta la Hollande et ses moulins, Bruges et ses dentelles, la France et son champagne, la Suisse et ses montagnes. Puis, lentement, imperceptiblement, elle passa des paysages aux découvertes. Elle passa des descriptions aux émotions. Elle termina, les yeux inondés de larmes, en parlant du cerf-volant.

— C'est difficile, vous savez, apprendre à couper la corde.

— Tous les deuils sont éprouvants, Jeanne. Ils portent tous en eux cette part de renoncement qu'on a de la difficulté à accepter. À un autre niveau, je l'ai vécu quand j'ai compris que je n'aurais jamais d'enfant. Parfois, on n'a pas le choix. Il faut savoir accepter ce que la vie avait en réserve pour nous.

— Saurai-je finir par accepter? demanda alors Jeanne d'une voix vacillante. Pourtant j'essaie, j'essaie de toutes mes forces, mais ce grand vide devant moi me fait peur.

Une lueur de tristesse traversa le regard de Madeleine.

— C'est vraiment ce que vous voyez? Un grand vide?

Jeanne haussa une épaule tremblante.

— Que pourrait-il y avoir d'autre?

— Une autre vie. Une vie différente, meilleure.

— Vous y croyez, vous?

— Oui, j'y crois. Sinon, quel sens donner à tout ça?

Tout en parlant, d'un large geste du bras, Madeleine montrait la serre, le jardin.

— J'aimerais tellement que vous ayez raison, murmura Jeanne, les épaules tombantes, recroquevillée sur elle-même.

— Il n'en tient qu'à vous d'y croire...

Au bout d'un silence tout léger, Madeleine ajouta :

— Jeanne, j'aurais une faveur à vous demander. Un petit quelque chose d'inhabituel mais qui, peut-être, pourrait vous aider.

Jeanne se tourna vers elle sans répondre.

— Voilà... Je sais bien que vous n'êtes pas une fervente pratiquante. Sans vouloir écornifler aux fenêtres, après vingt-cinq ans, on se fait tout de même une petite idée de ses voisins, n'est-ce pas ? Pourtant, il est arrivé qu'on se croise à la messe de minuit et parfois aussi au matin de Pâques... Ça doit vouloir dire quelque chose, non ? Alors, ce que je voudrais vous demander, c'est de rencontrer notre curé. C'est un homme de bon jugement. Je crois sincèrement qu'il pourrait vous apporter ce petit rien qui fait toute la différence.

Le curé ? Jeanne fut sur le point de refuser, elle n'avait pas envie de discuter philosophie et religion avec un étranger, mais quand son regard croisa celui de Madeleine, un regard où elle put lire une réelle attente, elle ne put faire autrement que d'accepter. Elle n'avait jamais su refuser quoi que ce soit à Madeleine.

— D'accord, fit-elle en soupirant. Si ça peut vous faire plaisir...

— Non, Jeanne, interrompit alors Madeleine. Ce n'est pas à moi que vous ferez plaisir, c'est à vous-même. Dimanche, à la messe, je donnerai votre numéro de téléphone à Étienne Martineau. C'est un homme bien. On en reparlera...

À la demande de Jeanne, le curé se présenta la semaine suivante, en après-midi, alors que Thomas, tout mystérieux, avait quitté la maison en disant qu'il aurait un cadeau pour elle à son retour.

À la grande surprise de Jeanne, Étienne Martineau était jeune, alors qu'elle était convaincue qu'il n'y avait plus que de vieux prêtres. Pas lui. Étienne aurait pu être son fils.

Après avoir admiré la serre et vanté la beauté du jardin, là où les rosiers reprenaient vie en laissant éclater des centaines de petites feuilles vertes et luisantes tandis que le lilas balançait ses grappes de fleurs encore refermées mais déjà odorantes, il vint spontanément s'asseoir auprès de Jeanne.

— J'aime le printemps, déclara-t-il tout bonnement. J'aime ce renouveau, cette chaleur qui interpelle la vie et l'oblige à reprendre là où l'hiver l'avait interrompue.

Puis il se tut et curieusement, Jeanne n'eut pas envie de lui répondre. Pas tout de suite. Pourtant, il parlait un langage qu'elle connaissait bien, celui des plantes, celui de la nature.

Le silence s'étira.

Le jeune prêtre n'exigea rien, ne demanda rien. Il n'en avait pas besoin. Tout, dans son attitude et son silence, portait aux confidences.

Il y eut donc un long moment d'intériorité, que seuls quelques oiseaux indiscrets osèrent briser, puis Jeanne se mit à parler, elle qui avait toujours su si bien le faire avec les étrangers.

Elle annonça qu'elle était atteinte d'un cancer, précisa ce temps si bref qui lui restait à vivre. Puis incapable de se retenir, elle cria cette colère qui n'était pas complètement éteinte, elle dénonça l'injustice qu'elle avait encore de la difficulté à comprendre et confia ses souffrances de femme et de mère qui apprenait trop lentement le renoncement.

Aurait-elle le temps d'y arriver ? Aurait-elle le temps d'apprivoiser la mort ?

Ensuite, Jeanne avoua son absence de foi et elle exprima ses choix en racontant son voyage en Suisse. Puis elle se tut, épuisée. Tout avait été dit.

Étienne resta longtemps silencieux, le regard tourné vers les fleurs. Jeanne sut alors qu'il était en train de prier et elle l'envia.

Pendant qu'elle avait parlé, en aucun temps le prêtre n'avait levé les yeux vers elle. Pourtant Jeanne avait senti que son écoute était attentive, empreinte d'un incroyable respect pour la femme tourmentée qu'elle était.

Après un long moment, il se contenta de poser une main sur la main de Jeanne, celle qui était crispée sur l'accoudoir du fauteuil d'osier et petit à petit, elle se détendit. Ce fut alors qu'il se mit à parler.

— Dieu nous aime tous tels que nous sommes. Avec nos faiblesses et nos saintetés. La foi, comme je la conçois, n'est pas une contrainte. Elle ne se vit pas dans l'observation aveugle de quelque rituel dénué de sens. La foi, c'est au quotidien qu'elle se manifeste et Dieu sait reconnaître ceux qui croient en Lui. Pas besoin d'être dans une église pour que Dieu nous aime. N'oubliez jamais que le plus beau cadeau que Dieu ait fait à l'homme, c'est sa liberté. La seule chose qu'Il nous demande, c'est d'apprendre à bien l'utiliser.

La voix du jeune prêtre avait une chaleur, une conviction si grandes qu'elles déclenchèrent les larmes de Jeanne. Des larmes qui, cependant, ne contenaient plus cette amertume douloureuse qui lui faisait si mal. Les larmes de Jeanne étaient, en ce moment bien précis, aussi bienfaisantes qu'une ondée après une longue période de sécheresse.

— La grandeur et la présence de Dieu se mesurent à la grandeur et à la présence de l'homme. Dieu vit en chacun de nous. Faites-vous confiance, Jeanne. Il y a en vous tout l'amour et la force dont vous aurez besoin pour apprivoiser ce temps qu'il vous reste à vivre. Je n'ai qu'à regarder la beauté des plantes de votre jardin pour le savoir.

Quelques instants plus tard, Étienne Martineau prenait congé de Jeanne en lui promettant de revenir.

— Vous n'avez qu'à me faire signe et je serai là. Que vous décidiez d'aller en Suisse ou que vous restiez ici, cela ne m'appartient pas et ne changera rien dans le fait que je serai heureux de vous revoir. Ce qui se passe entre Dieu et vous ne me regarde pas.

Puis voyant que Jeanne allait se lever, il ajouta :

— Je vous en prie, ne vous dérangez pas pour moi. Je saurai bien retrouver mon chemin tout seul !

Quand Thomas revint, Jeanne était toujours assise dans la serre. Les larmes avaient laissé un sillon blanchâtre sur ses joues, mais il y avait dans le regard et le sourire qu'elle tourna vers lui une quiétude, une tranquillité qui lui firent chaud au cœur.

— Regarde, ma chérie, regarde ce que j'ai trouvé !

Il traînait derrière lui un futon de bois garni d'un coussin parsemé de roses orangées et blanches.

— Fini la chaise longue pour faire tes siestes, annonça-t-il avec un large sourire. Et t'as vu ? En plus, il s'harmonise avec les rosiers dehors ! J'ai eu un mal fou à le trouver.

Thomas semblait tellement fier de lui que Jeanne éclata de rire.

« La grandeur de Dieu, pensa-t-elle en venant à la rencontre de son mari, se mesure à la grandeur de l'homme. »

Alors, dans le regard de Thomas qui se posait sur elle, au-delà de l'habituel reflet amoureux, Jeanne eut l'impression qu'il y avait aussi tout l'amour du monde.

★   ★   ★

Tiré de l'agenda de Jeanne

Ça fait deux dimanches de suite que la famille se rassemble chez nous pour le souper. C'est agréable. C'est d'autant plus agréable que, avec toute l'honnêteté dont je suis capable, j'arrive à m'arrêter sur le moment présent pour ce qu'il est en lui-même, sans chercher à évoquer sans cesse les raisons qui l'ont suscité.

C'est drôle à dire, mais de voir les enfants réunis aussi souvent m'aide à m'en détacher. Voilà deux dimanches où je me plais à les observer de l'extérieur et c'est bien. J'avais raison quand je me disais qu'ils avaient leur vie et moi, la mienne. Sans l'avoir précisément recherché, je découvre des êtres qui m'étaient en partie étrangers. Ça me surprend et me réconforte en même temps.

Le premier dimanche, papa était présent comme il me l'avait promis. On a longuement jasé ensemble. On a évoqué des souvenirs, on a ri de certaines anecdotes. Je crois que ça nous a fait du bien, tous les deux.

Puis il m'a parlé de Sébastien. La maison de la rue des Braves lui reviendra.

— Il le mérite bien. S'occuper d'un vieux capricieux comme moi n'est pas toujours une sinécure et il le fait avec une patience angélique. Cette maison lui revient de plein droit. Il l'habitera avec son Manuel si ça lui chante.

C'est alors qu'il m'a regardée sévèrement.

— Je ne sais pas qui m'a pris pour un vieil imbécile, dans toute cette histoire, mais je tiens à te préciser que ça fait un bail que je sais que Sébastien et Manuel sont... Bref, tu sauras, ma fille, que de toujours chercher à protéger les autres n'est pas ce qu'il y a de plus honnête. Il faut apprendre à faire confiance aux gens. C'est la seule façon d'arriver à un bel équilibre.

En quelques jours, deux fois le même message. Suis-je donc à ce point contrôlante ? Auparavant, ça m'aurait inquiétée, choquée. Aujourd'hui, je laisse aller. Si c'est là l'image que j'ai donnée, je le regrette infiniment. Je n'ai jamais perçu les quelques silences que je me suis imposés comme étant un manque de confiance. Curieux de voir comment les gens nous perçoivent parfois !

Papa m'a ensuite dit qu'il ne viendrait plus à Montréal. Toute cette route le fatigue énormément.

— Je ne suis plus très jeune. Les voyages, même les plus courts, sont faits pour la jeunesse. Je ne veux pas non plus que tu te déplaces pour moi. Toi aussi, la route doit te fatiguer. Garde tes forces pour tes enfants, ton mari. Dis-toi bien que je me plais dans mon jardin. Les rosiers que tu as plantés quand tu étais jeune fille me tiennent compagnie. Quand je les regarde, quand leur parfum me rejoint, c'est *la plus belle partie de toi qui s'installe au jardin avec moi. On pourrait peut-être s'en tenir à ça. D'accord, mon Jeannot ?*

Papa avait les yeux gonflés de larmes. L'âge agit probablement comme la maladie et ramène les émotions à fleur de peau. Comme ça faisait des années que papa ne m'avait pas appelée mon Jeannot, *j'ai alors pensé qu'il me faisait ses adieux. Quand il a ajouté qu'on se reverrait bientôt, j'ai su que je ne m'étais pas trompée. Papa est profondément croyant. Nul doute pour lui que, dans quelque temps, sa famille sera enfin à nouveau réunie.*

Ce soir-là, quand tout le monde a été parti, j'ai longuement pleuré sur cette page de vie qui était en train de se tourner.

Combien de deuils aurai-je encore à pleurer comme ça ?

Dimanche dernier, hier en fait, ça a été le dimanche de Sébastien. Il s'est joint à nous tout seul, Manuel étant retenu à Québec par son travail. Thomas avait l'air sincèrement soulagé qu'il soit venu seul. Je sais qu'il n'arrive pas à aimer Manuel, il me l'a confié.

— J'ai essayé. Je te jure, Jeanne, que j'ai essayé, mais je n'arrive pas à l'apprécier.

J'ai l'impression que le rejet de Thomas m'a contaminée. Moi non plus, je n'arrive pas à aimer Manuel. Pas vraiment à cause de sa personnalité, il a le droit d'être qui il est, mais plutôt parce que je vois bien que mon fils n'est pas heureux. Les sourires de Sébastien sont faux. Ils abusent peut-être la galerie, mais pas moi.

Quand il est venu me rejoindre dans la serre où je me reposais un moment, quand il s'est assis près de moi sans un mot, j'ai compris que je ne m'étais pas trompée. Il me ressemble tant, mon Sébastien! Le silence, chez lui, est tou-jours garant d'une profonde tristesse.

Pourquoi, à ce moment-là, n'ai-je pas eu le réflexe habi-tuel de questionner, de donner des conseils? Je ne le sais pas. Je n'en avais pas envie, je n'en sentais pas le besoin. Je regardais mon fils à la dérobée et soudainement j'ai pris conscience que s'il ne trouvait pas la solution en lui, jamais il n'arriverait à être heureux. Alors je lui ai dit ce que j'au-rais pu dire à un ami ou même à un étranger. Ces mots ve-naient du cœur, de l'expérience et s'adressaient à ce qu'il peut y avoir de meilleur en Sébastien.

— C'est facile d'être fort quand la vie nous donne raison et que les gens nous soutiennent, Sébastien, mais c'est dans l'adversité que l'on découvre les âmes bien trempées. La vie ne fait de quartier à personne. Il faut apprendre à faire face.

Puis, le ton s'est fait plus intime.

— Je te connais bien, tu sais. Tu n'es pas venu t'asseoir ici sans raison. Malheureusement, ou plutôt heureusement, quand bien même je vivrais jusqu'à cent ans, je n'ai au-cune réponse satisfaisante à te donner. Je vois bien que tu n'es pas heureux comme tu espérais l'être, mais que puis-je y changer? S'il y a certaines choses auxquelles tu tiens et que tu veux les défendre, alors défends-les de toutes tes forces. Au contraire, s'il y a des choses que tu dois ou que tu veux rejeter, rejette-les bien loin. Personne ne peut le faire à ta place. Ce n'est peut-être pas ce que tu espérais entendre, mais c'est ce que j'ai à te dire.

Puis, sans que je sache trop bien d'où ils venaient, j'ai entendu certains mots qu'Étienne a eus pour moi. Ils étaient de toute tendance et surtout de toute éternité. Alors je les ai répétés pour Sébastien.

— Il y a en toi tout l'amour et la force dont tu peux avoir besoin. Fais-toi confiance, mon grand. Par contre, si tu veux parler, je suis là pour t'écouter.

Je ne m'y attendais pas, mais dès que j'ai eu fini de parler, Sébastien a tourné la tête vers moi et m'a souri.

— Non, ce n'est pas exactement les mots que je croyais entendre. On dirait que tu es différente. Oui, je te trouve différente, mais en mieux. Je vais réfléchir à ce que tu viens de dire. C'est vrai que depuis quelque temps, je sens un drôle de bouillonnement en moi sans trop savoir ce que c'est ni quoi en faire. Oui, promis, je vais penser à tout ça.

Il s'est relevé ensuite et m'a donné un gros baiser sur la joue. J'ai eu alors la magnifique sensation de retrouver mon fils.

— Je t'aime, maman.

— Moi aussi je t'aime, Sébas. Je vous aime tous les trois, tellement. C'est merveilleux de vous avoir comme enfants. Mais ce qui est encore plus merveilleux, c'est que depuis quelque temps, j'apprends à mieux vous aimer.

Hier, je n'ai pas pleuré en me couchant. Les mots que j'avais eus pour Sébastien, je les avais dits aussi pour moi. Je me suis endormie avec l'image du cerf-volant qui volait très haut dans le ciel.

Il est arrivé au bout de sa corde et il tire, il tire...

Chapitre 13

Mai 2005

« Je voudrais mourir debout
Dans un champ, au soleil
Non dans un lit aux draps froissés
À l'ombre close des volets...
Je voudrais mourir debout
Dans un bois, au soleil
Sans entendre tout doucement
La porte et le chuchotement...
Je voudrais mourir debout
N'importe où, au soleil... »
MOURIR AU SOLEIL, JEAN FERRAT

Pour le *scanner*, Gilles n'avait pu faire mieux que ce rendez-vous à la mi-mai.

Jeanne s'était dit que la guérison n'étant plus une opportunité, il n'y avait plus d'urgence et elle se préparait lentement à se rendre à l'hôpital.

Dehors, il tombait une petite pluie fine et tenace qui aurait pu la rendre morose, mais Jeanne y voyait plutôt la chance de ne pas avoir à arroser les plantations qu'elle avait faites, la veille, en compagnie de Madeleine.

Au programme, aujourd'hui, deux événements qu'elle jugeait importants, chacun à sa manière. Ce matin, un mauvais moment dans le tunnel de la mort. Cet après-midi, une rencontre au bureau de Gilles. « Pour faire le point », avaient-ils convenu.

Un point que Jeanne considérait comme décisif. Pour ne pas dire final.

En début de semaine, entre deux visites à ses patients, Olivier était venu porter une canne à sa mère.

— Et tu l'utilises, avait-il ordonné en l'embrassant. Pas d'orgueil mal placé et pas d'objections. Si tu t'étais foulé une cheville, tu ne serais pas gênée de prendre une canne. C'est la même chose.

Thomas avait promis d'y voir et Jeanne... bien, Jeanne avait remercié du bout des lèvres, appréciant les intentions, à défaut d'apprécier le cadeau. Néanmoins, malgré un visible agacement, très rapidement, elle s'était rendu compte qu'Olivier avait raison: c'était nettement plus facile de se déplacer avec la canne. Elle s'était donc servie habilement de ce prétexte pour arracher de haute lutte le droit d'aller seule à ses rendez-vous.

— Thomas, je t'en prie... Tu vois bien qu'avec cette fichue canne j'arrive à marcher normalement! Laisse-moi le plaisir d'aller et venir sans aide. Laisse-moi cette liberté qu'il me reste encore pour quelque temps, avait-elle ajouté en soutenant son regard.

Thomas avait rougi et détourné la tête.

— Profites-en pour faire le ménage du garage, tiens! Depuis le temps que tu en parles!

Jeanne tenait à ces petits gestes qui donnaient l'illusion d'une vie normale, Thomas le savait bien. C'est pourquoi il n'insista pas. Ce qu'il ne savait pas, cependant, c'était que Jeanne ne voulait surtout pas qu'il soit présent quand elle discuterait avec Gilles du voyage en Suisse, même si elle soupçonnait qu'ils en avaient parlé ensemble.

Quand elle quitta la maison, Thomas n'avait toujours pas commencé le ménage et Jeanne eut l'impression de l'avoir blessé...

Elle subit l'œil du *scanner* sans broncher, stoïque, se disant que, d'une fois à l'autre, elle finirait bien par s'habituer.

Saurait-elle le faire avant de ne plus avoir besoin de venir ici?

La question lui effleura l'esprit et elle se dépêcha de passer à autre chose. De retour à la maison, si la pluie avait cessé, elle planterait les géraniums...

À l'heure du midi, elle se contenta d'un café à la cafétéria de l'hôpital. Elle n'avait pas vraiment faim.

Quand elle se présenta au bureau de Gilles, Jeanne était tendue. Elle n'eut pas besoin d'un dessin pour comprendre que son ami semblait surpris de la voir se déplacer avec une canne, mais elle ne passa aucune remarque sur ce drôle de regard qu'il posa sur elle. Quand elle fut assise, qu'elle eut déposé la canne à côté d'elle dans un geste qui, déjà, semblait machinal, elle poussa un long soupir et braqua les yeux sur Gilles.

— Qu'est-ce que le *scanner* avait de bon à nous dire aujourd'hui? De bonnes ou de mauvaises nouvelles?

Gilles haussa les sourcils.

— Les mauvaises, je crois que tu les connais déjà. À voir la canne... Ta cheville te fait-elle mal à ce point?

— Un peu... Non, en réalité, je dirais beaucoup. C'est idiot cette manie qu'on a de toujours banaliser les choses moins agréables. C'est comme de répondre automatiquement que ça va très bien, alors que ça ne va pas du tout! Pour revenir à ma cheville, disons qu'à certains jours, je n'ai pas le choix et la morphine devient mon indésirable compagne. Ce qui fait que, pour la douleur, ça peut aller. Je commence à m'y faire. Je me doute bien que le cancer s'est attaqué à ma cheville et qu'il continue de progresser dans mes poumons. Je n'ai pas le souffle court sans raison. Ça ressemble à ça, n'est-ce pas?

Gilles ne put qu'approuver.

— Effectivement, ton diagnostic est le bon.

Jeanne soupira.

— Je m'en doutais, mais curieusement, ça ne m'effraie pas. Les cancers finissent toujours par évoluer quand on n'arrive pas à les neutraliser. Pour être franche, ce sont les tumeurs au cerveau qui m'inquiètent.

Gilles approuva d'un hochement de la tête.

— Moi aussi.

Sur ce, il fit un large sourire qui déconcerta Jeanne, avant d'ajouter:

— Mais l'inquiétude n'est pas pour tout de suite. C'est là la bonne nouvelle de la journée. Les tumeurs au cerveau n'ont pas bougé.

Jeanne osait à peine respirer.

— Ce qui veut dire? demanda-t-elle aussitôt.

Malgré le ton encourageant que Gilles avait pris, Jeanne restait sur la défensive.

— Ce qui veut dire, ma chère Jeanne, qu'on continue à calculer le temps en mois. Peut-être trois ou quatre.

Jeanne avait baissé les yeux sur l'émotion trouble qui l'avait envahie. Gilles venait de lui annoncer qu'il lui restait peut-être quatre mois à vivre et elle n'était pas triste. Bien au contraire, elle avait presque envie de s'en réjouir.

— Comment se fait-il, murmura-t-elle alors, que ce tout petit quatre mois arrive à me soulager, alors qu'en février j'étais complètement démolie à l'idée qu'il ne m'en restait que six ?

La question de Jeanne ne s'adressait qu'à elle-même et Gilles le comprit sans la moindre hésitation. Il attendit qu'elle relève les yeux vers lui pour ajouter :

— À mon avis, il y a de bonnes chances que tu puisses voir l'automne rougir les feuilles des érables.

— Ça, c'est à la condition que les feuilles rougissent en Suisse, précisa Jeanne d'une voix à la fois très douce et déterminée.

À ces mots, Gilles se mit à blêmir, mais Jeanne n'en tint pas compte.

— Et maintenant Gilles, je veux savoir ce qui m'attend. À quels signes devrais-je savoir qu'il est temps de partir pour l'Europe ? Et mon dossier médical ? Es-tu prêt à l'envoyer, comme Thomas me l'a dit ?

Quand Jeanne revint à la maison, elle était presque sereine. Gilles avait parlé de mois, alors qu'elle s'attendait à quelques semaines. À ses yeux, ces quatre mois avaient pris des allures d'éternité. Elle verrait ses rosiers en fleurs et goûterait aux légumes de Madeleine. Gilles avait promis d'envoyer son dossier très bientôt, en même temps que Jeanne ferait parvenir une lettre qui signifierait sans équivoque sa volonté de ne pas prolonger ses souffrances indûment. Dans l'immédiat, Jeanne ne voyait pas ce qui aurait pu être mieux que ces quatre mois devant elle.

Thomas était au salon, devant la télévision qui fonctionnait en sourdine. À le voir, Jeanne ne pouvait dire s'il avait fait le ménage du garage ou pas. Elle n'osa le demander, la petite culpabilité du matin lui revenant en force. L'avait-elle blessé à ce point ? Elle avait l'impression qu'il était resté là, sans bouger, à attendre son retour.

Elle s'approcha lentement, s'assit à ses côtés et posa la tête sur son épaule.

— Les nouvelles ne sont pas si mauvaises que ça, tu sais. Gilles parle même de quatre mois encore. N'est-ce pas merveilleux ?

Quatre mois ? Thomas tressaillit. Quatre mois, seize semaines, pas même cent vingt jours…

Et Jeanne osait dire que c'était merveilleux ?

Alors que ces quelques mots étaient porteurs d'espérance pour Jeanne, ils furent intolérables pour Thomas. Lui, c'étaient des années qu'il aurait voulu à eux, pas quelques misérables mois de sursis.

Il se leva brusquement et sans un regard pour Jeanne, il quitta la pièce, bruyamment, pour y revenir quelques instants plus tard, en tendant une bière devant lui comme s'il portait un toast.

— Quatre mois ! Nous allons souligner la chance inouïe qui est la nôtre ! Quatre mois, c'est merveilleux…

Il ne put continuer, car sa voix venait de casser. Il avala maladroitement quelques gorgées pour faire passer l'émotion qui s'était logée dans sa gorge, mais ce fut insuffisant pour calmer son bouleversement.

Thomas n'arrivait plus à contrôler la tristesse qu'il ressentait et qu'il avait réussi à camoufler jusqu'à maintenant. La rancœur qu'il entretenait secrètement, le désespoir qui s'emparait de ses moindres pensées quand il se retrouvait seul se dressèrent entre Jeanne et lui comme la palissade infranchissable d'un chagrin vertigineux.

— Je n'en veux pas de ces quatre mois de sursis, cracha-t-il sans avertissement, l'œil mauvais, en voulant subitement à l'univers entier. Je ne veux pas d'une vie en lambeaux quand tu ne seras plus à mes côtés. C'est injuste ! Pourquoi nous, pourquoi si vite ? Le sais-tu, toi, pourquoi la vie est aussi injuste ?

Thomas était debout au milieu du salon, fébrile, parlant et buvant, laissant sortir son impuissance avec âpreté.

Pourquoi continuer à vivre si Jeanne n'était plus là ? À quoi bon entretenir une maison qui serait désormais vide et silencieuse ? Pourquoi envisager des voyages qui ne feraient que renforcer cette certitude de solitude ?

Jeanne le dévisageait, immobile, malheureuse, immensément malheureuse et tout aussi impuissante que Thomas.

Ce fut quand il aperçut les larmes silencieuses qui coulaient sans retenue sur les joues de Jeanne que la tempête se calma aussi brusquement qu'elle s'était levée. Déposant sa bière à même le plancher, Thomas se jeta aux pieds de sa femme, entoura ses genoux avec ses bras et posa la tête sur ses cuisses.

— Pardonne-moi. Oh ! Jeanne, pardonne-moi ! Qu'est-ce qui m'a pris ? Comment puis-je être aussi méchant ? Tu n'as pas à subir mes états d'âme.

Jeanne caressa les cheveux de Thomas, prenant conscience à quel point ils avaient blanchi depuis quelque temps. Puis, elle essuya son visage. Le calme lui était revenu. Avait-elle le choix ?

— Tu as raison, je n'ai pas à subir tes états d'âme, admit-elle enfin, mais je les comprends. Moi aussi, j'ai perçu une grande injustice dans tout ça. Qu'est-ce qu'on mérite ou ne mérite pas ? J'y ai longuement réfléchi et malheureusement, je n'ai pas de réponse à te donner. Je ne l'ai pas trouvée. Peut-être bien, après tout, que cette réponse n'existe pas. Ce que je sais, toutefois, c'est que cette impression d'injustice laisse un goût amer dans le cœur et je n'aime pas ça. Je préfère me convaincre que ce qui nous arrive n'est qu'un fait comme les autres. Un fait déplorable, un peu décevant, devant lequel il n'y a qu'un seul choix à faire : l'accepter. Le refuser ne ferait que renforcer l'amertume. Pour ma part, je n'ai plus de temps à perdre. Tout à l'heure, quand Gilles a parlé de quatre mois, je me suis dit que c'était un petit cadeau que la vie me faisait. Encore quatre mois, alors que je m'attendais à quelques semaines tout au plus ! À nous de faire en sorte d'en profiter. Il nous reste tout un été et peut-être un morceau d'automne. Il nous reste un petit-fils ou une petite-fille à voir naître, il nous reste tous ces soupers en famille, des pique-niques à organiser, des amis à rencontrer. J'aurais pu mourir dans un accident, tu aurais pu avoir un infarctus et rien de ce que nous aurons encore la chance de vivre n'aurait été possible. C'est alors que la vie aurait été injuste dans sa brutalité.

Pendant que Jeanne parlait, Thomas s'était relevé et il s'était assis tout contre elle. Il regrettait tous ces mots durs qu'il avait osé dire devant elle. Jeanne n'avait pas à connaître ses angoisses et son refus d'une vie sans elle. Ses tourments, à elle, devaient être tellement plus grands que les siens. Jeanne nicha la tête au creux de l'épaule de Thomas et, comme si elle avait deviné ses pensées, elle murmura :

— Je n'ai plus peur de mourir, tu sais, avoua-t-elle pour
le rassurer. Ce qu'il y a de plus difficile, c'est le renoncement à tout ce que l'on connaît, mais petit à petit, je crois
que je suis en train d'y arriver.

Il y eut un silence tout fragile de ces larmes qui n'étaient
toujours pas bien loin.

— Non, la mort ne m'effraie plus, confirma Jeanne. La
seule angoisse qu'il me reste, c'est de ne pas avoir le temps
de retourner en Suisse quand Gilles dira que le temps est
venu. J'ai peur de ne plus avoir la force d'entreprendre le
voyage et d'être condamnée aux soins palliatifs qui ne feront que prolonger inutilement mes souffrances.

Thomas retenait son souffle. Allait-il parler ou se taire ?
Allait-il lui confier que, depuis un mois, il était en communication régulière avec la Suisse ? Allait-il lui apprendre
que cet après-midi, il avait enfin rejoint un certain Dubreuil,
pharmacien de profession qui lui avait promis de le rappeler
bientôt ?

Un jour, Thomas avait dit à Jeanne qu'elle pourrait compter
sur lui. En quittant l'Europe, il s'était fait la promesse de tout
mettre en œuvre pour que Jeanne puisse mourir en paix, chez
elle, comme elle le voulait. Allait-il lui dire, là, maintenant,
que ce vœu pourrait probablement se réaliser ? Allait-il lui
confier que Gilles s'apprêtait à lui donner son accord pour
être celui qui constaterait le décès et ainsi arriver à contourner les lois qui interdisaient à quiconque d'aider le suicide ? Allait-il lui confier toutes ces choses qui pourraient la
rassurer, mais rendraient peut-être le choix irrévocable dans
cette dimension d'accessibilité qu'il allait lui donner ?

En Thomas, il y avait encore cette part d'égoïsme qui voulait faire reculer l'échéance à tout prix. Puis il y eut le regard de Jeanne posé sur lui, posé entre eux.

— Et si on s'arrangeait pour que la Suisse vienne à toi ? demanda-t-il d'une voix sourde, les mots se précipitant hors de ses lèvres sans le moindre contrôle.

— Que la Suisse... je ne comprends pas.

— Si je trouvais une solution pour que tu n'aies pas à repartir, pour que tu puisses rester ici jusqu'à la fin, est-ce que ça t'aiderait ?

Le visage de Jeanne rayonnait d'une joie intérieure que Thomas recueillit pour ne jamais l'oublier et l'égoïsme disparut aussitôt. Le bonheur de Jeanne, sa tranquillité auraient toujours la meilleure part de son cœur.

— Si tu savais comme je serais heureuse de pouvoir rester ici, tout en sachant que je pourrais m'en aller au bon moment, dans les bonnes conditions. Alors, ces quatre mois seraient un cadeau de la vie. Je n'aurais rien à précipiter. Mais est-ce seulement possible ? Il y a toi et toutes nos lois.

Jeanne dévisageait Thomas. D'un geste très doux, il replaça sa tête contre sa poitrine.

— Non, Jeanne, tu n'as pas à t'en faire pour moi. Je ne suis rien dans cette fin que tu as choisie. Je serai à tes côtés, je te tiendrai la main, mais c'est toi, et toi seule, qui auras le pouvoir de décider jusqu'au dernier instant. Fais-moi confiance. Je vais trouver la solution, elle est presque trouvée...

Alors Jeanne ferma les yeux. Oui, elle lui ferait confiance parce qu'ils s'aimaient toujours aussi profondément et qu'ils avaient toujours pu compter l'un sur l'autre. Elle n'entendait plus que le cœur de Thomas qui battait à grands coups réguliers et ce bruit l'apaisa.

Se pouvait-il qu'enfin il n'y ait plus que du beau devant elle?

Quand à deux jours de là elle reçut un appel très tôt le matin, alors qu'elle était à la cuisine en train de préparer une pilule contre la douleur, Jeanne se dit que, oui, la vie était encore belle et bonne. Mélanie venait d'accoucher d'une petite fille en parfaite santé. Le soleil brillait de mille feux, l'air embaumait le lilas et deux roses venaient d'éclore au jardin.

Sans hésiter, elle replaça le comprimé de morphine dans la bouteille. Pas question d'avoir l'esprit embrouillé et la main hésitante quand elle prendrait sa petite-fille dans ses bras. Attrapant sa canne d'une main ferme, elle clopina jusqu'au bas de l'escalier.

— Thomas? Es-tu réveillé? Mélanie vient d'appeler. Ça y est, mon vieux, tu es grand-père une autre fois! Vite, debout! On déjeune et on va voir cette merveille!

Dans la maison, le rire de Jeanne résonna comme celui d'une jeune fille.

Tant bien que mal, agrippée à sa canne et au bras de Thomas, Jeanne réussit à parcourir le long couloir qui menait à la chambre de sa fille. Sans la morphine, la douleur était intense, mais la joie qu'elle ressentit en voyant Mélanie, radieuse comme seule une jeune mère peut l'être, lui fit oublier sa souffrance. Jamais sa fille n'avait été aussi jolie qu'en ce matin où, blême et décoiffée, elle l'accueillit en lui disant :

— Maman! Viens, viens voir comme elle est jolie. Approche un peu, que je te présente Marie-Jeanne!

Jeanne fronça les sourcils et regarda autour d'elle pour vérifier si elle avait bien entendu. Tous l'observaient en souriant.

—Oui, oui, Marie-Jeanne! répéta Mélanie. C'est un prénom très à la mode et nous l'aimons beaucoup. On voulait te faire la surprise, mais papa était au courant.

Tout en parlant, Mélanie avait tourné la tête vers Maxime qui approuvait en souriant.

Jeanne était émue. Au même moment, Sébastien faisait irruption dans la chambre en tenant deux cafés devant lui. S'il était déjà là, c'était que Mélanie l'avait appelé avant la naissance. Jeanne fut heureuse pour son fils. Dans cet événement de grande émotion, les deux jumeaux avaient été proches l'un de l'autre. Elle savait que, pour Sébastien, c'était important et il semblait bien que Mélanie aussi avait eu besoin de ce lien qui n'appartenait qu'à eux.

Thomas déposa bébé Marie-Jeanne dans les bras de sa grand-mère.

Durant un court moment, ils échangèrent un regard lourd de souvenirs et d'émotions. Un regard où Jeanne demandait pardon pour ce départ trop rapide qui paraissait précipité. Un regard où Thomas disait l'amour qui irait jusqu'au bout, au-delà de la mort.

Au moment où Mélanie s'écria de faire bien attention à la tête, Thomas esquissa un sourire à l'intention de Jeanne en lui faisant un petit clin d'œil complice. Cette merveilleuse communion entre eux, cette façon bien personnelle, unique, de dire les choses sans avoir à se parler… Jeanne répondit à son sourire et referma délicatement les bras sur le bébé. Alors, s'installant en équilibre sur le bras du fauteuil, Thomas entoura les épaules de Jeanne et tous les deux, ils se penchèrent émerveillés sur la si petite, mais combien importante, Marie-Jeanne.

★   ★   ★

TIRÉ DE L'AGENDA DE JEANNE

Juillet est presque fini.

Déjà.

Il a été beau et surtout très chaud. Ce midi, j'ai mangé une salade avec les premières laitues de Madeleine. Elle était bonne, elle goûtait le soleil. Je crois que je vais aimer la vie jusque dans mon dernier regard, même si j'ai mal, de plus en plus mal. Je sais maintenant que c'est la douleur qui aura raison de mes dernières résistances, de mes derniers attachements, cette douleur qui lacère mon corps, qui déchire mon âme par où s'écoule inexorablement la vie.

Le corps serait prêt à partir tout de suite, mais l'âme résiste encore.

La lecture reste mon évasion, mon oubli.

Hier, Josée m'a remis un tout petit livre. Le scaphandre et le papillon, *de Jean-Dominique Bauby. Le message est clair. À travers le destin de cet homme emmuré dans son silence à la suite d'un accident cérébral et qui a choisi la vie coûte que coûte, ma belle, ma merveilleuse amie me demande de rester. Je ne lui en veux pas. C'est sa façon de voir les choses. Je respecte même son acharnement à vouloir m'amener à changer mes choix. Peut-être croira-t-elle avoir réussi, puisque je ne partirai pas pour la Suisse. Le matin où je m'endormirai pour la longue nuit sans fin, les* gens croiront que la maladie a eu raison de moi. Tout est prêt. Il ne manque que mon assentiment.

Thomas et moi avons décidé de ne plus parler de ce geste que je vais poser. Pour le protéger, lui, après, bien sûr. Mais aussi parce que ce geste sans retour s'inscrira dans la continuité de nos secrets amoureux. À bien y penser, il y a, dans ce choix, une intimité que je ne peux partager qu'avec Thomas.

Pour le meilleur et pour le pire... Jamais ces mots n'auront eu autant de sens. Hier avant de nous endormir, Thomas m'a prise dans ses bras en me disant que l'amour vaincrait tout. J'ose croire en cet amour pour qu'il aide Thomas quand je ne serai plus là pour lui répéter que je l'aime. J'ose croire que les souvenirs sauront l'apaiser.

Présentement, je suis sur la terrasse. Je tiens à le préciser pour que le jour où quelqu'un lira ces lignes, il pourra y rattacher des images. La brise est douce, les rosiers sentent bon et je suis bien. Regardez la femme qui écrit sur le clavier de son ordinateur. C'est moi, je vous fais signe, je vous redis que je vous aime. Je continue de mettre dans la mémoire de mon ordinateur tous ces mots que je n'aurai pas le temps de vous dire. Ils sont pour vous. Je veux que vous sachiez que je n'ai plus peur. J'aurai donc réussi à vaincre mon cancer, même si je vais en mourir.

Hier, Sébastien a téléphoné pour m'apprendre qu'il avait obtenu ce poste de professeur qu'il convoitait. Je le vois très bien dans la peau d'un professeur, je suis heureuse pour lui. Il m'a dit également qu'il ne voulait plus entendre parler de l'achat d'une maison.

— Manu va devoir se faire à l'idée. Je vais rester avec

grand-père tant et aussi longtemps qu'il aura besoin de moi.

Ça m'a rassurée. Papa ne sera plus jamais seul.

La petite Marie-Jeanne semble vouloir ressembler à sa grand-maman. Curieux ce que l'hérédité peut faire! Si j'étais une bonne fée, je me pencherais sur son berceau pour lui souhaiter une vie qui ressemblerait à la mienne. J'ai été et je suis encore une femme heureuse.

La vie coule paisiblement, malgré le mal que je ressens et j'arrive encore à me moquer de Thomas quand il s'entête à porter mes vieux tabliers pour préparer les repas. Nécessité oblige! Avec Mélanie qui est débordée, Thomas n'a pas eu le choix d'ouvrir les livres de recettes. Tant mieux, il va se faire la main, même s'il déteste ça.

Dans deux semaines, nous fêterons trente-six ans de mariage. J'en ai fait un but à atteindre. Après, je ne sais pas. Le scanner *que je dois passer bientôt apportera probablement la réponse.*

Je m'arrête ici, je suis fatiguée. Je reprendrai plus tard ou demain. Qu'importe! Ce que j'ai à vous dire, vous le savez déjà. Je vous aime et j'aime la vie.

Chapitre 14

Septembre 2005

« Que croyons-nous
Qu'espérions-nous
La terre, elle tournera sans nous
Sans nos délires, nos rêves fous
Et sans ce monde qui fut nous. »
LA TERRE TOURNERA SANS NOUS, ALAIN BARRIÈRE

TIRÉ DE L'AGENDA DE JEANNE

Dimanche soir, tout est calme. Les enfants viennent de quitter la maison. Le pique-nique a eu l'air de plaire à tout le monde. Thomas s'était surpassé et la table était bien garnie. J'ai peu mangé, je m'en excuse, j'étais trop occupée à regarder nos enfants. J'aurais voulu parler, je me suis tue. J'avais tellement peur de trop en dire. J'aurais pu pleurer, je ne l'ai pas fait, même si je savais que c'était le jour des adieux. Jusqu'à la fin, il y aura ce secret entre Thomas et moi pour le protéger, lui. Il n'y a que Gilles qui le partage. Il est le bouclier derrière lequel Thomas se cachera. Demain, il n'ira pas travailler, il restera chez lui à attendre l'appel de Thomas. Il nous a offert d'être présent, j'ai refusé. Ce sera ma dernière exigence. Le geste que je vais poser demain s'inscrit dans la continuité de ma vie avec Thomas, je ressens ce besoin viscéral de le vivre dans l'intimité la plus stricte.

Moi qui disais avoir peur de la souffrance, je ne savais pas ce que le mot souffrir voulait dire. Ce que j'endure, depuis quelques jours, est atroce.

La douleur fait trembler mes mains, mais je refuse de prendre mes médicaments pour l'instant. Je veux garder mon esprit clair et lucide alors que je m'adresse à toi, mon beau Thomas. Tu pardonneras donc ce papier écrit à l'ordinateur, c'est de cette seule façon que j'arrive encore à écrire, lentement, laborieusement.

Ces derniers mots, Thomas, ils sont pour toi.

Quand tu les liras, je ne serai plus là pour me pencher sur ton épaule. Je vais les imprimer pour que tu puisses les lire avant toute autre chose. Je te les offre, mon bel amour, pour que tu comprennes vraiment ce que le mot autodélivrance veut dire. J'en suis arrivée à ce point de non-retour. Nous avons choisi une date ensemble et je m'y tiendrai. Le dernier scanner *a précipité l'échéance. L'œdème présent autour des métastases de mon cerveau me fait peur et me donne des migraines. Je suis fatiguée d'avoir mal. Tout comme ma mère, je me serai battue, mais, moi, je ne m'acharnerai pas. Je veux seulement que tu me comprennes. De toute façon, je vais mourir. Les quelques semaines que je vais soustraire à ma vie n'auraient été que douleur, tant pour moi que pour toi. C'est avec une grande sérénité que j'aborde ces dernières heures. Quand je fermerai les yeux une dernière fois, je veux que tu sois convaincu que ce sera sur une vie que j'ai aimée. Je la quitte sans regret. Je ne suis pas malheureuse, juste un peu triste. Après tout, je n'ai que cinquante-cinq ans.*

J'aime encore la vie et je l'aimerai jusqu'au dernier ins-

*tant. Apprendre à m'en détacher aura été mon dernier défi.
Je l'ai relevé et j'ai gagné. Gilles avait raison, on peut apprendre à mourir comme on a jadis appris à vivre.*

*Quand Étienne Martineau, le curé, est venu me voir sa-
medi dernier, comme je le lui avais demandé, je me suis
surprise à prier avec lui. Si, comme mon père le dit, Dieu
existe, nul doute que la vie qui m'attend sera douce et
bonne. Je ne saurais dire si je crois en un être supérieur
comme on veut bien nous le présenter, mais je sais maintenant que je suis croyante, car j'ai toujours cru en la beauté
et la grandeur de l'homme et de la nature. Si, par contre,
il n'y a rien après la mort, je n'en souffrirai pas car je ne
le saurai pas et le monde continuera d'exister comme il
existait avant ma naissance.*

*J'ai placé le napperon en dentelle de Bruges sur la petite
table de la serre; c'est toute ma vie que j'ai étalée ainsi.
Aujourd'hui, ma vie est une dentelle. Je n'ai gardé que l'essentiel qui dessine les arabesques d'une existence bien remplie. Quand tu t'ennuieras, regarde-le. Il est parsemé de
fleurs, il me ressemble.*

*Dans quelques heures, ma route va s'arrêter. Nous avons
cheminé ensemble longtemps. Maintenant, tu dois continuer sur le chemin qui est le tien. Tu as été un tendre mari,
un merveilleux compagnon. Je sais que tu seras toujours
un bon père pour nos enfants. Mais tu dois aussi penser à
toi. Je veux que l'homme que j'aime continue à être heureux. Tu dois regarder devant et ne puiser, dans le passé,
que l'énergie pour avancer.*

*Le soir tombe, l'air est plus frais et je respire difficilement.
Ma cheville enflée élance et je sens l'étau d'une migraine*

se resserrer autour de ma tête. Je crois que je vais m'arrêter ici. La douleur me rattrape. J'ai les yeux pleins d'eau. Pourtant, j'aurais voulu continuer, encore et encore. Il me semble qu'il y aurait tellement de choses à dire...

« J'aurais cent mille choses à dire qui tiennent trop à cœur pour si peu de temps... »

Je t'aime, Thomas, je t'aime.

Ta Jeanne

★ ★ ★

Jeanne avait demandé à Thomas qu'il lui apporte son café sur la terrasse. Un café qu'elle ne boirait probablement pas.

L'air était doux comme une caresse.

Le fusain ailé avait deviné que, cette année, il lui fallait hâter les choses. Flamboyant, il se dressait dans l'ombre de la haie.

Lundi matin, Madeleine étendait ses draps sur la corde. D'où elle était assise, Jeanne ne voyait que la tête de sa voisine qui dépassait des cèdres.

Quand Madeleine se retourna et aperçut Jeanne, elle leva joyeusement la main pour la saluer.

— Bonjour! Belle journée, n'est-ce pas?

— Oui, une merveilleuse journée.

— On est chanceux, cette année! L'été semble ne pas vouloir finir... J'en profite pour faire un peu de ménage... À bientôt Jeanne. Prenez soin de vous!

Jeanne ne répondit pas à cette dernière salutation. Elle eut un frisson, puis se retourna pour appeler Thomas afin qu'il puisse l'aider à entrer.

— J'aimerais retourner dans la serre.

La serre était devenue l'essentiel de son univers. Depuis quelques semaines, Thomas et elle dormaient sur le futon. Monter l'escalier était devenu un cauchemar pour Jeanne. Jardiner aussi. Les fleurs de son jardin étaient devenues, au fil des jours de cet été trop court, ce qu'elles sont pour le commun des mortels, un bel ornement, une source de plaisir pour les yeux. Alors, quand elle se laissait aller au contentement de les regarder, Jeanne se disait que sa vie n'avait pas été inutile. La serre avait été, ces derniers temps, le lien qui rattachait entre elles les différentes parties de sa vie. C'était là, bientôt, tout de suite, qu'elle s'allongerait pour une dernière fois.

Cependant, une fois rendue dans la cuisine, elle s'arrêta.

À sa droite, il y avait la salle à manger, témoin privilégié de leurs nombreuses fêtes familiales. Derrière, c'était le salon avec son foyer et ses fauteuils confortables. Elle avait décoré cette maison avec beaucoup de plaisir. Il y avait des plantes un peu partout. Elle aurait bien voulu les arroser une dernière fois, mais ce serait impossible. Elle avait de plus en plus de difficulté à se tenir debout. Pourtant, elle voulait prendre quelques minutes encore pour tout regarder, pour tout emporter avec elle, juste au cas où il y aurait un après.

C'était chez elle.

Bientôt, ce serait chez Thomas.

Depuis quelques jours, ils ne se quittaient plus. Ils avaient vécu ces derniers jours main dans la main, leur regard se noyant l'un dans l'autre, la maison inondée de musique. Thomas avait souvent pleuré et Jeanne l'avait consolé. Les douleurs de plus en plus vives l'avaient empêchée de s'apitoyer sur elle-même. Ce qui aurait pu passer pour une sorte d'indifférence calculée n'était que l'expression d'un épuisement total face à la souffrance. Jeanne n'en pouvait plus d'avoir mal.

Elle tourna la tête et regarda Thomas intensément. Lui aussi, elle voulait l'emporter dans son rêve.

— C'est difficile de quitter ce qu'on aime, avoua-t-elle humblement. J'ai cherché à me détacher de tout, mais il restera toujours une espèce de résistance qui évite peut-être l'indifférence. C'est curieux ce que je ressens. Même les objets prennent une tout autre importance en perdant de leur importance... Je ne sais pas si tu comprends ce que je veux dire?

— Oui, Jeanne, oui, je crois que je peux comprendre.

— Tant mieux...

Jeanne regarda une seconde fois autour d'elle.

— Plus tard, tu iras dans la chambre d'Olivier. Il y a une boîte sur le lit. C'est pour toi et les enfants. Il y a aussi une petite lettre pour mon père.

Le soleil entrait en diagonale. Sur l'îlot, un bouquet de roses de son jardin. Jeanne s'en approcha, se pencha, ferma les yeux en inspirant profondément.

— Dieu que j'aime le parfum des roses!

Puis elle regarda une dernière fois autour d'elle.

— N'oublie pas d'arroser les plantes. Demande à Madeleine ou à Mélanie de t'aider. Elles s'y connaissent bien toutes les deux. Voilà, je crois que j'ai tout prévu.

À ces mots, Jeanne dessina un sourire empreint de tendresse. Pour elle, pour lui, pour cette vie à deux qui était la leur et ne ressemblait à aucune autre.

— On a beau vouloir se détacher, il reste toujours quelque ficelle pour nous ramener à ce que nous avons été. J'aime bien prévoir les choses...

Elle prit une profonde inspiration et tendit la main à Thomas.

— Je suis prête. Aide-moi, maintenant, j'aimerais retourner dans la serre.

Quelques pas, quelques marches, Jeanne soutenue par Thomas, Jeanne donnant quelques conseils, Jeanne ne cessant de parler...

Quand elle tendit la main pour prendre le verre qui contenait la potion au goût de jus d'orange, Thomas remarqua qu'elle ne tremblait pas. Il sut alors qu'il n'y avait aucun doute dans son esprit. Jeanne était allée le plus loin possible sur ce chemin qui était le sien. Elle avait choisi de mettre un terme à ses souffrances. C'était sa volonté et il irait avec elle jusqu'au bout.

Jeanne lui tendait déjà le verre vide.

— Je ne pensais pas que ce serait si facile, constata-t-elle en s'allongeant. Si je me souviens bien, le médecin suisse parlait de quinze minutes. C'est à la fois très long et très court.

Elle tendit les bras vers Thomas.

— Prends-moi contre toi, donne-moi la main.

Quand Thomas fut près d'elle, la tête de Jeanne se nicha spontanément dans le creux de son épaule.

— Tu diras merci à Gilles, je crois que je ne l'ai pas suffisamment fait. Et merci à toi, Thomas. Merci pour cette vie qui a été la nôtre.

À ces mots, Jeanne eut un long bâillement.

— Mes paupières sont lourdes. Je n'ai plus mal, tu sais. Tout est si simple quand on le veut vraiment.

Jeanne ferma les yeux et inspira profondément. Thomas ne bougeait pas, respirait à peine. Il aurait voulu retenir le temps, que ce moment où il tenait sa Jeanne contre lui ne s'arrête jamais. Puis il sentit que Jeanne se faisait lourde dans ses bras.

Si lourde dans ses bras...

Alors il comprit que Jeanne était morte. Sa Jeanne s'en était allée tout doucement, comme elle l'avait souhaité, vers un ailleurs qu'il souhaitait meilleur, sans souffrance. Il voulait croire en cet ailleurs qui donnerait peut-être un sens à cet instant absurde où il flottait à l'extérieur de lui-même, hébété de douleur à son tour.

Donner un sens à cet instant sans substance, vide, où il sentait la vie quitter son propre corps.

Il referma impulsivement les bras sur le corps de Jeanne. Il voulait se réchauffer une dernière fois à la douceur de cette femme qu'il avait tant aimée.

Après, quand il aurait épuisé les larmes et les cris, quand il aurait peut-être compris que le temps ne reviendrait pas en arrière, quand le silence serait devenu trop lourd, quand la vie, impitoyable, ferait valoir ses droits, exigeant une présence, une consolation, alors il appellerait Gilles et les enfants.

Il serra les paupières sur les larmes qui débordaient.

Par la porte française de la cuisine restée ouverte, une musique se fit entendre.

La trame musicale du film *Philadelphie* que Madeleine semblait apprécier, car elle mettait souvent ce disque.

Jeanne

La voix de Maria Callas montait, claire et pure, dans le bleu de ce ciel d'automne, emportant avec elle une partie de l'âme de Thomas qui déjà cherchait celle de Jeanne...